NÉRON

LE RÈGNE
DE L'ANTÉCHRIST

Du même auteur aux Éditions J'ai lu

MORTS POUR LA FRANCE :
1-Le chaudron des sorcières (7504)
2-Le feu de l'enfer (7622)
3-La marche noire (7745)

L'EMPIRE :
1-L'envoûtement (7836)
2-La possession (7992)
3-Le désamour (8133)

LA CROIX DE L'OCCIDENT :
1-Par ce signe tu vaincras (8218)
2-Paris vaut bien une messe (8328)

LES ROMAINS :
1-Spartacus - La révolte des esclaves (8549)

MAX
GALLO
DE L'ACADÉMIE FRANÇAISE

LES ROMAINS - 2
NÉRON

LE RÈGNE DE L'ANTÉCHRIST

ROMAN

REPÈRES CHRONOLOGIQUES

Romulus : 754-715 av. J.-C.

République romaine

Marius, consul : 107 av. J.-C.
Sylla, consul : 88 av. J.-C.

• Guerre servile de *Spartacus* : 73-71 av. J.-C.
Les Romains, t. 1

Pompée et Crassus, consuls : 70 av. J.-C.
César passe le Rubicon : 49 av. J.-C.
Assassinat de César : 44 av. J.-C.

Empire romain — Dynastie julio-claudienne

Octave-Auguste : 27 av. J.-C. -14 apr. J.-C.
Tibère : 14-37
Crucifixion du Christ : autour de 30
Caligula : 37-41
Claude : 41-54

• *Néron* : 54-68 — *Les Romains*, t. 2

Galba
Othon
Vitellius : 68-69

Dynastie flavienne

Vespasien : 69-79

• *Titus* : 79-81 — *Les Romains*, t. 3

Domitien : 81-96
Nerva : 96-98

Dynastie des Antonins

Trajan : 98-117
Hadrien : 117-138
Antonin le Pieux : 138-161

• *Marc Aurèle* : 161-180 — *Les Romains*, t. 4

Commode : 180-192
Pertinax : 193

Dynastie des Sévères

Septime Sévère : 193-211…
Dioclétien : 284-304
Maximien : 306-310
Galère : 304-311
Constance Ier Chlore : 305-306
Sévère : 306-307
Maximin II Daïa : 307-313
Licinius : 307-323

Dynastie constantinienne

• *Constantin Ier* : 306-337 *Les Romains*, t. 5
Crispus César : 317-326
Constantin II : 337-340
Constant Ier : 337-350
Constance II : 337-361
Julien : 361-363
Jovien : 363-364

476 – Fin de l'Empire d'Occident.

« Son libertinage, sa lubricité, sa profusion, sa cupidité et sa cruauté se manifestèrent d'abord graduellement et d'une façon clandestine comme dans l'égarement de la jeunesse, et pourtant, même alors, personne ne put douter que ces vices n'appartinssent à son caractère plutôt qu'à son âge. »

SUÉTONE, *Vies des douze Césars*, Néron, XXVI.

« Je te haïssais et nul soldat ne te fut jamais plus fidèle aussi longtemps que tu as mérité d'être aimé ; j'ai commencé à te haïr après que tu t'es révélé meurtrier de ta mère, de ton frère et de ton épouse, cocher, histrion et incendiaire. »

Le tribun Sibrius Flavus, cité par TACITE,
Annales, LXVII.

« Lorsque, dans le silence de l'abjection, on n'entend plus retentir que la chaîne de l'esclave et la voix du délateur, lorsque tout tremble devant le tyran et qu'il est aussi dangereux d'encourir sa faveur que de mériter sa disgrâce, l'historien paraît chargé de la vengeance des peuples. C'est en vain que Néron prospère, Tacite est déjà né dans l'Empire... »

François-René de CHATEAUBRIAND,
Mémoires d'Outre-tombe.

PROLOGUE

J'ai survécu à Néron.

Et chaque jour je m'interroge : pourquoi ai-je été épargné ?

Mes proches, les citoyens de Rome que j'estimais le plus, Sénèque dont je fus l'élève et l'ami, qui prêchait la clémence, ont été égorgés ou empoisonnés, contraints au suicide.

Mon maître Sénèque a ainsi reçu l'ordre de mourir, comme bien d'autres. Il s'est ouvert les veines des bras et des jarrets. Et parce que le sang s'écoulait trop lentement, il est entré dans une étuve afin que la chaleur l'achève.

Ses frères, ses amis ont été eux aussi condamnés.

Moi, j'ai vieilli, survivant de ces années souillées par le crime.

Néron est mort, puis les trois bouffons Galba, Othon et Vitellius qui se sont disputé sa succession en l'espace d'une seule année.

Mais Vespasien et son fils Titus, qui ont recueilli l'héritage impérial, sont morts aussi.

Et j'écris ces mots alors que règne son second fils, Domitien.

Aujourd'hui je vis retiré dans la villa de ma famille, à Capoue. J'arpente chaque matin l'allée qui conduit du vestibule de ma demeure jusqu'aux vergers qui s'étendent vers les collines.

Je m'assieds face à la colonnade de marbre et de porphyre qui entoure ma villa.

Et la question revient, qui me tourmente : pourquoi ai-je été épargné ?

Certains jours je m'accuse, je m'accable.

Les autres, ceux qui sont morts, affichaient leur orgueil, leur courage, leurs opinions, leurs ambitions, leurs haines, leurs amours et leurs amitiés.

Je me souviens de cette femme, Epicharis, une affranchie, mariée au frère cadet de Sénèque. Elle voulait soulever la flotte de Misène contre Néron. Dénoncée, arrêtée, elle fut un jour durant torturée, écharpée, disloquée sans que le nom d'un seul de ses complices franchisse ses lèvres, et au deuxième jour, pour échapper à ses bourreaux, elle s'étrangla.

Je me souviens de ces disciples de Christos, qu'on appelle chrétiens et que Néron a massacrés par centaines au lendemain de l'incendie de Rome.

Certains furent jetés aux fauves, d'autres entassés sur des bûchers, d'autres encore crucifiés, leurs corps couverts d'huile, de poix et de résine, puis embrasés afin que ces atroces flambeaux éclairent les jeux qui se déroulaient dans les jardins de Néron.

Et j'ai entendu certains de ces hommes et de ces femmes chanter pendant leur agonie.

Ma vie, je le sais, n'est que piécette de cuivre ou de bronze, comparée à l'or et à l'argent de ces vies-là.

La prudence a été ma conseillère, le silence ma règle, la lâcheté mon armure. Mais, à beaucoup, cela n'a pas suffi.

Et cependant, j'ai été épargné. Pourquoi ?

Depuis que j'ai quitté Rome, les visages de ceux que j'ai connus viennent peupler mes journées.

J'ai voulu d'abord savoir qui était ce Gaius Fuscus Salinator, mon ancêtre, qui fit construire cette demeure au temps de la République, alors qu'il était préteur de Crassus et proche de César.

J'ai découvert le livre qu'il a écrit à la fin de sa vie. Lui aussi s'était retiré dans ce domaine de Capoue.

C'est une *Histoire de la Guerre servile de Spartacus*.

J'y ai appris avec effroi que Crassus avait fait crucifier, le long de la via Appia, entre Capoue et Rome, six mille esclaves faits prisonniers après la mort de Spartacus et dont il n'avait préservé la vie que pour mieux les supplicier.

Il fallait qu'il ne restât de la guerre de Spartacus que ce souvenir d'un implacable et effrayant châtiment, afin que plus jamais une révolte d'esclaves ne vienne menacer Rome.

Mais mon ancêtre Gaius Fuscus Salinator a fait revivre dans son *Histoire de la Guerre servile* Spartacus et ses proches, ce guérisseur de Judée, Jaïr, ce philosophe grec, Posidionos, cette prêtresse devineresse de Dionysos, Apollonia. Et, le lisant, j'oublie le châtiment de Crassus.

Je me suis souvenu de la dernière lettre que j'avais reçue de Sénèque et qui se terminait par ces phrases :

> Sache, Serenus, que tout ce que nous laissons derrière nous appartient à la mort, hormis notre pensée. Et ce que nous avons pu écrire sur nos tablettes et nos papyrus renaît dès qu'un lecteur le lit.
>
> Songes-y, Serenus, la connaissance est toujours naissance.

Sénèque m'a appris l'humilité. Et j'ai dit ce que je pensais de ma vie. Mais, puisque j'ai été épargné, je dois faire renaître ces vivants que la mort a saisis avant moi.

Sénèque croyait en l'immortalité de l'âme. Peut-être n'existe-t-elle que parce que des hommes écrivent les histoires des vies, qui sont celles des âmes.

Ceux que j'ai vu crucifier croyaient, fidèles à l'enseignement de leur Dieu Christos, à la résurrection. Si un Dieu m'a protégé, c'est celui-là, et c'est Lui qui m'oblige à commencer de rédiger ces *Annales* où je dirai ce que j'ai vu, ce que j'ai appris, ce que j'ai vécu.

Ainsi les âmes renaîtront-elles.

Car je crois, comme les chrétiens, à la résurrection.

PREMIÈRE PARTIE

1

J'ai vu Néron le jour de sa naissance.

Il était couché, le torse nu, le bas-ventre enveloppé d'un tissu blanc, sur une dépouille de lion. Les pattes du fauve, avec leurs longues griffes crochues, pendaient de part et d'autre du lit comme si elles venaient à peine de lâcher l'enfant dont la peau, çà et là violacée, portait encore les marques de leur étreinte. Béante et noirâtre, la gueule de l'animal paraissait menacer de ses canines la tête ronde du nouveau-né.

— Regarde cet enfant jusqu'à ce que tu puisses me décrire chaque pore, chaque pli de sa peau, m'avait dit Caligula.

L'empereur s'était approché de moi.

— Renifle-le, avait-il poursuivi. Touche-le. Il est de mon sang, celui de César et d'Auguste.

Il avait d'abord souri, puis le bas de son visage s'était peu à peu déformé en ce qui devint une grimace, la lèvre inférieure boudeuse, les maxillaires crispés, le menton en avant.

Il avait baissé la tête comme pour dissimuler son regard, mais je voyais ses sourcils froncés, son front tout à coup fendu par une profonde ride médiane.

C'était la première fois que je me trouvais à quelques pas de Caligula.

Il avait accédé à la dignité impériale depuis neuf mois, à la mort de Tibère que j'avais servi durant deux années.

La plupart des chevaliers et des affranchis qui avaient été des fidèles de l'empereur disparu avaient quitté le palais. On murmurait que nombre d'entre eux avaient été assassinés par des prétoriens fidèles à Caligula, et l'on prétendait même que ce dernier avait empoisonné Tibère dont il était pourtant le petit-fils adoptif, le père de Caligula, Germanicus, ayant été adopté par le défunt empereur.

Un affranchi de Tibère – il s'agissait de Nolis, mais je n'ai reçu cette confidence de mon régisseur qu'aujourd'hui – m'avait raconté dans un sombre recoin du palais impérial l'agonie du maître de Rome qui, le corps tordu par le poison, avait résisté longtemps, s'agrippant au bras du serviteur chargé par Caligula d'ôter l'anneau impérial du doigt du mourant. Pris de peur, l'homme avait cherché à dégager son bras.

Avec mépris, Caligula l'avait écarté, puis il avait écrasé sur le visage de Tibère un oreiller pour l'étouffer, et comme l'empereur se débattait encore, donnant de grands coups de pied, il l'avait étranglé de ses propres mains. Un témoin de la scène, fidèle à Tibère, s'était récrié, dénonçant l'atrocité de ce crime : un parricide. Caligula l'avait fait saisir par ses prétoriens, et l'homme avait été aussitôt crucifié.

J'avais écouté ces récits. J'avais vu disparaître les proches de Tibère et je n'avais cependant pas cherché à fuir.

Depuis Gaius Fuscus Salinator, ma famille n'avait aucune autre ambition que de servir celui ou ceux que les citoyens et le Sénat désignaient pour incarner Rome, d'abord la République, puis, après César et Auguste, l'Empire.

Quant à choisir ou à préférer tel maître à tel autre, mon père m'avait conseillé dès l'adolescence de laisser les dieux et la fatalité, ou le poignard et le poison qui en étaient les instruments, distinguer celui qui devait succéder à l'empereur défunt.

Caligula avait donc glissé à son doigt l'anneau de Tibère. Et j'avais survécu, poursuivant ma tâche au palais, laquelle consistait à faire connaître aux sénateurs les intentions de l'empereur et à rapporter aux conseillers de ce dernier les réactions du Sénat.

J'étais, de ce fait, comme un guetteur qui, de son poste d'observation, suit les mouvements des légions et des armées ennemies sur le champ de bataille. Je recueillais toutes les rumeurs.

Il m'avait suffi de quelques jours pour découvrir la férocité de Caligula : comment, trouvant trop onéreux d'acheter des animaux pour nourrir les fauves destinés aux jeux, il avait désigné des condamnés pour leur servir de pâture, passant lui-même parmi les prisonniers, désignant ceux qui seraient les premières victimes, ou bien, d'un mouvement lent de la main, indiquant qu'ils devaient tous périr indistinctement.

J'avais connu les excès de Tibère, sa dépravation, ses jeux avec de jeunes enfants dressés à l'exciter en le léchant cependant qu'il nageait, et lorsqu'il était las, il faisait supplicier ou châtrer ces « petits poissons », ainsi qu'il les appelait.

J'aurais pu – je le pourrais encore – rappeler les sévices et les débauches que Tibère avait imaginés au temps où il s'était retiré à Capri. Je m'étais rendu à plusieurs reprises dans l'île pour rendre compte de ce qui se tramait à Rome. À chacun de mes brefs séjours, j'avais craint d'être victime de l'une des colères ou des lubies de l'empereur.

Je l'avais vu faire déchirer le visage d'un pêcheur avec le poisson que ce malheureux lui avait offert, révélant ainsi qu'il avait jeté ses filets près des rivages de l'île, ce que l'empereur avait interdit.

Je m'étais souvent interrogé sur cette sauvagerie qui avait saisi Tibère, cette démesure dans la débauche à laquelle il avait succombé et dont je retrouvais tous les traits en la personne de Caligula, comme si la conquête du pouvoir suprême donnait à l'homme qui y accédait une ivresse que seule la mort pouvait interrompre.

L'on m'avait ainsi rapporté que Caligula recommandait à ses bourreaux de prolonger l'agonie des suppliciés : « Frappe de telle façon qu'il se sente mourir », répétait-il, et il se complaisait à répéter ce vers d'une tragédie grecque : « Qu'on me haïsse pourvu qu'on me craigne ! »

Et c'était cet homme qui m'avait interpellé :

— Qui es-tu, toi ?

Cette question prononcée sur ce ton valait souvent condamnation à mort. J'avais été humble comme il sied au dernier descendant d'une famille noble mais modeste, aux ambitions mesurées, dont le fondateur n'avait été que légat, qui n'avait point pris parti dans les guerres civiles, puis dont les successeurs avaient servi les empereurs issus de César, Auguste, Tibère, « et maintenant toi, divin Caligula ».

— Serenus, avait répété l'empereur, issu de la *gens* Salinator, de ce Gaius Fuscus Salinator, légat de Crassus.

Il m'avait pris par le bras, m'avait entraîné dans l'un de ses salons.

— Tu pars ce soir pour Antium, c'est là que je suis né, avait-il dit. Ma sœur Agrippine va y mettre bas peut-être cette nuit.

Il m'avait dévisagé, tout à coup silencieux, le regard aigu, fouillant en moi, et j'avais baissé les yeux.

Je savais qu'il avait, disait-on, usé de toutes ses sœurs comme épouses. Ce que les citoyens s'interdisaient, les empereurs, comme les dieux, l'accomplissaient.

— Elle s'est accouplée avec ce Domitius Ahenobarbus, avait-il repris.

Il s'était penché vers moi, secouant la tête.

— Est-ce digne d'une femme qui descend de César et d'Auguste ? Je la croyais plus fière de ses origines. Un Domitius Ahenobarbus ! Elle, Agrippine, ma sœur !

J'avais essayé de ne pas croiser le regard de Caligula, de chasser de mon esprit toute pensée afin que l'empereur n'en saisît aucun reflet. Mais peut-être n'avais-je pas réussi à dissimuler mon étonnement devant ses propos.

Car la famille des Ahenobarbus était illustre et puissante. Elle comptait des consuls et des censeurs dans ses rangs. Elle était apparentée à Brutus et à Cassius, adversaires de César, mais, lors de la guerre civile, ses membres avaient rejoint Auguste et celui-ci avait fait d'un Ahenobarbus le gestionnaire de son patrimoine.

On disait de l'un de leurs ancêtres qu'il avait une barbe d'airain – de là son nom –, une bouche de fer et un cœur de plomb. En effet, à l'égal des plus grands, ils avaient tous fait montre d'une telle férocité qu'Auguste avait dû condamner leurs pratiques par décret. Mais ils avaient persévéré dans la sauvagerie et la cruauté, l'un d'eux écrasant par plaisir un enfant dans un bourg de la via Appia, arrachant un œil à un chevalier qui lui avait adressé des reproches, tuant les affranchis qui se refusaient à boire autant qu'il le leur ordonnait. C'est ce dernier Ahenobarbus qu'Agrippine avait choisi pour époux.

Une telle famille pouvait être associée à celles dont étaient issus les empereurs, et le mépris de Caligula m'avait donc surpris.

À moins que ce ne fût qu'un leurre.

Les mains derrière le dos, l'empereur tournait autour de moi en marmonnant, tout en m'observant.

— Pars pour Antium, avait-il repris. Tu y arriveras demain matin.

Il avait levé la tête, fermé les yeux.

— Tu respireras l'air salé de la mer, tu verras les trirèmes dans le port. Je t'envie, Serenus.

Puis il avait à nouveau laissé retomber son menton sur sa poitrine.

— Je veux savoir si cet enfant me ressemble.

Il avait secoué la tête.

— Pourquoi veux-tu que je fasse confiance à Agrippine ?

Il avait souri, puis s'était mordillé les lèvres, et, tout à coup, sa voix, cessant d'être enjouée, doucereuse, s'était durcie, devenant tranchante.

— Agrippine est de mon sang. Si elle a choisi d'épouser cet Ahenobarbus, crois-tu que je puisse imaginer que ce soit par amour ? Elle se sert de ce lourdaud pour se faire engrosser comme une vache sacrée par un taureau, et tu voudrais que je ne me méfie pas ?

Il avait posé lourdement la main sur mon épaule.

— Serenus..., avait-il commencé pour s'interrompre aussitôt et me dévisager d'un regard soupçonneux. Un empereur n'a que des ennuis, et ceux qui paraissent le servir peuvent à tout moment le trahir, le poignarder ou l'empoisonner.

Il avait penché la tête sur son épaule gauche tout en me fixant de ses yeux mi-clos.

— Toi aussi, Serenus. Est-ce que je connais tes pensées ? Tu as servi Tibère. Peut-être veux-tu le venger et imagines-tu que je l'ai tué ?

Il avait haussé les épaules.

— Pars pour Antium et flaire l'enfant. Écoute ce qu'on dit de lui. Souviens-toi : il faut écraser l'œuf du serpent si l'on ne veut pas qu'il vous morde plus tard.

Il m'avait repoussé d'un geste brutal.

— Va, va, avait-il dit.

J'avais quitté Rome avant que la nuit tombe.

2

Je me suis approché du lit où reposait l'enfant.

Des taches noires lui maculaient le cou, comme des empreintes de griffes ou de doigts. La peau de ses bras et de son torse était violacée, parsemée de marques brunâtres.

Il était immobile, éclairé par deux lampes à huile posées de part et d'autre du lit. Le reste de la pièce était plongé dans la pénombre et une foule d'hommes et de femmes s'y pressaient, se tenant assez loin du rectangle de lumière pour éviter d'être vus et reconnus près de l'enfant.

J'étais le seul à m'être avancé, suivi des deux prétoriens qui m'avaient fait escorte depuis Rome.

Je suis resté quelques instants debout au pied du lit à fixer l'enfant immobile aux yeux clos. J'ai frissonné. Il m'a semblé que les dieux hésitaient à lui accorder la vie, le retenant encore dans le royaume d'avant. Puis j'ai reculé, me glissant parmi les silhouettes indistinctes.

Quelqu'un a chuchoté près de moi que l'enfant était né les pieds devant et que c'était toujours un mauvais présage.

Une autre voix a murmuré qu'il était le fils d'Agrippine et que l'on nommait *agrippa* cette façon de naître en présentant les pieds au lieu de la tête, comme si l'enfant tentait de fuir sa mère tandis que celle-ci voulait le garder, l'étouffer, l'étrangler même.

— Regardez ces traces sur sa peau, a ajouté quelqu'un. On dirait un serpent.

À l'instant où je me souvenais des propos de Caligula sur l'œuf de serpent qu'il convenait d'écraser, la pièce a été éclairée. Des esclaves posaient des lampes dans les niches et les visages des hommes et des femmes sortirent de l'anonymat.

J'ai reconnu Domitius Ahenobarbus, le père de l'enfant, qui, les deux mains croisées sur son ventre rond, se tenait au premier rang. Près de lui, appuyée à son épaule, une femme au visage maigre, aux cheveux relevés en chignon, regardait autour d'elle d'un regard provocant. C'était Lepida, la sœur de Domitius Ahenobarbus, dont on disait qu'elle avait longtemps été l'épouse incestueuse de son frère, tout comme Agrippine l'avait été de Caligula ; on expliquait que ces unions sacrilèges avaient rapproché Agrippine de Domitius Ahenobarbus. Qui sait si ces deux couples monstrueux ne s'étaient pas réunis pour cumuler leurs vices ? Qui sait même si cet enfant n'était pas le fils de Caligula, son oncle ?

Tout à coup, une voix forte a réclamé le silence, et un homme s'est avancé vers le lit, posant la main sur le front de l'enfant.

J'ai reconnu Balbilus, l'astrologue, le devin, le prêtre le plus célèbre de Rome. Le corps enveloppé dans une ample toge, il portait un collier d'or et d'ambre qui lui descendait jusqu'au milieu de la poitrine.

— Il est né du Soleil, a-t-il lancé. J'ai vu les rayons de l'astre le frapper avant même que la lumière n'effleure la terre. C'est le plus heureux des présages. L'enfant est sous la protection d'Apollon dont il a reçu les pouvoirs et les dons. Ce 15 décembre, un fils du dieu Soleil est né dans la maison même où est né avant lui l'empereur Caligula.

Le reste des propos de Balbilus s'est perdu dans le brouhaha. Des esclaves portant une litière s'ouvrirent un passage parmi la foule.

Agrippine était allongée sur les coussins de la litière, ses cheveux bouclés entourant son visage maquillé de blanc et de rouge.

Bras tendu, elle a montré l'enfant et une matrone s'est approchée du lit, a saisi le nouveau-né par les poignets et l'a soulevé. Ainsi suspendu, le corps de l'enfant ressemblait à celui d'un animal écorché qu'on s'apprête à poser sur les braises. Lentement, le tissu blanc qui enveloppait son bas-ventre a glissé et le sexe et les bourses sont apparus. C'était, dans ce corps plutôt malingre, à l'exception de la tête ronde, comme une énorme protubérance brune et fripée.

Des rires et des acclamations ont retenti dans la pièce.

— Tu disais, Balbilus, qu'il était le fils du Soleil, du dieu Apollon, a commencé Agrippine. Mais c'est aussi mon fils. Je reconnais là ma chair.

Regarde son membre généreux. Il régnera sur le ventre des femmes. Il engendrera des fils issus de son sang, qui est le mien et celui de César et d'Auguste. Il est né pour régner.

Elle s'est redressée, les coudes enfoncés dans les coussins, le torse droit, le visage levé.

Elle a continué de parler, ses mots tombant comme des coups de hache, puis, tout à coup, sa voix s'est faite mélodieuse et enjôleuse.

Agrippine s'est tournée vers moi.

— Serenus, dis à mon frère, le grand empereur Caligula, que sa sœur Agrippine lui présente le mâle descendant des fondateurs divins de notre famille !

Elle m'a invité d'un geste impérieux à m'approcher de la litière, m'a saisi le poignet et m'a tiré vers elle, m'obligeant à me pencher, la bouche contre ses cheveux, respirant ses parfums âcres, cette odeur de poudre.

Elle a chuchoté qu'elle savait combien son frère était inquiet de la naissance de cet enfant.

— Il a peur de tout ce qui lui échappe. Tu es son espion, Serenus. Rapporte-lui ce qu'a dit Balbilus. Mon fils, fils d'Apollon : Caligula va imaginer mes désirs...

Sa voix est devenue plus rauque.

— Croit-il que j'aurais souffert pour enfanter un fils si ce n'était pour qu'il règne un jour ?

Elle m'a tiré davantage vers elle, et j'ai senti la caresse de ses lèvres sur mon oreille.

— Serenus, tu es un délateur, mais si tu es prudent, si tu tiens à ta vie, ne lui dis pas que je suis prête à mourir de la main de mon fils si c'est le prix à payer pour qu'il règne.

Elle a frappé du plat de la main le bord de sa litière que les esclaves ont soulevée et emportée hors de la pièce.

La foule l'a suivie et devant la dépouille du lion et le corps de l'enfant ne sont restés que Domitius Ahenobarbus et sa sœur Lepida. Des esclaves commençaient à enduire d'huile le nouveau-né et à le masser.

Domitius Ahenobarbus s'est approché de moi.

— Quels secrets t'a confiés Agrippine ? Quel message pour son illustre et divin frère ? m'a-t-il demandé.

Accrochée au bras de Domitius, Lepida riait silencieusement.

— Dis à l'empereur que d'un serpent ne peut naître qu'un serpent, a repris Domitius. Il n'ignore pas qui nous sommes. Alors, qu'avait-il besoin de t'envoyer ici ? D'Agrippine et de moi il sait qu'il ne peut naître rien que de détestable et de funeste à l'État.

Il s'est éloigné sans un regard pour cet enfant dont la tête reposait sur la crinière du lion.

3

J'ai vu le soupçon et la mort rôder autour de cet enfant.

L'empereur Caligula, son oncle, à demi allongé, le visage reposant sur sa paume droite, des femmes félines couchées près de lui, frottant leurs corps contre ses cuisses, lui caressant la poitrine, m'a interrogé à mon retour d'Antium.

Le fils d'Agrippine était-il ce serpent dont il fallait écraser la tête avant qu'il ne devienne menaçant ?

Je me suis dérobé. Je n'ai pas parlé de la peau de l'enfant, tachetée comme celle d'un reptile. J'ai évoqué les présages. Caligula a d'abord paru rassuré quand il a su que le nouveau-né s'était présenté par les pieds, signe néfaste. Il a ri, laissant aller sa tête en arrière, offrant son corps aux mains expertes des femmes, puis, tout à coup, il s'est redressé.

— On m'a rapporté que Balbilus, ce fou d'astrologue, était présent à Antium. Sais-tu ce qu'il a dit ?

J'ai répété les propos de Balbilus, qui avait décrit le couronnement solaire de l'enfant.

D'un mouvement violent, Caligula a repoussé les femmes. Il s'est levé et, se mordillant les doigts, il s'est arrêté devant moi et m'a fixé.

— Agrippine a payé Balbilus ! s'est-il écrié. Elle veut que son fils règne sur l'Égypte, le royaume d'Apollon. Alors il lui faut un fils né du Soleil !

Il s'est frappé la poitrine et a repris :

— Mais c'est l'empereur de Rome qui gouverne l'Égypte ! Et le fils d'Agrippine ne sera jamais empereur, entends-tu, Serenus ? Il faudra qu'elle renonce à ses ambitions !

Il a serré le poing, l'a brandi devant moi, puis s'est frappé la cuisse si violemment qu'il en a grimacé, le visage crispé, les mâchoires serrées, le front sillonné de rides.

Il arborait la même expression hostile, au neuvième jour suivant la naissance de l'enfant, quand, dans une salle du palais impérial, on purifia le nouveau-né avant de lui donner son nom.

L'enfant était couché nu dans une vasque de marbre noir.

Le père, Domitius Ahenobarbus, se tenait à quelques pas, bras croisés, le ventre en avant, une moue dédaigneuse exprimant l'ennui ou l'indifférence, comme si cet enfant n'avait pas été son rejeton.

Mais peut-être ne l'était-il pas.

Agrippine, elle, était bien la mère. Elle tenait serré le poignet droit de l'enfant. De l'autre côté de la vasque, Caligula, son frère, avait saisi le poignet gauche. Agrippine avait le visage aussi grimaçant que celui de son frère.

J'ai eu l'impression qu'ils allaient tous deux écarteler l'enfant, tirant chacun sur l'un des bras jusqu'à ce que le frêle corps nu se fende en deux.

Silencieuse, la petite foule assemblée autour de la vasque ne quittait pas des yeux Agrippine et Caligula. J'ai lu l'avidité et la cruauté sur tous ces visages : ils attendaient le début du combat à mort de deux fauves se disputant une même proie.

Seul, en avant du premier rang, Claude, l'oncle d'Agrippine et de Caligula, riait, bouche ouverte, en se balançant d'un pied sur l'autre.

On disait que cet homme élancé avait les jarrets fragiles et qu'il suffisait d'une poussée pour le renverser. Mais on le redoutait. Certains l'incitaient même à se dresser contre Caligula, ce neveu fou, empereur incestueux et criminel, qui ne résistait à aucune de ses passions, de ses envies. Mais pouvait-on faire confiance à l'oncle Claude, tout aussi cruel, et de surcroît ridicule, bafoué par cette épouse, Messaline, debout près de lui dans la salle de la purification, ses cheveux bouclés retombant sur son front, femme à la poitrine lourde, aux hanches larges, aux cuisses qu'on devinait massives. On disait qu'elle les écartait plusieurs fois par nuit pour des hommes différents qu'elle accueillait dans une maison des bords de la via Appia, un vrai lupanar où elle satisfaisait ses insatiables appétits. Et Claude lui était pourtant soumis, acceptant ses trahisons, faisant comme s'il était sûr qu'Octavie, la fille que Messaline lui avait donnée, était de son sang alors que tant d'hommes, gladiateurs, affranchis, jeunes aristocrates, avaient planté leur phallus dans la vulve béante de son épouse !

Sans lâcher le poignet de l'enfant, Caligula s'est tourné vers Claude, puis vers Agrippine.

— Donne à ton fils le nom de Claude, a-t-il dit en s'esclaffant, tout en tirant sur le bras de l'enfant, puis, lâchant le poignet et s'écartant de la vasque, il répéta : Claude, pourquoi pas ? Notre oncle est respecté, il est de notre sang. Notre généreuse et aimante Messaline vient de lui donner une Octavie. Claude : voilà un grand nom pour ta descendance, Agrippine !

Et il a quitté la salle, suivi par la plus grande partie de l'assistance. Claude a hésité, s'est approché de la vasque, a contemplé le nouveau-né qu'Agrippine avait saisi sous les aisselles et soulevait.

Elle a secoué la tête.

— Il se nomme Lucius Domitius, a-t-elle dit en se tournant vers Domitius Ahenobarbus. C'est aussi votre fils. Il portera ainsi le nom de votre père.

Elle a laissé l'enfant que les esclaves ont commencé à envelopper dans de grands linges blancs.

On eût dit des linceuls. Et, dans les mois et les années qui ont suivi, j'ai craint qu'on ne tue cet enfant.

Caligula avait découvert qu'Agrippine participait à une conspiration que tramaient contre lui un sénateur, Lepidus, et le gouverneur de la Germanie, Getulicus. Il pouvait se venger en ordonnant qu'on fît périr et l'enfant et sa mère. Mais il se contenta de confisquer les propriétés de sa sœur et de la reléguer loin de Rome en y retenant son enfant en otage.

Caligula m'avait chargé de surveiller cet enfant. Je l'ai vu faire ses premiers pas, j'ai entendu ses premiers mots.

Dans la maison de sa tante Lepida, qui l'avait recueilli, il ressemblait à un animal anxieux, jetant autour de lui des regards craintifs, baissant la tête quand on s'adressait à lui comme s'il avait déjà appris à dissimuler ses sentiments.

J'étais là le jour où Lepida vint lui annoncer que son père était mort et que, sa mère étant reléguée loin de Rome, il était orphelin.

Tournée vers moi, comme pour montrer qu'elle défiait Caligula, Lepida avait ajouté :

— Ton oncle, l'empereur, a décidé de s'approprier les biens qui te revenaient en héritage de ton père. Tu étais riche, tu ne l'es plus, Lucius Domitius. Ta seule fortune, c'est ton sang illustre.

J'ai vu l'enfant se redresser, prendre une pose altière, cependant que ses deux nourrices, Eglogé et Alexandra, le couvaient du regard, s'inclinaient devant lui, leurs visages exprimant la tendresse, la compassion, la vénération même.

— Ton sang est celui des empereurs, lui a répété sa tante.

Elle s'est éloignée et les deux maîtres qu'elle avait chargés de l'éducation de Lucius Domitius se sont approchés.

Caligula a ri quand je lui ai appris que l'un des maîtres de son neveu était barbier et l'autre danseur.

L'empereur m'a fait répéter pour que les courtisans qui l'entouraient entendissent eux aussi.

— Agrippine voulait faire de son fils un empereur, a-t-il commenté en s'esclaffant. Il dansera, il rasera !

Puis il s'est rembruni.

— Quel destin, pour un descendant d'Auguste et de César ! Peut-être vaudrait-il mieux qu'il meure ?

La mort continuait ainsi de rôder autour de l'enfant.

4

Caligula n'a pas eu le temps de faire tuer l'enfant.

Je savais qu'à chaque fois qu'il m'interrogeait sur la vie du fils de sa sœur Agrippine il jouait avec cette idée.

Il faisait glisser ses bracelets le long de ses poignets, ôtait ses bagues, appelait un esclave pour qu'on lui enlevât son manteau brodé, et dans sa robe de soie tissée de fils d'or il marchait à petits pas autour de moi, faisant claquer les talons de ses bottines de courrier ou de ses brodequins de femme.

Il se penchait vers moi, me demandait une nouvelle fois l'âge de l'enfant, le répétait :

— Quatre ans, quatre ans... Dans dix ans il revêtira la toge virile. Dix ans, cela passe si vite ! Je connais Agrippine, elle voudra que son fils règne, elle conspirera comme elle l'a déjà fait. Elle voudra me tuer.

Il souriait, passant les doigts sur ses lèvres.

— Quatre ans, ressassait-il.

Puis, paraissant oublier l'enfant, il me prenait par la main, m'invitait dans le palais qu'il avait fait construire pour son cheval Incitatus.

L'écurie de l'animal était de marbre, son abreuvoir en ivoire. Le cheval était recouvert de housses pourpres, des esclaves s'affairaient autour de lui.

— Et si j'élevais Incitatus à la dignité de consul ? murmurait l'empereur.

Il s'emportait, accusait sénateurs et tribuns de fomenter son assassinat et, à voix basse, convoquait quelques hommes de sa garde thrace, leur chuchotait des noms, et les assassins s'éloignaient, la main serrant déjà la garde de leur glaive.

Cela pouvait-il durer ?

Caligula faisait tuer tous ceux qui, par leurs origines ou leurs alliances, étaient apparentés à la famille de César et d'Auguste. Le sang des empereurs coulant dans leurs veines, il fallait donc les égorger, les vider de ce sang qui en faisait des rivaux. Et le fils d'Agrippine, cet enfant de quatre ans qui dérobait son regard empli d'angoisse, mais qui pouvait aussi tout à coup se redresser, les yeux flamboyant de haine, avant de se tasser à nouveau comme un animal prudent qui regrette d'être sorti de sa tanière, d'avoir montré ses canines et ses griffes, était, par sa mère, l'un de ces descendants d'Auguste.

Je disais à Sénèque :

— Il n'a que quatre ans, mais il ressemble déjà à Caligula, à Agrippine. Est-ce le sang de César qui, dès leur naissance, fait de ces humains des fauves ?

J'appréciais les réponses mesurées de Sénèque.

Je l'avais rencontré alors que je servais l'empereur Tibère. Son port altier, son visage qui exprimait la volonté et la virilité, son éloquence souveraine, qui en faisait le meilleur orateur du Sénat, l'avocat le plus célèbre, sa rhétorique de philosophe stoïcien prônant la sagesse et l'acceptation de ce qu'on ne peut maîtriser et organiser m'avaient séduit.

Il avait une quinzaine d'années de plus que moi et me considérait comme l'un de ses proches parents. J'avais, comme lui, des origines espagnoles. Il était né à Cordoue, à l'instar de mes ancêtres.

Nous marchions lentement dans les jardins de sa villa romaine. On le disait riche et ses esclaves en effet étaient nombreux à l'ouvrage autour des massifs de fleurs.

— Le sang des César est semblable à celui de tous les hommes, épiloguait-il. Il est tiède et poisseux. J'ai vu des nobles romains mourir, les veines ouvertes, et leur sang avait la même couleur que celui de leurs esclaves que l'on tuait près d'eux. Non, Serenus, les hommes deviennent des fauves parce qu'il n'y a pas de règle de succession au sommet de l'Empire. Il y faut tuer pour ne pas être tué. Les lois de l'élection, chères à la République, ne sont plus en usage pour désigner l'empereur. C'est le glaive qui l'emporte, et non le vote. Celui qui veut être empereur doit compter sur les prétoriens et non sur les citoyens ; sur les généraux, les gouverneurs, et non sur les sénateurs. Le temps de la République, le temps d'avant César ne reviendra pas.

— Le sang, alors ? Le poignard et le poison, l'assassinat ? La puissance sans limites d'un homme que le pouvoir rend fou..., m'insurgeais-je.

Sénèque me prenait par le bras et, la tête penchée, comme s'il se parlait à lui-même, murmurait :

— Il faut que l'empereur soit un homme sage qui ne succombera pas à la folie du pouvoir suprême qui fait de lui l'égal d'un dieu. Il faut qu'il gouverne avec mesure et clémence, dans l'intérêt de l'Empire, et qu'il ne cherche pas seulement les plaisirs que donne la puissance illimitée. Il faut que quelques hommes autour de lui le rappellent à la raison, à la sagesse, qu'ils deviennent ses amis, ses conseillers.

— Caligula ? demandais-je.

Sénèque regardait autour de lui puis concluait :

— Seuls les poignards peuvent interrompre sa course. Des hommes, déjà, j'en suis sûr, affûtent leurs lames. Ne t'en mêle pas, Serenus. Notre temps, celui de la sagesse, n'est pas encore venu.

C'était au contraire l'extravagance, le soupçon, la cruauté qui régnaient.

Caligula se grimait en gladiateur thrace ou en cocher. Il montait sur scène et, tel un histrion, chantait, dansait, récitait, puis bondissait dans la salle, fouettait un spectateur qui, selon lui, avait, par ses murmures ou sa toux, troublé le spectacle.

Il s'approchait de moi, menaçant, m'entraînait et me questionnait à propos de ce fils d'Agrippine, des conspirations qui se nouaient et dont je devais être averti.

— Je suis prêt à me tuer, clamait-il, si tu me juges, toi, Serenus, digne de mourir !

Alors il riait, m'annonçait qu'il avait fait préparer par ses affranchis un poison dont il avait fait vérifier l'efficacité en l'inoculant à des gladiateurs et à des esclaves. Ceux-ci avaient hurlé, le corps tordu de douleur, et c'était le plus étrange des spectacles auxquels il lui avait été donné d'assister.

— Serenus, Serenus, sois-moi fidèle ! grommelait-il en s'éloignant.

C'était le neuvième jour avant les calendes de février, vers la septième heure, alors que la nuit avait déjà recouvert Rome.

Dans l'un des couloirs du palais, des conjurés attendaient Caligula, le glaive et le poignard à la main.

Le tribun d'une cohorte prétorienne, Cassius Chaera, que l'empereur avait persécuté chaque jour et humilié, le frappa le premier au cou sans réussir à l'égorger. Un autre tribun, Cornelius Sabinus, lui transperça la poitrine. Mais Caligula, étendu sur le marbre, ensanglanté, criait qu'il était encore vivant. Les autres conjurés se précipitèrent sur lui et le frappèrent de trente coups, certains même lui enfonçant leur glaive dans les parties honteuses.

La haine contre lui, le désir de se venger de toute la peur qu'il avait répandue et des crimes qu'il avait commis en moins de quatre années de règne étaient tels qu'un centurion tua sa femme d'un coup de glaive et qu'on écrasa sa fille contre un mur.

Je me suis aussitôt rendu chez Lepida, la tante de l'enfant.

Claude, l'oncle de Caligula et d'Agrippine, venait d'être désigné pour succéder à l'empereur. Les prétoriens l'avaient porté en triomphe et, pour les remercier, il avait fait verser à chaque soldat quinze mille sesterces. C'était la première fois dans l'histoire de Rome qu'on récompensait de la sorte les hommes d'armes, faiseurs d'empereurs.

J'ai vu l'enfant entouré de ses nourrices, Eglogé et Alexandra, du barbier et du danseur, maîtres de son éducation. J'ai voulu les rassurer en leur annonçant que, parmi les premières mesures qu'avait édictées l'empereur Claude, figurait l'autorisation donnée à Agrippine de rentrer à Rome et la levée du séquestre sur ses biens. Son fils allait connaître la richesse et sa mère pourrait veiller sur lui.

J'ai parlé à cet enfant de quatre ans comme s'il avait déjà été revêtu de sa toge virile, tant j'avais l'impression qu'il comprenait tout ce que je lui disais. Son visage exprimait une attention aiguë puis, tout à coup, une joie intense, vite disparue, et son regard à nouveau se chargeait d'anxiété.

Dans les mois qui ont suivi, j'ai souvent repensé à ce regard d'enfant qui s'était voilé comme s'il avait pressenti qu'il serait toujours menacé, que le monde dans lequel il entrait était tissé d'intrigues et de jalousies, déchiré par les rivalités, ensanglanté de crimes.

Autour de lui, comme une tigresse flairant une proie, tournait Messaline, l'épouse de Claude, qui venait de mettre bas un fils qu'au jour de la purification on avait nommé Britannicus. Messaline voyait dans le fils d'Agrippine un rival du sien ; quant à celle-ci, elle avait accueilli la naissance de Britannicus comme une calamité écartant un peu plus son fils du pouvoir dont elle rêvait pour lui.

Je la voyais, allant d'un puissant à l'autre, étendant sa trame, épousant un sénateur riche et influent, Crispus Passienus, qui avait été l'époux d'une des tantes de l'enfant. Et j'imaginais le fils d'Agrippine voyant ces hommes et ces femmes changer de rôle, entendant leurs éclats de voix, leurs menaces, sursautant quand des prétoriens envoyés par Claude faisaient irruption dans sa demeure, arrêtaient Livilla, la sœur d'Agrippine, accusée de conspirer contre l'empereur, puis menaçaient à son tour Agrippine, l'avertissaient qu'elle ne devait de conserver sa liberté qu'à la bonté de l'empereur et aux suppliques de son mari, Crispus Passienus.

Comment l'enfant n'aurait-il pas été marqué, blessé par ces menaces, ces trahisons, ces conspirations, ces meurtres qui constituaient le quotidien de sa vie ?

Quand je m'approchais de lui, il se réfugiait dans les bras de ses nourrices ou bien, au contraire, tentait de me séduire par un sourire, une chanson qu'il entonnait d'une voix fluette, comme s'il avait craint que son salut ne fût entre mes mains et que je vinsse vers lui pour le tuer.

La rumeur, au palais impérial, assurait que Messaline, soucieuse des intérêts de son fils Britannicus, avait envoyé des gens de sa maison, esclaves et affranchis, pour étrangler l'enfant durant son sommeil. Mais, lorsque les assassins s'étaient approchés, ils avaient vu surgir du lit de

Lucius Domitius un serpent qui ressemblait à un dragon, et ils s'étaient enfuis.

L'on avait bien trouvé, au matin, la dépouille d'un serpent enroulée autour de l'oreiller de l'enfant.

Agrippine avait fait enchâsser cette peau tachetée dans un bracelet d'or qu'elle avait glissé au poignet de son fils.

Un jour, il l'avait brandi devant moi en soulevant le bras comme pour se protéger.

Mais je n'étais d'aucune conspiration. Je ne me mêlais à aucune intrigue. J'étais seulement le disciple de mon maître Sénèque, et cela suffisait, il est vrai, pour faire de moi, comme lui, un suspect.

Quand l'empereur Claude décida d'exiler Sénèque en Corse pour satisfaire à l'aversion de Messaline, qui voyait en lui le conseiller d'Agrippine, je fus condamné à le suivre.

L'enfant, Lucius Domitius, celui qu'on allait nommer Néron, avait alors à peine plus de quatre ans.

Mais il arborait souvent l'expression de celui qui sait qu'il faut se méfier de tous ceux qui l'approchent, les séduire d'un sourire pour les désarmer, puis les frapper sans pitié. Je l'avais vu s'acharner à battre de ses petits poings un esclave qui avait trébuché devant lui et l'avait heurté.

Ce n'était plus l'enfant craintif, anxieux, dissimulé, que j'avais connu, mais un petit fauve enragé. En lui coulait bien le sang de César.

J'avais quitté Rome peu après pour gagner la Corse en compagnie de Sénèque.

DEUXIÈME PARTIE

5

Je n'ai pas vécu longtemps dans cette île austère et sauvage.

Je n'avais pas été condamné à l'exil, comme Sénèque, et celui-ci, après quelques semaines, m'invita à regagner Rome.

Je fus plutôt surpris et déçu par son attitude et ses propos. Nous marchions sur un sentier qui, au milieu des épineux, surplombait les rochers déchiquetés par la mer. Sénèque m'avait empoigné le haut du bras et le serrait avec une impatience proche de la fébrilité.

Il voulait, disait-il, qu'à Rome je plaide sa cause auprès de l'empereur et obtienne sa grâce.

Il s'était arrêté tout en continuant de me serrer le bras. De la main gauche il me montrait les pentes couvertes de taillis épais, impénétrables, les huttes de pierre où vivaient des bergers plus frustes que le dernier des esclaves de Rome, des hommes aussi rudes et cruels que s'ils eussent appartenu aux tribus les plus barbares.

— Que valent ici mon éloquence, ma sagesse, ma rhétorique ? À qui puis-je m'adresser ? Aux vagues, aux moutons ? À ces hommes bestiaux ?

Il s'était remis à marcher en m'entraînant.

Je devais expliquer à l'empereur Claude que lui, Sénèque, était prêt à mettre son prestige et son autorité, sa réputation de philosophe et de plaideur, de rhétoricien rigoureux, au service de la politique impériale.

— Vois Claude ou l'un de ses affranchis, avait-il continué, Narcisse, son secrétaire, ou Pallas, son surintendant. Rencontre Messaline.

J'avais baissé la tête pour dissimuler ma déception.

Ainsi, c'était aussi cela, un philosophe, un sage, un stoïcien ? Seulement un homme désireux de retrouver la gloire et les commodités de la ville, et ce pouvoir dont je l'avais tant de fois entendu dénoncer les corruptions ?

J'étais d'autant plus surpris que nous savions, par les quelques voyageurs et courriers qui arrivaient de Rome, que Claude était tout aussi cruel et débauché que Caligula. Son épouse Messaline, ses affranchis, ses eunuques se jouaient de lui, le flattaient, l'effrayaient pour obtenir tout ce qu'ils désiraient.

Narcisse et Pallas avaient accumulé une immense fortune. Pallas avait été élevé aux fonctions de questeur et de préteur. Lui, l'affranchi, qui pillait le trésor impérial à son profit, traitait ses esclaves comme le plus brutal, le plus inique des maîtres, faisant couper les mains, crever les yeux, trancher la langue de ceux qu'il soupçonnait de l'espionner ou de le voler.

Quant à Claude, il vivait dans la peur, ne se déplaçant qu'entouré d'une garde prétorienne, faisant fouiller tous ceux qui l'approchaient ou les villas dans lesquelles il pénétrait, craignant autant le poignard que le poison.

Puis, tout à coup, il paraissait perdre conscience, oublier sa dignité impériale, les décisions qu'il avait prises. Il s'emplissait la panse au cours de festins qui duraient des jours et des nuits, engloutissait tant de mets et de vin qu'il en perdait connaissance, et il fallait que l'un de ses guérisseurs, se penchant sur lui, lui chatouille la gorge avec une plume d'oiseau pour qu'il vomisse et reprenne conscience.

Il était alors à nouveau saisi par la terreur, prétendant qu'on avait voulu l'empoisonner, et il suffisait que l'un de ses courtisans, pour satisfaire ses rancœurs personnelles, lui murmurât un nom, fît état d'un soupçon, pour que le malheureux ainsi dénoncé fût aussitôt mis à mort.

J'avais rappelé tout cela à Sénèque, ajoutant que Claude aimait à faire souffrir, à voir mourir, se penchant sur le visage des gladiateurs blessés pour jouir des grimaces de leur agonie. Ou bien, restant seul dans l'arène, à l'heure de midi, quand les spectateurs se retiraient pour déjeuner, il ordonnait qu'on livrât des hommes aux bêtes ou qu'on fît se battre entre eux jusqu'à la mort des machinistes, des esclaves, des serviteurs qui avaient tardé à tirer hors de l'arène un cadavre de gladiateur ou la dépouille d'un fauve, ou bien encore qui, maladroits, avaient eu de la peine à faire fonctionner une trappe, une grille.

Tel était donc l'homme que le sage Sénèque voulait me voir solliciter en sa faveur.

Sénèque n'avait pas paru comprendre mes réticences ni entendre le rappel de ce que nous savions du comportement, des mœurs, de la cruauté et de la lâcheté de l'empereur.

— Rencontre Messaline, avait-il repris. Elle règne sur l'esprit et les sens de Claude. Elle est la mère de ses deux derniers enfants dont on dit qu'il les aime plus que tout. Ne songerait-il pas déjà à fiancer Octavie et à remettre la toge virile à Britannicus ? Vois Messaline, dis-lui que je peux la servir.

Comment aurais-je pu dissimuler mon étonnement, ma déception ? Sans parler de mon dégoût pour Messaline ?

Tout Rome, le plus humble des charretiers, le plus méprisé des esclaves, savait que l'épouse de l'empereur était comme une chienne éperdue de luxure. Qu'elle choisissait ses amants d'un moment sans se soucier qu'ils fussent chevaliers ou affranchis, voire esclaves. Elle ne dissimulait pas ses frasques, tant elle était sûre de son pouvoir sur Claude. Il lui suffisait d'une étreinte pour obtenir de lui tout ce qu'elle désirait.

Elle connaissait ses penchants et ses faiblesses, ses angoisses. Elle s'était alliée à Narcisse, l'affranchi, le secrétaire de Claude. Quand l'un et l'autre avaient décidé de perdre quelqu'un – ainsi, ce malheureux Appius, mari de la propre mère de Messaline –, ils prétendaient avoir fait des songes semblables et prémonitoires, confirmés par les devins. Ainsi ils avaient vu Appius s'avancer vers Claude, un poignard dissimulé sous sa toge, et se précipiter sur lui afin de le tuer.

La confidence avait été faite peu avant qu'Appius n'entrât dans la salle, convoqué à cette heure précise par Narcisse. À la vue de l'homme, Claude, affolé, ordonna à ses prétoriens de le tuer sur-le-champ.

Il ne restait plus qu'à tirer le cadavre hors de la pièce et aux esclaves à laver les traces de sang sur les dalles de marbre.

Telle était Messaline, tels étaient son pouvoir et sa fourberie.

Elle voulut ainsi faire d'un pantomime, un certain Mnester, son amant.

Fluet, aussi souple et aussi voluptueux qu'un chat, l'homme avait repoussé plusieurs fois ses avances. Pour le conquérir, le flatter, elle avait fait élever avec des pièces de bronze à l'effigie impériale une statue du pantomime. Mais l'homme résistait, craignant la vindicte toujours possible de l'empereur, et terrorisé aussi à l'idée qu'il risquait de subir la vengeance d'une Messaline insatiable.

Un jour, il fut convoqué par l'empereur Claude qui, en présence de son épouse et le menaçant de mort, lui intima l'ordre de faire ce que Messaline lui commandait.

L'assistance gloussa de plaisir et Messaline entraîna Mnester qui agitait les bras comme un noyé...

Et c'était cette femme-là qu'il me fallait circonvenir pour obtenir d'elle qu'elle sollicitât la grâce de Sénèque ?

J'avais évoqué Agrippine qui apparaissait comme une rivale de Messaline et dont on disait qu'elle voletait autour de l'empereur, son oncle, comme un rapace, attendant l'occasion de se jeter sur lui et de favoriser ainsi les ambitions qu'elle nourrissait pour son fils, ce Lucius Domitius que j'avais vu naître et dont on me rapportait qu'il grandissait vite, qu'il savait déjà monter à cheval, brillait dans les courses hippiques et déclamait avec la fougue et le talent d'un acteur.

— Vois aussi Agrippine et l'enfant, avait aussitôt reparti Sénèque. Il faut se servir de tout et de tous si nous voulons que nos idées et nos pensées soient utiles.

J'avais baissé la tête, accablé.

Ces mots n'étaient-ils que l'ample manteau sous lequel Sénèque cachait ses propres désirs et ambitions, ses regrets d'avoir été relégué loin du pouvoir et de la richesse ?

J'ai osé lui avouer les questions que je me posais.

Sénèque a posé ses deux mains sur mes épaules, me faisant ainsi face et me demandant de ne pas détourner le regard.

— Le sage ne doit pas être jugé comme tu le fais, Serenus, a-t-il dit. Pour s'assurer les acquis les plus importants, il peut faire des choses qu'il n'approuvera pas. Il ne renoncera pas aux bonnes mœurs mais les adaptera aux circonstances. Les moyens que les autres emploient en n'ayant en vue que la gloire et le plaisir, il les utilisera pour un noble but. Il nous faut conseiller l'empereur, Serenus, tenter de retenir ou contenir sa folie. À quoi sert-il d'être sage ici, en Corse, parmi les chèvres, les ronces et les rochers, alors que nous pourrions convaincre le maître du plus grand empire du monde ? Rentre à Rome, Serenus, puisque tu le peux, et agis au mieux de notre cause.

J'ai quitté l'île plein d'incertitude et cependant résolu à aider Sénèque à atteindre son objectif.

6

À Rome, les premiers jours après mon retour de Corse, j'ai titubé comme un homme ivre.

Je n'étais plus habitué à la foule, aux odeurs fétides mêlées aux parfums des femmes fardées et des jeunes gens aux boucles teintes, aux lèvres peintes, qui exhibaient leurs cuisses, leurs torses bruns et musclés.

On me frôlait. On me bousculait. Je ne savais si c'était pour me provoquer, me voler, ou m'enjôler et me racoler.

Des putains se tenaient sur le seuil des lupanars et des gargotes. Elles m'invitaient. Je détournais la tête, m'enfonçais dans la multitude romaine et sa bigarrure.

Des gladiateurs suivis par des femmes poussaient de l'épaule et du poing ceux qui les gênaient. À leurs vêtements, à la couleur de leur peau, je reconnaissais des Thraces et des Gaulois, des Grecs et des Égyptiens. L'empire déversait ses peuples dans les rues, les amphithéâtres, les thermes, les boutiques et les estaminets de la ville.

Des sénateurs passaient, allongés dans leurs litières. Leurs esclaves écartaient la foule à coups de bâton. Des astrologues et des devins vendaient des amulettes et des prophéties.

Et, tout à coup, des cris, des jurons : des cavaliers germains de la garde de l'empereur surgissaient, lancés au galop, renversaient les étals des marchands de beignets et de vin, écrasaient les passants sous les sabots de leurs chevaux.

Je me réfugiais dans la villa de Sénèque, étourdi, interrogeant les affranchis et les esclaves qui espéraient son retour.

Ils me harcelaient de leurs questions : le maître reviendrait-il bientôt ? Ils me rapportaient les rumeurs qui empoisonnaient Rome. Ils dressaient la liste des assassinats que Messaline faisait perpétrer au nom de l'empereur Claude, qu'elle dominait.

On me chuchotait que cette louve avide et insatiable était si sûre de son pouvoir qu'elle ne cherchait même plus à cacher sa débauche. Ses amants la chevauchaient jusque dans le palais impérial, dans la chambre nuptiale, et Claude laissait faire. Il passait d'un festin à l'autre, ivre, souvent vautré dans ses vomissures, ou bien endormi dans les bras de ses deux courtisanes orientales, Calpurnia et Cleopatra.

Était-ce là un empereur ? On me répétait qu'il était aussi cruel, aussi débauché que son neveu Caligula et – on baissait encore la voix – qu'il terminerait ses jours comme lui.

On me parla de Silvius, un consul désigné qui osait dire, comme s'il avait été assuré de l'impunité, qu'il s'apprêtait lui-même à succéder à Claude.

Et, devant le Sénat, je vis cet homme jeune et fier, entouré d'hommes armés, de chevaliers, d'affranchis, de sénateurs qui le flattaient, l'encourageaient, songeant à leur propre avenir.

L'intrigue, la corruption, la débauche, l'ambition, les complots poussaient et pullulaient dans Rome empuantie comme par des champignons vénéneux. Et la mort était aux aguets.

J'ai regretté la Corse sauvage.

Un jour, un esclave m'apporta un message d'Agrippine. Un seul mot, impérieux, était tracé sur la tablette : « Viens. » Elle me convoquait.

Je me suis rendu dans sa villa de l'Esquilin. J'y ai retrouvé son fils, ce Lucius Domitius que j'avais vu naître et grandir.

Il allait et venait dans l'atrium, suivi par ses nourrices Eglogé et Alexandra. Il récitait des vers latins d'une voix forte, cependant que ses deux maîtres grecs, Beryllus et Anicetus, l'écoutaient, le corrigeaient.

Adossé à une colonne se tenait son tuteur Asconius Labeo, et, appuyé au rebord du bassin, Chaeremon, un prêtre égyptien.

Je n'ai appris le nom de ces hommes que plus tard, de la bouche même d'Agrippine.

— Tu es à Rome, Serenus, et tu ne me rends pas visite ?

Tels furent les premiers mots qu'elle m'adressa d'une voix sèche et menaçante.

Elle avait les yeux cernés de traits noirs, les cheveux bouclés, les lèvres bleuies, et son corps maigre était enveloppé d'une longue tunique blanche.

— Écoute mon fils, me dit-elle, interrompant les explications que je lui donnais.

Lucius Domitius déclamait, bras écartés, tournant la tête de gauche et de droite, souriant, quêtant les éloges et les regards complaisants.

— Voici les Grecs Beryllus et Anicetus, le prêtre égyptien Chaeremon, poursuivit-elle. Lucius doit tout apprendre d'eux, ne rien ignorer d'Athènes ni d'Alexandrie. Je veux qu'il soit digne de César et d'Auguste. Si un jour...

Elle ferma les yeux et ses paupières dessinaient deux taches noires dans son visage poudré.

— Quand Sénèque reviendra de Corse, reprit-elle – car il reviendra, je le veux, et les dieux l'exigent –, il enseignera à mon fils tout ce qu'il sait. Lucius Domitius doit être le meilleur orateur de Rome. C'est pourquoi je veux que Sénèque se tienne auprès de lui. Et toi aussi, Serenus.

Lucius Domitius ne récitait plus, il s'était approché de nous, tête baissée, mais il la relevait de temps à autre, et chaque fois je surprenais dans son regard un éclat aigu qu'il faisait aussitôt disparaître en inclinant à nouveau la tête.

Son maître Anicetus s'est avancé et l'a félicité. Le visage de l'enfant s'est éclairé d'un sourire fat, puis à la prétention vaniteuse ont succédé une timidité et une modestie de bon élève attentif.

— Tu dois faire mieux, Lucius. Sois exigeant envers toi-même, lui a dit Agrippine. Quant à vous – elle s'est tournée vers Anicetus et Beryllus –, soyez des maîtres impitoyables. Vous aurez à répondre de ses fautes et de ses ignorances.

Lucius est fils d'Apollon, le sang de César et d'Auguste coule dans ses veines. Soyez sans indulgence !

Lucius Domitius s'est voûté comme s'il craignait d'être frappé. Ses maîtres l'ont entraîné à l'autre extrémité de l'atrium.

En s'éloignant l'enfant a esquissé un pas de danse tout en se redressant, puis il s'est tassé comme s'il avait regretté d'avoir laissé fuser ce transport d'allégresse.

J'ai pensé qu'il avait déjà appris à cacher ses sentiments et à demeurer sur ses gardes. Il s'est retourné. J'ai croisé son regard empli d'angoisse et en même temps d'orgueil et de violence. J'ai craint l'adulte qui perçait sous l'enfant.

Agrippine s'est penchée vers moi.

— Je veux que mon fils soit le glaive de Rome, *mon* glaive ! a-t-elle murmuré. Serenus, si tu n'es pas avec moi...

Elle m'a dévisagé, s'est interrompue puis a souri comme pour dissimuler la menace contenue dans ses propos.

— Tu ne peux pas être aux côtés de Messaline. Elle est le véritable empereur de Rome, mais sa conduite est celle d'une putain, et j'ai honte pour Claude, honte pour le sang de César et d'Auguste qui est le sien. Sais-tu ce qu'elle veut ?

Ce qu'Agrippine m'a révélé ce jour-là des intentions de Messaline, je l'ai vu s'accomplir.

Elle, la propre épouse de l'empereur, comme si elle avait été lassée de ses adultères par trop faciles, et qu'elle voulût humilier davantage encore Claude, avait décidé de le répudier et de convoler devant témoins avec le consul Silius dont tout un chacun, à Rome, connaissait les ambitions : il voulait être empereur. Le mariage avec Messaline lui avait sans doute paru le moyen le plus sûr de contraindre Claude à s'effacer, couvert de honte.

Lorsque Agrippine me fit part de ce projet sacrilège, j'ai d'abord douté qu'il voie jamais le jour.

Comment Messaline et Silius pouvaient-ils imaginer que les proches de Claude, ses affranchis, Narcisse et Pallas, tous ceux qui se partageaient le pouvoir et s'enrichissaient à ses côtés, allaient accepter d'être dépouillés, pourchassés, bannis ou tués ?

— Messaline et Silius se marieront, me répéta Agrippine. Les dieux les ont aveuglés. Messaline ne perçoit pas le piège qu'ils lui tendent.

Le ton d'Agrippine, son regard, toute son attitude – bras croisés, buste penché en avant – me glacèrent. Elle était bien la femme rapace, à l'affût, prête à bondir dès lors que Messaline se serait ainsi exposée au châtiment.

À Rome, chacun guettait, on attendait, on cherchait à comprendre ce qui inspirait une pareille folie, car on savait que Silius ne pouvait compter que sur quelques dizaines d'affidés, qu'aucune cohorte de prétoriens n'était disposée à le soutenir, qu'en somme, sans le désarroi de Claude, sa fuite ou son suicide, il n'avait aucune chance de réussir.

C'était un pari si risqué que, jusqu'au jour des épousailles, j'hésitai à croire qu'elles eussent lieu. Mais Messaline avait tout éprouvé des plaisirs de la débauche, et le scandale, le danger inhérents à ce mariage étaient sans doute pour elle une ultime jouissance.

Et le mariage de Messaline et de Silius eut bien lieu alors que Claude avait quitté Rome, en ces jours de la mi-août, pour se rendre à Ostie y célébrer la fête de Vulcain.

Je vis ainsi Messaline et Silius marcher vers l'autel des dieux, écouter les devins leur promettre la naissance d'enfants virils qui prolongeraient leur union, et j'entendis les augures leur annoncer un avenir glorieux, puissant et faste.

Et cela alors que Messaline était l'épouse de l'empereur régnant et qu'il ignorait qu'on le bafouait et le ridiculisait à Rome ! Jamais plus grand camouflet n'avait été infligé à un descendant de César.

Je suis retourné chez Agrippine. L'enfant Lucius Domitius se tenait près d'elle qui ressemblait à un fauve aux babines retroussées tant son expression était avide, la bouche mi-ouverte, tout le bas du visage projeté en avant comme pour mordre, aspirer le sang de ses proies.

— Ils l'ont fait, Serenus, ils l'ont fait ! Bientôt va venir le moment pour moi, pour mon fils !

Elle avait posé sa main longue et blanche, osseuse et baguée sur la tête de l'enfant.

Lucius Domitius levait les yeux sur sa mère. Je le sentais prêt à bondir avec elle sur la proie, à arracher sa part de chair, à enfouir son museau dans le sang.

À quelques pas se tenaient ses maîtres, Beryllus et Anicetus, et le prêtre égyptien Chaeremon. Mais que valaient leurs leçons de rhétorique et de sagesse alors que l'enfant voyait sa mère, toutes griffes dehors, retenant son souffle, qui guettait, attendant le moment propice pour se jeter sur ses proies pantelantes ?

Je sais qu'Agrippine a rencontré les affranchis Narcisse et Pallas. Ils seraient les premières victimes si Silius prenait le pouvoir.

Elle a vu les courtisanes Calpurnia et Cleopatra. Elle leur a dit que leur sort était lié à celui de l'empereur. Messaline et Silius les tueraient ou les livreraient aux gladiateurs. Il fallait donc qu'elles avertissent Claude. Il y allait de leur vie.

J'ignore qui a approché l'empereur à Ostie. Est-ce Narcisse ou Calpurnia, ou bien Agrippine elle-même a-t-elle fait le voyage ?

Nièce de Claude, elle pouvait lui dire : « Est-ce que tu sais que tu as été répudié par Messaline qui a répandu sur toi le ridicule et la honte ? Sais-tu que le mariage avec Silius de celle qui est ton épouse s'est accompli selon le rituel solennel, et qu'il a été vu par le peuple, le Sénat et les soldats réunis ? Comme si tu n'étais rien, comme si tu étais déjà mort ! Si tu n'agis pas promptement, Silius, le mari, sera maître de la ville et c'en sera fini de toi ! »

Claude – les témoins me l'ont rapporté – a pâli, tremblé, regardé autour de lui comme s'il voyait déjà s'avancer les assassins.

Alors Agrippine aurait commencé à décrire la fête qui se déroulait dans la maison de Silius, le simulacre de vendange auquel se livraient Messaline et son époux. Des femmes couvertes de peaux de bêtes célébraient le dieu Bacchus. C'était un véritable délire, le sang noir des grappes écrasées jaillissait sous les pieds nus, dans les cris et les chants. Silius couronné de lierre et Messaline, les cheveux dénoués, dansaient. L'époux agitait la tête en tous sens, brandissait le bâton sacré des bacchantes, le corps renversé, offert.

Je suis sûr que c'est Agrippine qui, la bouche frôlant l'oreille de l'empereur, a raconté cette fête autour des pressoirs, décrit ces femmes nues et, parmi elles, Messaline, les corps vautrés parmi les grappes écrasées, le sang noir de la vigne coulant sur leur peau.

— Qu'on me venge, qu'on les tue ! a tout à coup hurlé Claude, emporté par l'une de ces colères qui frappaient telle la foudre, puis se dissipaient comme un bref orage d'été.

L'empereur a décidé de rentrer sur-le-champ à Rome.

Déjà Narcisse avait envoyé ses prétoriens, ses centurions et l'affranchi Evode avec pour mission d'arrêter Silius et ses proches. « Et, avait-il précisé, faites généreusement couler le sang ! Il faut laver Rome. »

Claude arriva peu après, se rendit au camp des prétoriens, et, malgré la honte qui lui serrait la gorge, il demanda aux soldats de le venger, ajoutant d'une voix basse que, puisque le mariage lui réussissait si mal, il préférait être veuf.

Les cohortes levèrent leur glaive. Un long cri s'éleva de leurs rangs : « Châtiment ! »

Alors commencèrent à mourir celles et ceux qui avaient assisté au mariage et avaient félicité Silius et Messaline. Puis moururent les amants de Messaline, et même ce malheureux Mnester, le pantomime, bien qu'il eût rappelé qu'il avait tenté de repousser les avances de Messaline et que c'était l'empereur qui lui avait ordonné de se soumettre aux ordres et aux désirs de sa femme.

Mais Claude détourna la tête. Des dizaines de jeunes nobles, des préfets, des procurateurs, des chevaliers, et Silius en personne, consul désigné, avaient déjà été égorgés, ayant présenté leur cou, demandant qu'on se hâte ; pourquoi, dans ces conditions, épargner un histrion comme Mnester ?

Claude avait fait servir à dîner. Il but et se bâfra toute la nuit.

Au matin, quand on lui annonça que Messaline était morte, il sembla à peine prêter attention à la nouvelle, ne cherchant pas à savoir si on avait dû la tuer ou bien si elle avait choisi de devancer ses assassins.

C'est Agrippine qui me raconta, les lèvres luisantes, les derniers instants de sa rivale. Quand le tribun qui commandait la cohorte de garde du Palatin avait enfoncé la porte, accompagné de l'affranchi Evode, Messaline avait frémi. Avec les mots et la vulgarité d'un esclave, Evode l'avait insultée : « Chienne tu es, et comme une chienne tu vas mourir ! »

Elle avait saisi un poignard, tenté de s'ouvrir les veines, mais sa main tremblait trop. Et c'est le tribun qui l'avait transpercée de son glaive.

Agrippine s'est approchée de moi, enfonçant ses yeux dans les miens.

— Un empereur ne peut rester sans épouse, a-t-elle murmuré. Claude a déjà oublié Messaline.

On lui avait rapporté que l'empereur avait continué à cuver son vin, à somnoler, les mains croisées sur le ventre, le regard voilé, Calpurnia et Cleopatra serrées contre lui.

— Le Sénat, a repris Agrippine, a décidé que l'on ôterait le nom et les portraits de Messaline des lieux publics et privés.

Elle ne me quittait pas des yeux.

— Comme si elle n'avait pas vécu, Serenus !

Elle a répété ces mots, le visage immobile, ses lèvres seules bougeant un peu. Puis elle les a serrées, des rides profondes se creusant autour de sa bouche.

Elle a murmuré :

— Elle laisse ses enfants Octavie et Britannicus.

Elle a tendu le bras, attiré son fils contre elle, lui enveloppant le visage de ses deux mains.

— Toi, toi ! a-t-elle dit.

Lucius Domitius levait les yeux sur sa mère.

J'ai eu peur du couple qu'ils formaient.

7

En quelques jours, j'ai vu Agrippine devenir la femme la plus puissante et la plus redoutée de Rome.

Elle était d'abord restée tapie dans sa tanière, cette immense villa dont les bâtiments majestueux s'étageaient sur la colline du Palatin, non loin du palais impérial.

Elle m'y avait retenu après qu'on eut appris, dans les heures suivant la mort de Messaline, que déjà des intrigues se nouaient autour de l'empereur. Les affranchis qui se partageaient le pouvoir s'entre-déchiraient. Chacun d'eux – Pallas, le surintendant, Narcisse, le secrétaire, d'autres comme Calliste et Evode – cherchait à pousser une épouse dans les bras de Claude.

— Comme moi, mieux que moi, avait marmonné Agrippine, ils savent qu'il lui faut une femme. Mais je connais Claude : il ne choisira pas. Il prendra celle qu'on poussera dans ses bras.

Elle avait penché la tête, s'était reprise :

— Encore faut-il qu'elle lui convienne, qu'elle sache s'y prendre...

Elle avait marmonné ces quelques mots, puis, relevant la tête, avait semblé me redécouvrir.

— Serenus, tu restes ici auprès de moi, auprès de mon fils. J'ai besoin d'hommes sûrs !

Le ton était sans réplique.

Elle s'était mise à arpenter la vaste salle plongée dans la pénombre. Des fresques, on ne distinguait que les yeux brillants des taureaux sauvages, grosses masses noires qui me frappaient chaque fois que je pénétrais dans les lieux. Ils fonçaient sur moi, front baissé, cornes menaçantes, chevauchés par des déesses nues.

Agrippine avait ajouté :

— Ils vont rêver de nous tuer, mais ils n'oseront pas. Je suis la nièce de l'empereur, l'arrière-petite-fille d'Auguste. Et mon fils...

Tout à coup elle avait hurlé qu'on lui amenât sur-le-champ son enfant, Lucius Domitius.

Il était aussitôt apparu, entouré de ses maîtres, de ses nourrices, de son tuteur, et suivi du prêtre égyptien, Chaeremon, impassible dans sa toge ocre. Agrippine s'était précipitée, attirant brutalement son fils contre ses cuisses, lui pressant la tête sur son ventre, puis le conduisant jusqu'à moi.

— Serenus, veille sur lui, avait-elle dit.

L'enfant m'avait jeté un regard soupçonneux où se mêlaient la peur, l'angoisse et une sorte de défi.

Il avait croisé les bras, menton levé, jambes écartées, figé dans une posture impérieuse qu'avaient tout à coup démentie un sourire et l'expression pleine d'innocence d'un enfant démuni qui cherche à séduire.

Jamais je n'avais ressenti comme à cet instant que Lucius Domitius était un enfant divisé. Tel notre dieu Janus, il possédait deux visages dont les traits, au fur et à mesure que le temps passait – il avait déjà douze ans –, s'accusaient, si bien qu'à chaque fois que je le rencontrais j'éprouvais un sentiment d'inquiétude, à la fois attiré et repoussé par cet être double dont la perversité et la cruauté, l'assurance et la vanité, la violence jaillissaient d'un de ses regards, s'exprimaient par des attitudes, mais qui pouvait aussi, presque dans le même temps, apparaître tendre, sensible, attentif et respectueux des autres.

J'avais surpris les élans affectueux de Lucius Domitius envers ses nourrices Eglogé et Alexandra, son maître grec Anicetus, son tuteur Asconius Labeo. Il était appliqué et écoutait studieusement le prêtre égyptien Chaeremon. Mais je l'avais vu, le front baissé, se dérober aux gestes d'amour que tentait de lui prodiguer Crispus Passienus, le mari de sa mère, qui eût dû lui tenir lieu de père.

Il paraissait à la fois le mépriser et le craindre alors que Crispus Passienus était un être plutôt doux, si séduit par la beauté des choses qu'on disait qu'il était tombé amoureux d'un arbre, un olivier immémorial qui, à l'entendre, avait protégé de ses branches et nourri de ses fruits Remus et Romulus, les fondateurs de Rome.

Mais Crispus Passienus était un obstacle qu'Agrippine entendait écarter, et son fils, qu'elle l'en eût ou non averti, le sentait, le savait, épousant ses désirs.

Et c'était d'abord un désir de mort.

Agrippine devait être libre de tout lien matrimonial si elle voulait – et elle le désirait avec l'avidité d'une bête de proie – devenir la femme de l'empereur Claude.

J'ai vu ainsi s'avancer vers Crispus Passienus la mort masquée. J'en lisais l'annonce dans les yeux d'Agrippine et de son fils. J'en devinais l'approche quand je rencontrais, à la nuit tombée, Locuste, cette femme au visage toujours caché par un voile noir et qui marchait sans qu'on entendît le bruit de ses pas, comme si elle avait volé au-dessus du sol, oiseau des ténèbres dont chacun savait à Rome qu'elle possédait l'art des poisons, sachant mélanger le venin des serpents au suc des champignons. On l'apercevait dans les forêts rôdant à leur recherche.

Quand j'ai vu Locuste pénétrer dans la chambre d'Agrippine, j'ai su que la mort allait enfoncer ses serres dans la nuque de Crispus Passienus.

On l'a trouvé quelques jours plus tard, son visage livide plongé dans une vasque où, sans doute, l'estomac et la gorge en feu, il avait voulu boire.

Par testament, il avait légué tous ses biens à Lucius Domitius, le fils d'Agrippine.

Elle fit incinérer le corps de Crispus Passienus et disperser ses cendres par ses esclaves sans même assister aux cérémonies rituelles.

Je l'ai entendue rire avec son fils. Je les ai vus s'avancer vers moi, se tenant par la main, sautillant presque, m'ordonnant de les suivre au cirque que l'empereur avait fait construire et où il allait offrir un spectacle de chasse : un escadron de prétoriens à cheval que dirigeait leur tribun serait lancé à la poursuite de fauves d'Afrique qu'ils devaient mettre à mort.

Je me suis tenu debout dans la tribune réservée aux invités de l'empereur.

Après les prétoriens vinrent les cavaliers thessaliens qui pourchassaient des taureaux sauvages dont la fureur faisait fumer les naseaux. Ils éventraient les montures puis s'acharnaient sur les cavaliers qui tentaient, après les avoir harcelés et épuisés, de les terrasser en leur empoignant les cornes.

J'ai songé aux taureaux de la fresque peinte dans la villa d'Agrippine. Elle était femme comme les déesses qui chevauchaient, nues, les animaux noirs, mais elle était aussi virile que ceux-ci.

Elle était double, comme son fils.

Je l'ai vue s'approcher de Claude, commencer à caresser celui qui était son oncle, jouant de sa qualité de nièce pour s'asseoir sur ses genoux, lui frôler l'oreille de ses lèvres. Que lui chuchotait-elle ?

Claude sortait de sa torpeur, renversait la tête en arrière comme un gros chat qui veut qu'on lui gratte la gorge et le ventre. Ce que faisait Agrippine avant de se dérober et de pousser son fils vers l'empereur.

J'imaginais qu'elle devait lui rappeler que Lucius était descendant de César et d'Auguste, qu'il était orphelin de père, qu'elle veillait à ce qu'il reçût une éducation dispensée par des maîtres grecs et égyptiens afin de faire de lui un homme capable de servir l'Empire.

Elle se penchait de nouveau. Elle s'accrochait au cou de l'empereur Claude, son corps encore jeune se frottant à cette masse de chair grisâtre.

Elle ne cachait plus son impatience.

— Je suis la seule digne d'être l'épouse de l'empereur, répétait-elle en allant et venant dans sa villa, me prenant à témoin.

Elle convoquait Pallas l'affranchi, ce surintendant gavé de richesses par Claude qui lui avait, en outre, accordé les insignes de préteur et de questeur. C'était un homme corpulent au visage exprimant la morgue et la vanité d'un esclave devenu l'un des hommes les plus fortunés et les plus influents de Rome.

— Pallas, Pallas..., commençait-elle en s'avançant vers lui, bras ouverts. Tu sais qui je suis, et voici mon fils, petits-fils de Germanicus, qui fut frère d'empereur. En nous coule le sang des plus illustres romains. Pallas, Pallas...

Elle saisissait le poignet de Pallas, le serrait.

— Que valent ces femmes que Narcisse, Calliste, Evode veulent marier à l'empereur ?

Elle baissait la voix. Pallas, reprenait-elle, devait savoir qu'elle ne l'accepterait pas.

Ces mots valaient promesse des coups de glaive qu'elle n'hésiterait pas à porter, des poisons qu'elle ne manquerait pas de verser.

L'un de ces soirs-là, alors qu'on commençait dans Rome à murmurer qu'elle allait épouser Claude, elle m'avait dit que les dieux punissaient les unions incestueuses, or le mariage d'un oncle et de sa nièce n'était-il pas l'une d'elles ?

— La mort peut être une grande alliée, Serenus. Qui ne la craint ? Il faut donc qu'elle soit avec toi si tu veux vaincre. Mais elle ne donne son appui qu'à ceux qui ne la craignent pas, et je ne la crains pas, Serenus.

Elle avait joint les mains devant son visage.

— Elle est donc ma meilleure alliée. Je vaincrai.

Pallas et le consul Vitellius le pensaient. Ils usaient de tout leur pouvoir pour qu'Agrippine devînt l'épouse de Claude.

Pallas la faisait pénétrer, tard, la nuit, dans le palais, afin qu'elle surprît Claude dans sa chambre. Elle lui dispensait assez de sensations pour qu'il pût entrevoir et frôler les plaisirs qu'elle était capable de lui offrir, et qu'il désirât ainsi l'épouser.

Vitellius, lui, s'employait à convaincre les sénateurs qu'il suffisait d'un décret pour que l'union entre un oncle et sa nièce cessât d'être considérée comme incestueuse. Ainsi serait écartée la vengeance des dieux.

Le consul Vitellius était un orateur habile, mais quel sénateur aurait-il pu séduire si Agrippine n'avait soudoyé la plupart d'entre eux en leur versant des milliers de sesterces, en leur promettant, si elle devenait l'épouse de l'empereur, de rendre au Sénat toutes ses prérogatives. L'un de ses premiers gestes serait, assurait-elle, d'obtenir la grâce de Sénèque dont elle ferait le maître de son fils.

N'était-ce pas là la preuve de son respect pour l'assemblée dont le philosophe était le plus illustre orateur ?

Effrayé, j'ai admiré cette femme qui, alors même que son mariage n'avait pas encore été célébré, se préparait à gravir la marche suivante de l'escalier qui les conduirait elle et son fils vers le pouvoir suprême.

Je l'ai vue entourer Pallas de ses voiles, de ses bras, de ses paroles, lui dire qu'il fallait déjà organiser les fiançailles de la fille de Claude et Messaline, Octavie, et de Lucius Domitius, son fils. Ainsi seraient unies les familles du même sang illustre.

Pallas était tout surpris par la force de ce vent qui le poussait en avant plus vite et plus loin qu'il ne l'avait envisagé.

— Octavie n'a que huit ans, remontrait-il, et votre fils n'en a que douze.

D'un haussement d'épaules, puis en quelques phrases, Agrippine écartait cette difficulté, rappelant que c'était la règle de fiancer dès leur plus jeune âge les enfants des familles issues de César et d'Auguste.

Pallas baissait la tête, murmurant qu'Octavie était déjà fiancée au fils du consul Silanus, Junius Silanus, qui s'était illustré en Bretagne à la tête des légions et que Claude traitait comme un fils : il lui avait accordé le triomphe et l'avait couvert de bienfaits, de richesses, jusqu'à lui promettre sa fille Octavie, sans doute le seul être auquel il eût été vraiment attaché.

J'ai entendu le rugissement de la bête de proie. Agrippine a crié sa rage et son mépris :

— Il a fiancé Octavie à Silanus ! Il a fait cela !

Puis elle a maugréé que Claude préparait peut-être ainsi sa succession. Silanus, époux de la fille de l'empereur, pouvait y prétendre. Sa famille était d'origine noble.

Elle s'est campée face à Pallas. Elle paraissait frêle devant cet homme gras qui la dominait de toute sa taille.

— Cela ne se fera pas ! a-t-elle décrété.

Il a suffi de quelques jours pour qu'une rumeur se répande dans Rome – Pallas et le consul Vitellius en furent, avec Agrippine, la source –, selon laquelle Junius Silanus avait eu une relation avec sa propre sœur Calvina. Comment un homme qui commettait un tel acte sacrilège pouvait-il être fiancé à la fille de l'empereur alors que les dieux punissaient l'inceste en déchaînant sur la ville et le pays leur colère sous forme d'épidémies, d'inondations, d'incendies et de vents extrêmes ?

Junius Silanus n'était plus qu'un homme qu'on étrangle. Il tenta de rejeter ces accusations, d'en appeler aux témoignages de ceux qui le côtoyaient depuis l'enfance. Mais chacun savait qui tirait le lacet qui serrait sa gorge.

Personne n'osa affronter Agrippine, la future épouse de l'empereur, celle dont le fils serait bientôt fiancé à Octavie en lieu et place du malheureux que l'on bannissait de Rome sous les malédictions.

La foule, au contraire, se pressait sur le forum pour acclamer Claude qui venait de recevoir du Sénat l'ordre d'épouser Agrippine, puisque le décret rendant possible l'union d'un oncle et d'une nièce venait d'être voté. Et les sénateurs avaient exigé que Claude se pliât à leurs vœux.

Je n'ai pas ri à cette farce qu'Agrippine, Pallas et Vitellius avaient mise en scène.

Mais ce n'était encore que le premier acte.

Lorsque Agrippine s'est avancée vers l'autel, les suivants étaient déjà écrits. Pour l'heure, elle jouait habilement l'humble épouse aux yeux baissés, à la démarche lente, et, près d'elle, le visage réjoui, l'empereur paraissait être le maître conduisant à l'autel une jeune femme vertueuse.

Derrière leurs parents se tenaient les futurs fiancés, Octavie et Lucius Domitius, comme si déjà s'esquissait la succession et s'incarnait le rêve d'Agrippine.

Le soir des noces, j'ai appris que Junius Silanus s'était suicidé.

La mort était bien l'alliée d'Agrippine.

8

Agrippine régnait.

Dès le lendemain des noces, elle était apparue, couronnée, enveloppée d'une ample et longue tunique brodée d'or. Et la foule des sénateurs, des tribuns et des consuls, des titulaires de places pour toutes les manifestations, des centurions de la garde prétorienne, des chevaliers, des riches affranchis et même les ambassadeurs de l'Empire parthe s'étaient inclinés devant elle tandis qu'elle s'avançait, accompagnée de son fils, dans la grande salle des audiences et des réceptions du palais impérial.

Il avait donc suffi d'une nuit pour qu'elle laissât tomber le masque et montrât à tous qu'elle ne se contentait pas d'être devenue l'épouse de l'empereur, mais qu'elle voulait tout le pouvoir pour elle et son fils.

Il était beau, Lucius Domitius, ses longs cheveux blonds bouclés encadrant son visage aux traits réguliers qu'il levait vers sa mère.

Agrippine avait posé une main sur sa nuque et le guidait ainsi, l'arrêtant devant tel sénateur influent ou le consul désigné Pollion dont on murmurait déjà qu'elle l'avait chargé de présenter au Sénat une motion aux termes de laquelle les sénateurs, ces pères de la Patrie, prieraient l'empereur de fiancer au plus vite sa fille Octavie au fils d'Agrippine.

On ne se souvenait déjà plus de Junius Silanus qui s'était ouvert la gorge le jour des noces d'Agrippine et de Claude et dont on avait sans cérémonie livré le corps aux flammes. Quant à sa sœur Calvina, on l'avait bannie.

L'empereur avait ordonné que, conformément aux lois, les pontifes célèbrent au bois de Diane des cérémonies expiatoires et accomplissent des sacrifices pour implorer le pardon des dieux afin qu'ils s'abstinssent de châtier l'inceste commis par Junius Silanus et sa sœur Calvina.

On n'osait rire !

Rien ne prouvait que cette liaison coupable eût eu lieu, alors que l'empereur épousait sa propre nièce, perpétrant à la face de l'Empire un inceste qu'un décret des sénateurs corrompus avait suffi à rendre licite.

Mais qui eût osé protester ?

Tous baissaient la tête devant Agrippine et son fils, bientôt gendre de l'empereur. Tous la nommaient Augusta, ainsi qu'elle l'avait voulu pour marquer qu'elle était, au même titre que son époux, descendante d'Auguste, qu'elle en avait la dignité et le pouvoir.

Et Claude auprès d'elle ne paraissait déjà plus qu'un homme vieilli dont la claudication, jusqu'alors passée inaperçue, semblait l'obliger à chaque pas à plier le corps, à se déhancher comme si, en quelques nuits, Agrippine s'était emparée de ce qu'il conservait de jeunesse et d'élégance en même temps qu'elle le dépouillait de son pouvoir.

J'ai fait part à mon maître Sénèque de mes pensées et de mon indignation. Il était rentré de son exil corse depuis quelques jours, gracié par l'empereur à la demande d'Agrippine.

Il m'avait remercié de ce que j'avais fait pour lui. Je n'avais fait qu'obéir à Agrippine, manifestant ainsi que j'étais à ses côtés et que le maître que je vénérais et auquel j'obéissais était donc lui aussi de ses partisans.

Sénèque était heureux de se retrouver enfin à Rome et de pouvoir jouir du luxe de sa villa. Il y recevait ses amis, entouré de son frère aîné Gallion et du cadet de la famille, Mela. Il s'inclinait devant le buste de son père, Sénèque le rhéteur.

Les sénateurs le complimentaient d'avoir été désigné comme préteur, chargé aussi d'élever et d'instruire le fils d'Agrippine-Augusta dont chacun avait déjà compris que sa mère entendait le préparer aux plus hautes charges de l'Empire. Et que, pour elle, une seule comptait : l'impériale.

J'observais Sénèque. Quoique amaigri après ce long exil dans la rudesse d'une île pauvre, son regard pétillait de vivacité. Je savais, pour connaître et admirer sa vie, que la frugalité et l'austérité ne pouvaient l'atteindre. Il lui arrivait de pratiquer de longs jeûnes ou bien de refuser de manger de la viande – cette chair morte – et de se contenter de légumes et de fruits, sans même s'humecter les lèvres du moindre vin.

Mais je le voyais satisfait, épanoui de pouvoir d'abord caresser des yeux ces jeunes esclaves, garçons et filles, que l'âge n'avait pas encore forcis ni durcis, parmi lesquels il choisirait l'un ou l'autre pour sa couche.

Il serrait contre lui Chaeremon, ce prêtre égyptien qu'il avait connu lors d'un long séjour en Égypte. Tous deux avaient découvert la sagesse, tous deux croyaient que l'âme échappait à la putréfaction et à la destruction des corps, que la mort ne pouvait ainsi l'atteindre et qu'elle demeurait dans le monde, immortelle.

Comment un tel maître, rhéteur et philosophe, ne s'indignait-il pas de la complicité et de l'alliance entre la mort et les maîtres de Rome qui gouvernaient cet État universel qu'était devenu l'Empire ?

Si l'on croyait à l'immortalité de l'âme, si l'on voulait vivre dans la sagesse du philosophe, ne valait-il pas mieux se retirer loin des palais impériaux, des villas du Palatin ou de l'Aventin, fuir cette ville qui, malgré les parfums dont chaque puissant s'aspergeait, sentait les latrines, les détritus, l'égout, et où la débauche régnait, l'argent et l'ambition corrompant toutes les âmes ?

Corse, Égypte, Grèce, Espagne, ne fallait-il pas préférer la province la plus éloignée et la plus pauvre de l'Empire à son cœur, devenu cloaque ?

Sénèque m'a écouté puis entraîné dans une longue promenade dans le jardin agrémenté de fontaines et de statues. De ses allées, on apercevait les collines de Rome, le palais impérial et les villas qui l'entouraient et, en contrebas, l'entassement des bâtiments qui ressemblaient, vu de là, aux pavés disjoints d'une voie immense d'où s'élevaient rumeurs et fumées.

— Nul n'a le pouvoir de faire retour aux temps anciens de la République, a commencé Sénèque.

Il s'est arrêté, traçant du bord de sa semelle un sillon dans le gravier.

— Un abîme s'est creusé entre le passé et aujourd'hui, et personne, pas même les dieux, ne saurait le combler.

Il a repris sa marche, appuyant parfois sa main sur mon épaule.

— Serenus, le sage doit saisir l'occasion, l'*eukairia*, l'opportunité. Les dieux me placent auprès d'un enfant dont les augures disent qu'il est issu d'Apollon et dont la mère prépare l'accession à la dignité impériale. Elle avance, sûre d'elle, elle peut compter sur tous ceux qui ont voulu et préparé la mort de Messaline et qui redoutent que le fils de la défunte, Britannicus, s'il devenait empereur, n'ait de cesse de venger sa mère. C'est pourquoi tous veulent que Lucius Domitius soit fiancé à Octavie, devienne ainsi le gendre de Claude et soit bientôt adopté comme fils de l'empereur, puis qu'à la mort de ce dernier il lui succède.

— La mort, ai-je répété. Agrippine...

— La mort élague, a murmuré Sénèque, elle permet à l'arbre de s'élever. C'est la loi. Agrippine et tous les empereurs avant elle s'en sont servis et elle sera toujours la fidèle complice du pouvoir. Mais...

Il s'est interrompu, puis, après quelques instants de silence, il a martelé :

— Celui qui ne craint pas la mort ne peut plus être esclave. Il est pour toujours un homme libre. Il sait que son âme est immortelle !

Nous nous sommes assis sur un banc de marbre placé au centre d'un cercle dessiné par de grands cyprès plantés serrés, si bien qu'on avait l'impression d'être dans un lieu séparé, protégé du monde.

— Ici je suis face à moi-même, a dit Sénèque. Le sage doit à tout moment sonder son âme. C'est ainsi qu'il apprend à dominer ses passions, parce qu'il en voit les conséquences comme autant de plaies, de rides marquant son âme. Le sage dit se méfier de la colère, des emportements et de l'impatience. Il veut le triomphe de la raison, de la sagesse, de la prudence, de la clémence et de la tempérance.

Sénèque a posé une main sur ma cuisse.

— Serenus, crois-tu que je ne doive pas enseigner cela au prince que les dieux ont placé ou s'apprêtent à placer à la tête de l'Empire ? Crois-tu qu'il faille laisser un empereur succomber à ses passions, ou bien tenter dès son plus jeune âge de lui apprendre à être maître de lui-même, juste et bon ?

Sénèque s'est levé et nous sommes sortis du cercle des cyprès, retrouvant la large allée qui sinuait entre les massifs de lauriers.

— Les dieux m'offrent l'occasion d'élever et d'instruire le fils d'Agrippine, de lui enseigner la sagesse et la morale. Il ne serait pas digne de moi et de mon âme de refuser cette tâche.

J'ai osé dire :

— Que pourras-tu empêcher, maître ? J'ai croisé souvent, depuis sa naissance, le regard du fils d'Agrippine. Ses yeux sont bleus, mais leur éclat change à tout instant. Ils sont ceux d'un poltron, d'un lâche, d'un fat, ceux aussi d'un enfant sensible et curieux, anxieux et vif, mais qui erre, déjà tout entier voué à l'hypocrisie, déjà convaincu par ce qu'il a vu : que la mort est la grande alliée de celui qui veut conquérir et conserver le pouvoir. Il sait déjà que l'on peut acheter toutes les âmes, les soumettre, les terroriser, les dissoudre ! Il lui suffit de contempler la sienne et celle des hommes et des femmes qui obéissent à sa mère. Il peut même croire que le désir des dieux s'accorde à la volonté et à l'ambition des puissants. N'a-t-il pas vu sa mère épouser un oncle, et le Sénat s'incliner, acceptant d'effacer le sacrilège de l'inceste, et demain lui-même ne sera-t-il pas le fiancé d'Octavie, prenant la place d'un homme qu'on aura poussé dans les bras de la mort ?

Sénèque m'a tapoté l'épaule d'un geste presque badin.

— De tout temps, les hommes se sont comportés ainsi, m'a-t-il dit. Ce qui est incestueux aujourd'hui et ici ne le sera plus demain et ne l'a pas été ailleurs hier. À Sparte, un oncle pouvait épouser sa nièce ; en Égypte, un pharaon s'unir à sa sœur. Alors, pourquoi un décret du Sénat ne pourrait-il permettre le mariage de Claude et d'Agrippine, de l'oncle et de la nièce, et demain ordonner les fiançailles d'Octavie et du fils d'Agrippine ? Le sage, a-t-il poursuivi, ne cherche pas à changer ce qu'il est impossible de modifier. Il accepte le vent du nord ou du sud, de l'est ou de l'ouest, mais l'utilise et s'en protège.

Sénèque s'est arrêté, les yeux levés, semblant suivre l'oscillation des hautes cimes des cyprès qu'agitait la brise.

Puis, à voix basse, comme se parlant d'abord à lui-même, il a ajouté :

— Mais il n'y a pas de vent favorable pour celui qui ne sait pas où il va.

9

Agrippine était le vent qui souffle en tempête.

Ses phrases, comme des rafales, arrachaient à la vie ceux dont elle pouvait craindre qu'ils ne devinssent des obstacles à son ambition, ou ceux qui, parfois des mois et des années auparavant, s'étaient opposés à elle.

Je l'observais, l'écoutais avec effroi.

Elle interrogeait Pallas, l'affranchi.

À la manière dont elle lui parlait, dont elle lui touchait le bras, l'épaule, la nuque même, à cette façon qu'elle avait de le couver des yeux, de s'approcher de lui, de le frôler de sa poitrine, je devinais qu'elle était devenue sa maîtresse. Ou plutôt qu'elle l'avait choisi pour amant afin d'en faire un serviteur soumis à ses moindres désirs, le docile instrument de ses projets.

Elle l'interrogeait.

Se souvenait-il de cette femme, Lollia, qu'un affranchi de Claude, Calliste, avait tenté de faire épouser à l'empereur ?

Pallas avait eu un geste d'indifférence. C'était avant le mariage d'Agrippine et de Claude, avant que ne soient conclues les fiançailles entre le fils d'Agrippine et la fille de l'empereur. Lollia n'était plus qu'une riche Romaine, fille de consul. Elle ne songeait plus qu'à ses amants. Pallas commençait à rire, puis, tout à coup, le silence et le visage d'Agrippine l'inquiétaient. Il balbutiait. Il comprenait, marmonnait :

— Il est vrai qu'elle a osé être ta rivale.

Agrippine hochait la tête. Lollia avait fait davantage : elle avait consulté des mages, des Chaldéens, interrogé une statue d'Apollon pour essayer d'obtenir l'appui du dieu, favoriser son projet d'union avec Claude, et donc souhaité son échec à elle. On l'avait vue accomplir des sacrifices, faire égorger un taureau noir.

— Pallas, comment cette femme sacrilège, mon ennemie, peut-elle vivre à Rome ?

Pallas baissait la tête.

— Il faut que l'empereur châtie Lollia, reprenait Agrippine. Avertis-le que cette femme forme des projets dangereux pour l'État et qu'il faut lui ôter les moyens de ses crimes.

Pallas quittait la pièce à reculons, répétant qu'il allait de ce pas parler à l'empereur.

Quelques jours plus tard, le Sénat décrétait la confiscation de tous les biens de Lollia et son bannissement d'Italie.

Mais ce n'était pas assez pour Agrippine.

J'ai ainsi appris qu'un tribun et des prétoriens avaient quitté Rome pour la Gaule où Lollia s'était exilée. Ils étaient chargés de la contraindre à se tuer.

À Rome, tout pliait devant Agrippine.

Pallas venait chaque jour recevoir les ordres, chien couchant auquel elle offrait son corps en guise de récompense suprême.

Elle exigea, peu après, qu'une autre femme, Calpurnia, l'une des courtisanes de Claude, fût bannie parce que l'empereur avait loué jadis sa beauté et que c'était là offenser Agrippine, devenue l'épouse.

Mais le bannissement n'était qu'un moyen de tuer loin de Rome. Quand le meurtre s'accomplissait, les sénateurs et l'empereur avaient déjà oublié la victime. En revanche, Agrippine veillait à ce que les prétoriens chargés de poursuivre les proies et de les saigner lui rapportassent la preuve du trépas des coupables. Elle faisait glisser entre ses doigts le bracelet ou la bague qui leur avait appartenu. Elle voulait savoir comment ils étaient morts. Avaient-ils eu le courage de se trancher la gorge, de s'ouvrir les veines, ou bien avait-il fallu les tuer d'un coup de glaive ?

Elle écoutait, les yeux fixes. Et, durant quelques jours, apaisée, elle allait assister aux leçons que Chaeremon et Sénèque donnaient à son fils.

Je me tenais debout dans la pénombre de cette pièce. J'étais surpris par l'attention dont témoignait cet enfant de douze ans, par la pertinence et l'intelligence de ses questions.

Chaeremon, qui avait écrit une *Histoire d'Égypte* et plusieurs traités sur la religion de cette province, lui parlait du dieu Soleil. Lucius Domitius l'interrompait, lui remontrait fièrement qu'il était né lui aussi du Soleil, comme un pharaon.

Puis Sénèque, d'une voix douce et lente, dressait le portrait d'un prince bon qui devait croire à l'immortalité de l'âme, écouter sa raison et non pas ses désirs.

Agrippine l'interrompait, se plaçait près de son fils. Elle ne voulait pas, disait-elle, qu'on enseignât à Lucius Domitius la philosophie, les croyances venues d'Orient, cette morale d'esclaves ; son fils ne devait pas devenir un adepte de ces religions ni de ces sectes qui prétendaient que les hommes, quelle que fût leur condition, qu'ils fussent descendants des dieux, empereurs, esclaves ou affranchis, avaient semblablement une âme immortelle.

— Imagines-tu, Sénèque, que les esclaves crucifiés par Crassus, que ceux pourchassés par mon ancêtre César aient possédé une âme ?

Elle avait, disait-elle, exigé de Claude qu'il bannisse de Rome les sectes juives dont les disputes troublaient la ville. Moïse ou encore ce Christos dont certains Juifs se réclamaient n'avaient pas droit de cité dans la plus grande ville du monde, tête et cœur de l'État universel, l'Empire.

Elle s'éloignait, se retournait. Elle ne voulait pas, répétait-elle d'une voix menaçante, qu'on enseignât la philosophie et la sagesse à son fils, mais seulement l'art de la parole afin qu'il devînt le plus illustre orateur de Rome.

Elle hésitait, puis ajoutait :

— Il sera fils d'empereur.

Elle était donc si sûre d'elle-même qu'elle ne dissimulait plus son projet.

Je la voyais s'approcher du fils de Claude et de Messaline, cet enfant de huit ans, Britannicus, aux grands yeux attentifs, au long cou et à la peau diaphane.

Elle le caressait du bout des doigts, l'effleurait de ses voiles. Je les voyais noirs, comme ceux de Locuste l'empoisonneuse. Mais elle se penchait, l'embrassait, lui murmurait que Lucius Domitius serait pour lui comme un frère de quatre ans son aîné qui le protégerait.

Puis elle se tournait vers Pallas, l'entraînait, et c'est Sénèque qui me révélait qu'elle avait chargé l'affranchi d'obtenir du Sénat un vœu aux termes duquel une adoption du fils d'Agrippine par l'empereur viendrait compléter les fiançailles d'Octavie et de Lucius Domitius. Il suffirait que Claude se présentât devant le Sénat pour annoncer son intention d'adopter le fils de sa femme pour que plus rien ne s'opposât à ce dessein.

Je m'étonnais.

Si l'empereur adoptait le fils d'Agrippine, le sort de Britannicus, son seul héritier par la chair et le sang, serait scellé.

Qui pouvait croire cette fable selon laquelle l'aîné protégerait le cadet ?

Quand il fixait Britannicus, je lisais dans les yeux de Lucius Domitius le désir de le vaincre. Au bout de ce désir, il y avait la mort, la noire Locuste s'introduisant dans le palais avec ses fioles et versant ses poisons dans le verre de Britannicus.

J'en ai averti Sénèque, qui m'a répondu :

— Je te l'ai dit, Serenus : le vent choisit les arbres qu'il veut déraciner. Il en est ainsi dans les familles de nos empereurs. Il est vain de vouloir s'opposer à cette loi naturelle qui n'est pas plus cruelle que la décision des dieux qui, sur un champ de bataille, guident vers tel ou tel la flèche parthe ou le javelot germain. Car ce tribun ou ce général, qui sait ce qu'ils eussent pu devenir ? Laissons donc faire Agrippine, et attachons-nous à inculquer à son fils la mesure et la raison.

Ainsi, à la fin du mois de février, dans sa treizième année, Lucius Domitius, fils d'Agrippine, fut adopté par l'empereur Claude et devint son fils aîné.

Comme il était déjà fiancé à Octavie, fille de Claude, il fut ainsi, en même temps, le fiancé de sa propre sœur... Mais nul ne s'en indignait.

Et au palais impérial, le vingt-cinquième jour de ce mois de février, Lucius Domitius devint Tiberius Claudius Nero, fils adoptif de l'empereur.

Néron était un nom appartenant à la langue du peuple sabin. Il signifiait « brave ».

Je l'ai regardé. Ses lèvres tremblaient. Il jetait autour de lui des regards pleins de défi et de fierté, mais aussi de vanité et de peur.

TROISIÈME PARTIE

10

En quelques jours, j'ai vu Néron s'épanouir comme une fleur vénéneuse. Agrippine le couvait, se penchait sur lui à tout instant, paraissait vouloir l'ensevelir sous ses voiles. Pour lui parler, elle s'approchait si près de lui qu'elle semblait lui lécher le visage comme une lionne fait du corps de ses petits.

Puis elle se redressait et clamait d'une voix aiguë :

— Voici Néron, le fils aîné de l'empereur Claude ! Néron, mon fils, en qui se réunissent les plus glorieuses familles de l'Empire, les Jules et les Claude, César et Auguste. Voici Néron !

Elle poussait son fils, le forçait, en appuyant sur son dos, à marcher la nuque droite, le front haut. Autour d'eux on s'inclinait. Les regards devenaient serviles. On se pressait pour féliciter Agrippine et saluer son fils Néron, fils du dieu Apollon et de l'empereur Claude.

Lui-même avait d'abord paru surpris et j'avais lu dans son regard cette méfiance craintive qui ne le quittait jamais. Mais, peu à peu, une joie dédaigneuse, une vanité méprisante avaient éclairé son visage. Son corps même s'était transformé. Ses épaules paraissaient plus larges, il semblait avoir grandi. Le sourire un peu timide qu'il arborait parfois comme pour tenter de désarmer ceux qui s'approchaient de lui cédait la place à une moue exprimant l'ennui. Et les sénateurs, les tribuns, les magistrats, consuls ou préteurs, les affranchis, couverts de bijoux, dont le corps suait la richesse, paraissaient devant lui décontenancés et inquiets. Par leurs propos, leurs flatteries, ils s'efforçaient d'arracher à Néron un signe d'intérêt, un regard.

J'ai voulu confier à Sénèque ce que m'inspiraient ces scènes, mais, d'un geste, il m'a invité à me taire, lui aussi soucieux de montrer qu'il était désormais au service de celui que les hommes et les dieux avaient choisi pour fils aîné de l'empereur, et, si les vœux d'Agrippine étaient entendus, si sa volonté l'emportait, pour successeur.

Plus tard, en quittant le palais impérial, Sénèque murmura qu'un nom donné, une filiation accordée suffisaient à changer le destin d'un homme. Et si cet homme accédait un jour au pouvoir suprême, alors le sort de l'Empire et de tous les peuples du monde, à l'intérieur et à l'extérieur des frontières, s'en trouvait bouleversé.

— Le sage, Serenus, constate et accepte ce que les dieux et les hommes ont ensemble voulu.

C'était surtout la détermination et l'ambition rageuse d'Agrippine qui me frappaient et m'effrayaient.

Quand je la voyais s'approcher de Britannicus, cet enfant de huit ans à peine, le fils de chair et de sang de l'empereur Claude, je craignais qu'emportée par sa furieuse envie d'écarter tout obstacle sur le chemin de Néron elle ne le poignardât elle-même sous nos yeux.

Mais elle se contentait de l'humilier, de le rabaisser, de l'isoler de tous ceux qui croyaient en lui pour s'opposer un jour à Néron et à sa mère. Mais comment auraient-ils pu l'emporter alors qu'Agrippine offrait chaque nuit son corps nerveux à l'empereur, ce vieil oncle boiteux et bégayant qui croyait encore continuer de régner alors qu'elle s'emparait peu à peu de tous les pouvoirs, préparant ainsi l'accession de son fils à la dignité suprême ?

Elle avait convaincu Claude et le Sénat qu'il fallait accorder à Néron, bien avant l'âge requis, la toge virile.

J'étais au premier rang de la foule qui assista à cette cérémonie. Je regardais Britannicus, qui, de ses grands yeux vagues, fixait Néron. Ce frère aîné par la grâce de l'adoption abandonnait la toge prétexte, bordée de pourpre, pour revêtir sur sa tunique brodée d'or la toge blanche marquant son entrée dans l'âge viril. Tandis que lui, Britannicus, restait un enfant de plus en plus seul.

Agrippine chuchotait à Claude qu'il fallait chasser les précepteurs de Britannicus, qui compromettaient l'entente entre les deux frères et représentaient ainsi un danger pour l'État.

Un jour, j'entendis Britannicus, de sa voix grêle, saluer Néron de son ancien patronyme, Lucius

Domitius Ahenobarbus. Les visages de Néron et de sa mère s'étaient l'un et l'autre crispés et la ressemblance entre eux deux m'avait alors aveuglé.

— Néron est fils aîné de l'empereur ! s'était écriée Agrippine. Celui qui l'oublie est sacrilège !

Après avoir lancé ce défi et affirmé ainsi qu'il refusait l'adoption de Lucius Domitius par son père, Britannicus s'était éloigné à grands pas comme s'il fuyait, escorté de ses précepteurs.

Ceux-ci allaient connaître le bannissement et la mort. Et c'est l'empereur Claude en personne qui les condamnerait comme un acteur qui répète la pièce qu'on lui a apprise.

Je l'observai au Sénat, écoutant Néron le remercier de l'avoir choisi pour fils. L'empereur paraissait ravi, n'accordant pas un regard à Britannicus, enfant enfermé dans sa toge prétexte, alors que Néron, orateur éloquent, digne élève de Sénèque, tressait ses louanges à celui qui était désormais devenu son père.

Agrippine rayonnait, assise près de Claude. Elle était Augusta, obligeant chacun à baisser les yeux devant elle, sûre d'obtenir ce qu'elle voulait.

Elle fit chasser du commandement des cohortes prétoriennes les chefs qui avaient été fidèles à Messaline et risquaient de l'être au fils de celle-ci, Britannicus. Elle fit désigner pour les remplacer Burrus Afrianus, né en Gaule narbonnaise, à Vaison ; il avait perdu une main dans les combats contre les Thraces et savait qu'il devait sa nomination glorieuse à Agrippine.

Elle triomphait.

Le Sénat fit de Néron un consul désigné, puis le nomma prince de la Jeunesse. C'est lui qui, à quatorze ans, pouvait ainsi rendre la justice et administrer Rome.

Chaque jour Agrippine organisait pour lui un événement afin qu'aux yeux de tous, des patriciens comme de la plèbe, des sénateurs comme des tribuns, il apparût comme le futur maître de l'Empire.

Et à moi aussi il en semblait digne : obstiné, intelligent, beau, aussi brillant cavalier et conducteur de chars que rhéteur, chanteur et joueur de cithare. À ses côtés, Britannicus, le pâle frère cadet, paraissait né pour être vaincu. Et il l'était dans tous les jeux où Agrippine le forçait à rivaliser avec Néron parce qu'elle savait que l'aîné l'emporterait sous les acclamations de tous.

Aux citoyens, il offrait des jeux et une distribution de vivres et de vin ; aux prétoriens, une gratification. Agrippine puisait l'argent nécessaire dans les coffres légués par son précédent époux, Crispus Passienus, qu'elle avait fait empoisonner.

On murmurait déjà, parmi les écrivains et les rhéteurs que Sénèque rassemblait autour de lui dans sa maison et auxquels il offrait le vin réputé de son vignoble de Sabine, que bientôt l'empereur Claude connaîtrait le même sort.

Certains énuméraient les prodiges, ces présages qui annonçaient des temps troublés. Des oiseaux de mauvaise augure s'étaient posés sur le Capitole. La terre avait tremblé plusieurs fois et des immeubles, ces *insulae* de cinq ou six étages, s'étaient effondrés, ensevelissant leurs locataires.

Malgré les distributions de grain décidées par Agrippine et effectuées par Néron, la plèbe avait faim. Était-il vrai que la ville n'avait plus dans ses entrepôts que pour quinze jours de vivres ? Il fallait craindre des émeutes, des révoltes.

L'empereur lui-même, sur le forum, avait été bousculé, assailli par une foule qui, poussant des cris hostiles, l'avait entraîné de force. Les prétoriens avaient eu du mal à se frayer un passage jusqu'à lui et à le libérer.

— Je l'ai vu hagard, le corps tremblant. L'homme a survécu, mais l'empereur est mort, dit Sénèque à mi-voix, puis plus fort afin que tous entendissent. Les dieux préviennent toujours les hommes de ce qu'ils préparent. Mais qui prête attention à leurs avertissements ?

Sénèque avait entendu sur le forum des voix qui scandaient le nom de Néron, l'acclamaient, l'appelaient à débarrasser Rome du vieil empereur boiteux. Il fallait que le fils d'Agrippine vînt illuminer l'Empire de sa jeunesse, de son talent et de sa beauté.

Qui pouvait croire que ces cris étaient spontanés ? Pas un mouvement de foule à Rome, pas une voix sur le forum, pas un vote dans les urnes pour élire un questeur ou un consul qui n'eût un prix, qu'il ne fallût acheter.

Si l'on avait insulté Claude et applaudi Néron, c'est qu'Agrippine ou ceux qui la servaient – Pallas, peut-être même Sénèque, je devais l'admettre, et Burrus, le commandant des cohortes prétoriennes, devenu préfet du prétoire, magistrat influent, client d'Agrippine – avaient distribué leurs pièces, deniers et sesterces parmi la plèbe.

Et les brandons qu'ils avaient ainsi lancés dans la foule avaient suffi à déclencher l'incendie qui avait menacé l'empereur.

Rome était donc prête à accepter la mort de Claude et le succès de Néron. Alors, pourquoi Agrippine aurait-elle dissimulé plus longtemps ses intentions ? Mais il lui fallait encore s'assurer que les légions, dans les provinces, ne s'insurgeraient pas et rallieraient le nouvel empereur.

Cela prendrait quelques mois, le temps de laisser la réputation de Néron s'établir, sa virilité s'affirmer.

Car Agrippine veillait à ce qu'il n'ignorât rien des plaisirs et des vices. Elle ouvrait les portes de la chambre de son fils pour que s'y glissent chaque nuit des femmes expertes et des *puellae*, ces jeunes filles qu'on achetait pour quelques centaines de sesterces et dont le corps était aussi ferme, aussi frais qu'un fruit arraché encore un peu vert à l'arbre.

Parmi ces visiteurs de la nuit se faufilaient aussi des *pueri*, ces adolescents dont la verge était fermée par un anneau et qu'on avait gardés, comme de jeunes animaux de prix, loin de tout contact avec un homme ou une femme. C'est Agrippine elle-même qui se rendait dans le quartier de Velabre pour les choisir afin que son fils sache tout ce que l'on peut faire d'un corps. Elle était son initiatrice. Elle entrait elle aussi dans sa chambre, se mêlait aux jeux comme la plus rouée de toutes les femmes. Par là elle renforçait encore son pouvoir sur son fils.

Néron n'était pour elle qu'une marionnette comme celle que les montreurs grecs faisaient danser sur la scène des petits théâtres ambulants qu'ils installaient non loin du forum et qui attiraient la foule. À suivre le spectacle – un Africain affrontait un lion, un Gaulois combattait un Romain, et les dieux descendaient de l'Olympe –, on pouvait croire que ces mannequins faits d'étoffes bigarrées, le visage en terre cuite, agissaient seuls, alors qu'accroupis, cachés, deux ou trois montreurs les animaient.

Personne n'était vraiment dupe, et même les jeunes enfants ne s'y trompaient pas.

De même, qui eût pu croire qu'Agrippine ne se cachait pas derrière un paravent afin de pousser Néron et de régner en son nom ? Il me suffisait de la voir entrer en char au Capitole, honneur et privilège réservés aux prêtres et aux personnages sacrés, pour savoir et mesurer son ambition.

Ne disait-elle pas d'ailleurs d'une voix forte, défiant tous ceux qui l'entouraient dans l'une des salles du palais où elle réunissait les magistrats de la cité, qu'elle était la première Romaine depuis la fondation de la ville à être à la fois fille d'imperator, sœur, épouse et mère des souverains du monde ?

Elle avait ainsi nommé Germanicus, Caligula, Claude et Néron. Elle annonçait donc la désignation de son fils alors que Claude régnait encore.

Mais qui pouvait empêcher le destin qu'elle annonçait de s'écrire ?

Déjà Néron, en tunique et toge brodées d'or, couronné de lauriers, paradait dans Rome à l'égal des généraux vainqueurs et des empereurs.

11

Rome tout entière me paraissait ainsi déjà soumise à Agrippine.

J'entendais la plèbe acclamer son fils lorsque, debout sur un char, le corps cambré, tirant sur les rênes de ses quatre chevaux, il passait au galop en tête de la course, faisant jaillir sous les sabots et les roues le sable du cirque.

On l'applaudissait encore dans les salles des villas de l'Aventin ou de l'Esquilin. Mais le public n'était plus composé de pauvres citoyens qui espéraient une mesure de grain, un flacon de vin ou une poignée de deniers pour prix de leur enthousiasme sur les gradins de l'amphithéâtre.

Là, dans ces pièces décorées de statues et de fresques, devant des tables croulant sous les fruits, les pâtés, les viandes, les beignets, qu'éclairaient des flambeaux qui faisaient briller les carafes contenant les meilleurs vins d'Italie, d'Espagne, de Gaule narbonnaise et même de Grèce, se pressaient les plus riches, les plus puissants, les plus savants et les plus cultivés des Romains.

Ils étaient sénateurs, avocats, tribuns, poètes. Les uns se piquaient d'écrire à l'égal de Virgile, d'Ovide, de Cicéron, voire d'Homère et de Thucydide. Ils avaient pour la plupart suivi à Rhodes l'enseignement des maîtres grecs. Certains étaient de jeunes écrivains : ainsi Pétrone, Lucain ou Martial qui avaient conquis leur place autour de ces tables généreuses grâce à leur talent ou à la protection d'un parent, d'une famille originaire de la province d'où ils arrivaient, Espagne ou Gaule. Ces hommes-là avaient l'esprit et le regard affûtés. Leur langue était aiguisée comme la plus cruelle des lames. Ils n'étaient dupes de rien. Ils savaient que l'argent était le sang de Rome. Qu'on y était d'autant plus citoyen, d'autant plus libre qu'on en possédait. Alors on pouvait prendre à son service des dizaines d'esclaves, des *pueri* et des *puellae* pour animer les nuits.

— Si je n'avais pas mes petites chiennes, comment passerais-je mes nuits ? murmurait l'un de ces puissants. Elles me lèchent et me fourrent leur langue dans l'oreille, ce qui m'évite d'entendre ces charrois, tout ce vacarme qui fait qu'on ne peut dormir à Rome.

On riait.

— Tu n'as pas de chiots, seulement des chiennes ?

— Toutes les langues habiles me satisfont. Et je paie ce qu'il faut pour qu'elles le soient.

Quelqu'un murmurait à l'oreille de l'un de ces jeunes écrivains avides :

— Tu veux être riche, toi aussi, posséder de ces jeunes esclaves ? Fais-toi avocat, ça rapporte gros. Minerve a de l'or plein ses coffres.

Puis, tout à coup, Néron apparaissait, commençait à jouer de la cithare, à réciter de sa voix mélodieuse, et tout le monde applaudissait.

J'en voulais à Sénèque, dont j'admirais la sagesse et la rigueur, d'être chaque jour plus indulgent, et même, j'ose l'écrire, plus servile à l'égard d'Agrippine et de Néron.

Lui était pourtant capable, dans le parc de sa villa, de me parler longuement de la religion égyptienne, de ce Nil auprès duquel il avait vécu plus de cinq années, où il avait connu le prêtre Chaeremon et s'était imposé une vie ascétique ; et cependant je l'entendais flatter Agrippine et Néron, dire que le dieu Apollon lui était apparu longuement en songe.

Il décrivait ce qu'il avait rêvé, Apollon déclarant : « Néron me ressemble par la beauté. Son visage brille d'un doux éclat, flamboie ainsi que son beau cou sous ses cheveux flottants. »

Et l'on applaudissait.

Un peu dédaigneuse, Agrippine rappelait que la lumière d'Apollon avait éclairé son fils au jour de sa naissance, avant même d'effleurer la terre.

Burrus, le préfet du prétoire dont les fonctions consistaient aussi à présider l'assemblée qui approuvait la nomination de l'empereur, rivalisait avec Sénèque de flagornerie.

Mais ce que j'acceptais d'un soldat qui devait tout à Agrippine, je l'admettais plus difficilement du philosophe. On murmurait certes que Sénèque était avide de richesses, qu'il prêtait à usure en Bretagne, possédait des domaines en Italie, en

Espagne, en Égypte, des vignobles en pays sabin. Qu'il était le plus célèbre des avocats et orateurs de Rome, et qu'il faisait payer cher ses plaidoiries.

Mais il était pour moi le maître qui me parlait de l'immortalité de l'âme et qui, dans la solitude de son parc, me confiait qu'il avait longuement confronté ses croyances avec celles de Philon, le Juif d'Alexandrie, sensible à la religion de Moïse et même à celle de ce Christos, Juif crucifié en Judée et dont les adeptes étaient persécutés à la fois par les Juifs et par les Romains.

Et cependant, de Jérusalem à Tarse et jusqu'ici, à Rome, la secte de Christos gagnait en influence parmi les plus humbles, peut-être parce qu'elle affirmait l'égalité et l'immortalité des âmes.

J'interrompais Sénèque, l'interrogeais.

Comment pouvait-il, lui qui observait le monde en homme libre, applaudir avec tant d'élan Néron et le flatter comme le plus courtisan des amants d'Agrippine, à l'instar de Pallas, cet affranchi qu'on couvrait de dignités et de sesterces parce qu'il demandait au Sénat de réduire à la condition d'esclave toute femme qui aurait eu des relations avec un esclave, mais de la laisser libre si le maître de l'esclave avait été averti et avait autorisé cette liaison ?

N'était-il qu'un Pallas, qu'un Burrus, ou l'un de ces avocats qui, pour plaire et flatter Néron, lui demandait de rendre la justice – il était le prince de la Jeunesse et déjà consul désigné – dans les affaires les plus prestigieuses qu'ils avaient à défendre ?

Sénèque haussait les épaules.

— Néron sera empereur, et je te l'ai dit, Serenus : le sage accepte le choix des hommes et des dieux.

Puis, après un instant de silence, le visage levé, semblant scruter le ciel, une moue gonflant ses lèvres et exprimant l'incertitude, il ajoutait d'une voix quelque peu hésitante :

— Néron me surprend. Il écoute. Il apprend. Il n'a pas besoin de *nomenclator* pour lui rappeler le nom des citoyens qu'il rencontre. Il se souvient de tout et de tous.

Sénèque se tournait vers moi et ajoutait :

— Il a retenu mes leçons. L'as-tu entendu plaider ?

Néron avait, en grec, défendu le droit des Rhodiens à la liberté et obtenu gain de cause. En invoquant avec éloquence les origines troyennes de Rome, et même en rappelant qu'Énée, roi de Troie, était l'ancêtre de la famille de César, il avait fait exempter les Troyens de toute charge publique. Et en latin, dans une langue aussi belle que celle de Cicéron, il avait fait accorder à Bologne, détruite par un incendie, un don de dix millions de sesterces.

— Voilà Néron, concluait Sénèque. Et comme les hommes ne peuvent choisir un empereur que parmi les hommes, je choisis Néron.

Il ajoutait que le temps n'était pas encore venu, que le plus sage était d'attendre que les dieux appelassent Claude auprès d'eux.

— Agrippine les y aidera, ai-je murmuré.

Sénèque s'est écarté de moi.

— Serenus, a-t-il dit, prononcer certains mots, c'est comme s'ouvrir les veines. Le sage ne le fait qu'en choisissant le moment, et en pleine conscience. Ne laisse pas ta bouche décider de ta vie et de ta mort sans que tu l'aies pensé et voulu.

— La bouche de Néron tue, ai-je répondu.

Néron venait d'accabler sa tante Lepida chez qui il avait été recueilli, enfant, après la mort de son père. Mais Agrippine ne voulait plus que survécussent des témoins de sa vie d'autrefois. Alors elle avait dénoncé Lepida, sans réussir pour autant à obtenir des témoignages contre cette femme intègre.

Puis Néron s'était avancé, les yeux baissés, parlant si bas, comme pour une confession, que les sénateurs avaient dû pencher la tête pour ne pas laisser perdre un seul des mots qu'il prononçait.

Il avait témoigné que sa tante Lepida, alors qu'il séjournait chez elle, avait profité de sa jeunesse et l'avait mêlé à des accouplements pervers et incestueux. Elle avait abusé de l'enfant qu'il était, elle, sa tante, et il en avait été longtemps marqué. Mais les dieux et sa mère l'avaient guéri de cette blessure dont la coupable devait être punie si l'on ne voulait pas qu'elle corrompît à nouveau d'autres enfants par des actes sacrilèges.

Bannie, dépouillée, morte, Lepida !

— Voilà Néron, ai-je conclu.

Mais Sénèque, à l'égal des Romains, admirait le prince de la Jeunesse, si beau, si juvénile quand il apparaissait aux côtés de Claude.

Et Agrippine incitait l'empereur à se présenter aux côtés de son fils aîné devant le peuple rassemblé. Elle voulait que par sa seule présence celui-ci ternisse le prestige et l'autorité de celui-là, qu'il soit le soleil levant qui repousse la nuit, et laisse dans l'ombre Britannicus, le fils cadet, le vaincu.

J'avais assisté à cela, assis parmi la foule sur les collines qui dominaient le lac Fucin qu'un canal désormais reliait au fleuve Liris afin d'alimenter les six cents fontaines de Rome. C'était l'œuvre de Claude et il voulait la célébrer. Il avait chargé Narcisse, son affranchi, de présider à ces travaux, puis d'organiser, pour marquer l'arrivée des eaux du fleuve, un spectacle que la plèbe n'oublierait pas de sitôt.

J'ai vu dix-neuf mille esclaves, des condamnés, embarquer comme rameurs et comme combattants sur des trirèmes et des quadrirèmes qui devaient s'affronter sur le lac Fucin, devant la plèbe enthousiaste, en un simulacre de bataille navale. Autour de ces navires, sur les radeaux disposés en cercle, se tenaient des cohortes et des escadrons de la garde prétorienne afin qu'aucun des esclaves ne fût tenté de s'enfuir.

Ils combattirent sous les acclamations et les cris.

Je regardai Claude.

L'empereur était enveloppé dans l'ample manteau pourpre que portaient à la guerre les généraux. Mais la foule, lorsqu'elle applaudissait, se tournait vers Néron, debout dans sa tunique brodée d'or, et vers Agrippine, resplendissante dans sa chlamyde cousue de fil d'or agrafée sur l'épaule, courte et fendue. On eût dit l'épouse de Néron et non pas celle de l'empereur Claude.

Et c'est à Néron que la foule demandait la grâce des esclaves que la mort avait délaissés au cours du combat.

Claude avait hésité avant de l'accorder d'un geste las. Mais la foule remerciait Néron.

Puis les écluses furent ouvertes et l'eau du fleuve se précipita dans le lac comme un torrent tumultueux qui emportait les tables dressées pour le banquet. La plèbe s'enfuyait devant ces vagues grises qui déferlaient.

Agrippine, agitant les mains, les cheveux dénoués, accusa Narcisse d'avoir, par cupidité et prévarication, négligé de surveiller les travaux du canal et provoqué ce désastre. Narcisse s'emporta, répondit qu'Agrippine était une femme incapable de dominer ses émotions, qu'elle nourrissait de surcroît de trop grandes ambitions.

En l'écoutant, en captant les regards qu'échangeaient Agrippine et Néron, je me suis souvenu des propos de Sénèque.

Oui, certains mots tuaient ceux qui les prononçaient.

12

Quand Agrippine lâchera-t-elle la mort aux trousses de ceux qui s'opposent à son ambition ?

Je la vois qui hésite.

La mort se tient près d'elle, flairant Narcisse ou l'empereur Claude, et d'autres encore.

Elle s'approche ainsi de cet ancien gouverneur d'Afrique, le proconsul Taurus, un homme riche, un général victorieux, qui possède de vastes jardins ombragés couvrant les pentes de l'Aventin. On dit qu'Agrippine veut s'en emparer. À chaque fois que sa litière les longe, elle se redresse, regarde les arbres et les fleurs, puis se ronge les ongles.

Elle convoque Pallas. Ils chuchotent, lui penché sur elle, attentif et servile.

Quelques jours plus tard, un homme se dresse au Sénat, accuse Taurus de corruption et de concussion, de vol même. L'accusé regarde autour de lui, égaré : qui peut ajouter foi à un tel réquisitoire, quel est ce délateur ?

Les sénateurs baissent la tête. Chacun sait que l'accusateur est aux ordres de Pallas et d'Agrippine, et que plus rien ne peut sauver Taurus.

La mort se glisse en lui. Il se tue, humilié, désespéré, abandonné de tous. Et l'empereur Claude décrète que les biens du proconsul Taurus deviennent propriété d'Agrippine. Elle fait arrêter sa litière devant les jardins de Taurus, les siens désormais. Elle marche au long des allées, respire le parfum des massifs de fleurs.

Qui sera sa prochaine victime ?

Agrippine tient à nouveau la mort en laisse. Qui va-t-elle désigner ? À quel moment se penchera-t-elle sur la Tueuse et lui murmurera-t-elle : « Va, égorge, empoisonne celui-là, maintenant » ?

Il me semble que Rome, comme moi, retient son souffle et attend.

Je marche derrière le cortège nuptial de Néron et d'Octavie.

Ils viennent d'être unis par les prêtres au temple de Cybèle, sur le Palatin.

Ils se sont inclinés devant la pierre sacrée, l'autel de la grande déesse de la Fertilité que les légions romaines ont arraché au temple de Pessinonte, en Phrygie, quand ils ont conquis, il y a plusieurs dizaines d'années, ce pays au-delà de la province d'Asie qui borde la mer Égée. Les prêtres de Cybèle, les Galles, officient désormais à Rome.

C'est Agrippine qui a voulu que Néron, à l'occasion de son mariage avec Octavie, reçoive la protection de Cybèle et soit initié à son mystère. Elle veut que Néron, fils d'Apollon, soit aussi choisi par toutes les divinités ; plus elles seront nombreuses à le reconnaître, plus son destin sera glorieux. Dieux d'Égypte, dieux de Grèce et dieux d'Orient, il faut que tous les cultes soient célébrés, ceux de l'Olympe et ceux de Phrygie, d'Apollon et de Cybèle, de Jupiter et de Vénus.

Autour de Néron et d'Octavie, les Galles dansent, gesticulent, se lacèrent le corps, les épaules et les bras, les cuisses à coups de tesson ou de lame. Leur sang les inonde. Certains, le torse rejeté en arrière, tranchent dans la chair, s'émasculent, car les prêtres de Cybèle doivent être des eunuques.

J'observe Néron. Son visage exprime le ravissement. C'est comme si ces gestes cruels, ce sang répandu, ces cris des Galles le comblaient comme le plus divin des spectacles.

Près de lui, sa sœur et désormais épouse, Octavie, fille de l'empereur Claude, toute frêle, son corps de treize ans enveloppé de voiles, semble terrorisée, et ce sont les prêtres qui l'entraînent et la poussent dans les bras de Néron.

Il la regarde avec dédain, puis le cortège quitte le temple de Cybèle, descend la colline du Palatin, s'enfonce dans les rues de la ville basse, accompagné par les Galles qui continuent de se fustiger et de se mutiler, de hurler, de tituber de douleur et d'exaltation, le grand-prêtre, l'Archigalle, marchant en tête devant Néron et Octavie.

Les rues sont étroites, si resserrées qu'on a l'impression qu'il suffirait de tendre la main pour que de la fenêtre d'une *insula* on puisse atteindre celle de l'immeuble qui lui fait face. Il n'y a que trois ou quatre pas d'une façade à l'autre.

Je me faufile dans la cohue, laisse s'éloigner Néron et Octavie, les Galles qui les accompagnent, les courtisans d'Agrippine et de Claude qui leur font escorte.

Je sais que Néron, hier soir, a quitté la villa d'Agrippine où il demeure, et que, comme chaque nuit depuis plusieurs mois, il est venu rôder dans ce quartier du Velabre, jeune homme de seize ans avide de plaisirs, enveloppé d'un manteau de laine à poil long.

Des esclaves armés le suivent à quelques pas.

Agrippine les a choisis pour qu'ils veillent sur son fils. Ils savent que si Néron rentre au matin ne serait-ce qu'avec une simple estafilade ils seront livrés au bourreau.

Alors ils ont l'œil aux aguets. Ils entourent, précèdent Néron. Ils rabattent vers lui le gibier. Car Néron ne se contente plus des *pueri* et des *puellae* que sa mère lui procure. Il a pris goût à la chasse nocturne. Il aime la surprise de l'embuscade, quand il bondit avec ses gardes sur un couple qui passe et qu'il renifle l'homme et la femme, rejetant l'un ou l'autre, mais parfois s'appropriant les deux. Il s'offre et il prend, tour à tour femelle ou mâle, présentant son cul ou enfonçant sa verge.

Il hante ainsi, la nuit, ces rues que son cortège nuptial à présent parcourt. Il chasse sans hâte, avançant d'un pas lent, et le manteau s'écarte, laissant voir ses jambes grêles, sa peau tachetée, son ventre qui commence à s'arrondir comme celui de tous les bâfreurs.

J'ai été assis en bout de table à l'un de ses dîners où il reçoit ses maîtres Burrus et Sénèque, Chaeremon et parfois Pallas, des avocats, des sénateurs, des proconsuls qui séjournent pour quelques semaines à Rome avant de regagner leurs provinces. Il y a aussi des *pueri* et des *puellae* pour les invités qui veulent jouir de tous leurs sens, et pas seulement de la bouche.

Les plats apportés par des esclaves orientaux défilent.

Néron dévore avec avidité.

Il aspire bruyamment les huîtres. Il savoure ces *boleti*, champignons succulents qui fondent dans la bouche. Il arrache la chair du turbot, ou l'énorme croupion d'une tourterelle, jaune de graisse onctueuse. Il aime le sanglier, les viandes faisandées.

Il rote. Il pisse. Il pète.

Puis, après une rasade de vin, il choisit parmi les desserts, ces amoncellements d'abricots fourrés au miel, ces monticules de dattes, ces pommes et ces poires juteuses enrobées de sucre, ces gâteaux aux amandes.

On sert dans de petits flacons ou dans des jarres les vins fins de Spolète ou de Sabine.

Néron commence à osciller, ivre.

Sa tunique dorée colle à son torse couvert de sueur. Il plisse à demi les paupières pour mieux voir, plaque une émeraude devant son œil droit pour accroître sa vision de myope. Et tout à coup il vomit.

Je me lève, m'éloigne de quelques pas. Je m'adosse à une colonne. Les odeurs de banquet me donnent la nausée.

Je ne supporte pas ce fumet de garum, condiment fait de saumure, de sang, d'abats, d'entrailles, d'œufs et de poisson, que Sénèque appelle une « exquise pourriture ». Mais lui, elle ne le gêne pas.

D'ailleurs, qu'est-ce qui peut incommoder et troubler Sénèque ?

Je le regarde.

Il est assis auprès de Néron, le visage impassible, comme s'il ne sentait pas, ne voyait pas, n'entendait pas ce Néron qui s'est redressé, recommence à boire, entonne une chanson, attire d'un geste un jeune homme et une jeune fille, plutôt des enfants d'à peine une douzaine d'années, les invite à venir se glisser contre lui, à frotter leurs corps lisses contre son torse d'adolescent déjà potelé.

Mais Sénèque ne détourne pas la tête.

Peut-être est-il capable de méditer, à cette table, au livre qu'il a commencé d'écrire et dont il me parle souvent, dans lequel il prône la « tranquillité de l'âme » ?

Comment réussit-il à vivre près de Néron et à garder sa pensée libre ?

Moi, j'étouffe. Il me semble que tout Rome pue.

Je reste dans la pénombre cependant que les esclaves éclairent la pièce et la table avec des torches, posent des lampes au milieu des plats, font surgir de l'obscurité ces corps à demi allongés dont les jambes et les mains se mêlent et se croisent.

Sénèque est penché sur Néron.

Est-il possible qu'il soit sensible à sa beauté, attiré par ses yeux bleus et sa jeunesse ?

À moins que, comme il me l'a dit, il ne voie d'abord en lui le fils d'Apollon, celui que les dieux et les hommes vont hisser à la magistrature suprême.

Ce n'est pas le corps de Néron qui l'attire, mais le pouvoir qui s'incarnera bientôt en lui.

Agrippine s'est approchée.

Chaque nuit, elle vient ainsi rôder autour de son fils afin de connaître les résultats de sa chasse.

Elle écarte brutalement les jeunes gens enlacés à Néron. Elle prend place à son côté. Il se penche vers elle comme ferait un amant. Les invités se lèvent et s'éloignent en silence. Sénèque passe près de moi, m'entraîne.

— Octavie, murmure-t-il, pauvre épouse, petite proie. Agrippine la dévorera, et, si elle ne le fait pas, Néron s'en chargera.

Il s'arrête.

Rome est recouverte par la brume de l'aube. Déjà des odeurs fétides montent des ruelles encombrées par les charrois. Certains transportent le marbre de Ligurie pour les constructions que Claude a décidé d'entreprendre, les autres le grain et les récoltes des vergers et des champs pour les entrepôts.

On entend déjà les hennissements, les braiments, les aboiements et, les dominant, les mugissements rauques des taureaux.

— Ils vont égorger l'un d'eux, murmure Sénèque, et quelqu'un sera accroupi dans la fosse creusée en dessous pour que le sang l'asperge, lui transmette la virilité de la bête. Mais qui peut changer l'ordre du monde, l'inéluctable mouvement des choses et des vies ? Seuls les âmes et les dieux sont immortels. Même les déesses, Mithra ou Cybèle, ne peuvent raidir une verge lorsqu'elle n'est plus qu'un bout de chair flasque.

Il sourit et reprend :

— Néron est jeune. Il a des désirs. Il veut les satisfaire. Il sera empereur.

— Combien de morts entre lui et l'Empire ? ai-je demandé.

Sénèque hausse les épaules.

— Quelques-uns... quelques-uns, répète-t-il.

QUATRIÈME PARTIE

13

Je ne suis pas le seul à prévoir une saison de meurtres, une prochaine moisson funèbre.

Aux thermes où je me rends chaque jour, je surprends, dans la vapeur grise, les confidences de Nelus, proche de Narcisse, un affranchi comme lui.

C'est un homme jeune aux grosses lèvres, au corps déjà alourdi par le lard de la richesse et du pouvoir.

Il a d'abord chuchoté, regardant autour de lui, craignant les délateurs. Mais je ne suis qu'une silhouette assoupie et, peu à peu, sa voix a enflé, comme si les approbations des hommes assis ou couchés près de lui l'incitaient à pérorer. Il retrouve l'assurance de qui fait partie de l'entourage de l'empereur Claude et connaît toutes les rumeurs. Il éprouve à les colporter un sentiment de puissance et cette sensation d'invulnérabilité que confère l'ivresse.

Lorsqu'il parle de la tueuse et de la débauchée, je sais qu'il désigne Agrippine. Il dit :

— Il faut qu'elle agisse, qu'elle tombe le masque. Son histrion de fils a dix-sept ans. Pour elle, c'est maintenant ou jamais. Elle l'estime assez âgé pour pouvoir jouer le rôle, et encore assez jeune pour réciter le texte qu'elle aura écrit. Il ne sera qu'une marionnette entre ses mains.

Nelus se redresse, s'appuie sur les coudes, et la serviette qui enveloppe son torse et son bas-ventre glisse. J'aperçois les replis de sa peau huileuse, et cette coquille de métal qui cache son sexe, semblable à celle que portent les Juifs qui ne veulent pas laisser voir qu'ils sont circoncis.

— Mais même les sourds et les aveugles savent ce qu'elle est, poursuit-il. Incestueuse, adultère !

Il ne nomme pas Pallas l'affranchi, complice d'Agrippine, son compère de débauche, son amant-chien. Elle l'a dressé à la servir. On murmure qu'elle le contraint à trottiner, nu, à quatre pattes, bouche ouverte, haletant, la langue pendante.

— Cette femme-là, maîtresse de Rome ? Qui l'accepterait ?

Nelus s'allonge, les mains croisées sous la nuque. Les hommes qui l'entourent s'approchent et se penchent. Il baisse la voix. Je n'entends plus, mais je sais ce qu'on rapporte à Agrippine des intentions de l'empereur.

Claude peu à peu semble vouloir s'opposer aux ambitions d'Agrippine.

Narcisse, Nelus, bien d'autres qui craignent pour leur vie si Néron vient à lui succéder l'excitent, entretiennent sa colère. L'empereur ne dissimule plus qu'il veut reprendre ce qu'il a donné.

On l'a vu serrer longuement contre lui Britannicus, l'appelant « fils de mon sang », puis il s'est écarté tout en tenant l'enfant par les épaules et en murmurant :

— Sache que celui qui t'a blessé te guérira aussi.

Il l'a à nouveau embrassé, jurant qu'il allait lui remettre la toge virile.

— Jamais plus tu ne seras l'enfant qu'on bafoue et qu'on humilie, lui a-t-il dit.

D'une voix forte, sans qu'aucun bégaiement ne vienne émietter sa phrase, il a ajouté :

— Ainsi, le peuple romain aura enfin un véritable César, un empereur issu de mon sang !

J'ai vu Agrippine, alors que Pallas lui rapportait ces propos, se mordre les doigts, pâlir, puis s'écrier, comme on aboie :

— Il ne fera pas cela ! Je ne le laisserai pas se renier, désigner cet enfant stupide et écarter mon fils, son fils aîné, le descendant d'Auguste et de César, le seul, le seul, Pallas !

Son corps tremble. La colère déforme son visage. Je regarde ses poings serrés. Elle s'enfonce les ongles dans les paumes.

Il me semble aussi qu'elle a peur.

On assure que l'empereur Claude a refusé de la recevoir dans sa chambre, lui préférant une jeune esclave.

Il a fait condamner durement une épouse adultère, décrétant la confiscation de ses biens, et les prétoriens ont reçu l'ordre de la tuer sur le chemin de l'Espagne où il l'avait exilée.

En apprenant cela, ses affranchis, Narcisse, Nelus et d'autres de sa cour l'ont applaudi.

L'empereur a maugréé :

— Mon destin a aussi voulu que toutes mes femmes soient impudiques.

Narcisse, Nelus et ses proches ont baissé la tête avec des mimiques pleines de compassion. Claude s'est avancé vers eux et, levant les bras comme pour invoquer les dieux, a lancé :

— Mes femmes sont impudiques, mais elles ne restent point impunies !

Comment Agrippine ne se serait-elle pas souvenue du sort de Messaline ? Et du destin tout aussi cruel des précédentes épouses ? Et des colères de Claude, capable de faire jeter à la rue, toute nue, l'une de ses filles lorsqu'il découvrit qu'elle était peut-être l'enfant d'un de ses affranchis ?

Elle sait qu'on peut tout craindre d'un homme longtemps complaisant : tout à coup il se rebelle comme un ours qui, après avoir fui, se retourne, les yeux injectés de sang, les pattes prêtes à déchirer, à broyer.

J'ai vu le corps d'Agrippine se recroqueviller lorsqu'un sénateur l'a avertie que Claude avait rédigé son testament. Il s'apprêtait même à le faire cosigner par tous les magistrats de Rome. On n'en connaissait pas les termes, mais, avant de se rendre au Sénat, il avait dit à Britannicus, sur un ton solennel, veillant à ce que tous les témoins entendissent ses propos :

— Grandis, mon fils, car je vais te rendre compte de toutes mes actions et punir ceux qui m'ont trompé et t'ont humilié !

Agrippine a rentré la tête dans les épaules comme si elle avait voulu protéger sa gorge de la pointe d'une lame.

Elle est restée ainsi figée, prostrée, puis, lentement, cambrant le dos, desserrant les poings, tendant ses doigts aux ongles longs, laqués de noir, elle a relevé la tête. On eût dit un serpent qui tout à coup se déploie et dont on découvre brusquement la dimension.

Agrippine, suivie par Pallas, s'est alors dirigée vers la chambre de Néron.

J'ai rejoint Sénèque dans sa villa.

Il est nu, un simple pagne lui couvrant les hanches, allongé sur un lit, le menton sur les poings. Un jeune esclave impubère, le corps blanc et lisse, sûrement frotté chaque jour à la pierre ponce pour l'épiler entièrement, le masse, appuyant les mains sur sa nuque, puis le bas de ses reins, les glissant ainsi sous le pagne.

Je veux confier à Sénèque ce que j'ai appris, ce que j'ai vu.

Il se retourne, sourit au jeune esclave avant de le renvoyer.

— Le poisson jeté sur la grève tressaute encore longtemps, murmure-t-il.

— Certains, en quelques bonds, retrouvent la mer, dis-je.

Sénèque hausse les épaules. Pour lui, il suffit d'attendre. Je n'ai pas sa sagesse.

J'ai écouté devins et astrologues qui, dans les rues de Rome, annoncent des temps rouge sang. Un changement funeste se prépare, prédisent-ils. Les signes ne trompent pas. Les enseignes de nombreuses légions et de cohortes prétoriennes ont été frappées par la foudre, et le fouet de feu a incendié les tentes des soldats. Un essaim d'abeilles noires a entouré le faîte du Capitole, puis s'est précipité sur une femme dont le corps a été entièrement recouvert, percé de milliers de dards. C'était une épouse adultère ; elle en est morte. Une truie a donné naissance à un petit avec, aux pattes, des serres d'épervier. Le même jour, un enfant à deux sexes est né, un monstre qu'on a égorgé.

J'observe le visage de Sénèque. Il reste impassible, puis sourit et me regarde avec commisération.

— Narcisse et Nelus paient tous les astrologues de Rome, dit-il. Les signes que donnent les dieux sont plus difficiles à déchiffrer que l'écriture d'Égypte. Ceux que tu me décris sont aussi clairs que la langue de César et de Cicéron. Femme adultère, enfant monstrueux, garde prétorienne frappée parce qu'elle soutient Agrippine et Néron...

Il se lève, retenant son pagne de la main gauche.

— Comment n'as-tu pas reconnu le style de Narcisse et de Nelus ?

Il m'enveloppe l'épaule de son bras droit, me serre contre lui. Il a rarement de tels gestes d'amitié.

— Les dieux sont paresseux, Serenus, poursuit-il. Le plus souvent, ils suivent les choix des hommes. Ils aiment les voir s'affronter dans l'incertitude d'un combat à mort. Dans cette arène qu'est notre vie, nous sommes les gladiateurs ; eux sont en haut, dans la tribune. Ils décideront si le vaincu doit mourir ou le vainqueur être aussitôt poussé dans un autre combat. Attendons, Serenus. Partageons avec les dieux leur paresse et leur sagesse.

— Il y va de notre vie ! ai-je objecté.

— La chair meurt, mais l'âme survit, Serenus. Alors, pourquoi craindre notre mort ?

— Je crains la souffrance.

Il s'éloigne, se retourne :

— Choisis ta mort, me dit-il, et tu seras seul maître de tes souffrances.

14

Les souffrances qui déformèrent le visage et pourrirent sur pied le corps de l'empereur Claude, il n'en fut pas le maître, mais l'esclave.

J'ai su qu'il en serait ainsi lorsque j'ai vu Locuste, l'empoisonneuse, ses voiles noirs cachant son visage, pénétrer dans la chambre d'Agrippine et n'en ressortir que tard dans la nuit, regardant autour d'elle comme si elle avait craint qu'on ne lui arrachât cette bourse qu'elle pressait sur sa poitrine, tentant de la dissimuler sous les pans de sa tunique, mais elle était trop ventrue pour y parvenir.

C'était le salaire du crime, de ce meurtre de l'empereur que lui-même devinait proche puisqu'il allait répétant : « Je suis arrivé au terme de ma vie. » Il ne désignait plus de magistrats, comme s'il avait été persuadé qu'il ne les verrait pas entrer en fonction et qu'un autre empereur en choisirait à leur place de nouveaux.

Je m'étonnais d'une telle attitude alors qu'il paraissait continuer de préparer le châtiment d'Agrippine, celui de Néron, et qu'il voyait chaque jour Britannicus comme pour signifier à tous que son fils de sang était son seul et légitime héritier.

Mais je lisais dans son regard, le plus souvent vague et voilé, qu'il se savait vaincu, qu'il ne luttait que pour ne pas décevoir Narcisse et Nelus, ne pas se laisser chasser et abattre sans esquisser le moindre geste de résistance. Mais, tout à coup, alors qu'il paraissait plein de détermination, son bégaiement rendait ses propos incompréhensibles, ridicules. Il n'en subsistait que ces quelques mots : « au terme de ma vie ». Et je percevais le découragement, le désespoir de Narcisse, de Nelus et de tous ceux dont le sort était lié à celui de l'empereur, la mort de Claude étant l'annonce de la leur propre.

L'empereur mourut le 14 octobre après une agonie de trois jours.

J'ai été le témoin de tous ces événements.

J'ai vu, le soir du dîner au palais impérial, l'empereur se pencher sur les plats de cèpes frits que les esclaves venaient de déposer devant lui. C'était l'un de ses mets favoris. Les champignons étaient dorés, charnus. Holatus, l'eunuque, le goûteur, prit l'un d'eux, mordit le cèpe à pleines dents et fit un signe de tête. Un esclave fit glisser plusieurs champignons dans l'assiette de l'empereur.

Agrippine se trouvait à l'autre bout de la table. Son visage, que j'avais vu si crispé les derniers jours, était souriant, paisible.

J'ai pensé que l'empoisonneuse, Locuste, avait dû réserver ses mixtures pour une autre circonstance. Cependant, les yeux d'Agrippine étaient d'une fixité inquiétante. Son regard ne quittait pas la bouche de l'empereur qui, avec voracité, avalait de gros morceaux de cèpe en grognant de plaisir.

Holatus avait disparu.

Peut-être avait-il été soudoyé par Agrippine ? Peut-être avait-il choisi l'un des champignons que l'empoisonneuse n'avait pas imbibés de poison ? Elle avait dû préparer un venin qui ne modifiait pas le goût du cèpe et dont l'action serait lente en sorte que l'agonie puisse être déclarée naturelle, alors qu'un effet foudroyant eût révélé le crime.

J'ai entendu la voix de Claude, un peu étouffée, hésitante, réclamer du vin de Spolète. Les esclaves ont apporté une vasque. Il m'a semblé qu'elle était emplie de sang. Claude a penché la tête. Il aimait boire ainsi à même la vasque, les narines frôlant et humant le vin. Mais, brusquement, il s'est rejeté en arrière, sa main gauche étreignant son cou comme s'il voulait en faire jaillir quelque chose qui l'étouffait.

Il a sous doute voulu crier, mais il n'a pu que râler avant de basculer de côté.

Tous les convives se sont levés, la tête tournée vers Agrippine qui, debout elle aussi, invoquait les dieux protecteurs, puis se dirigeait vers Claude, s'agenouillait, lui soutenant la tête à deux mains.

— Il vit, il vit ! cria-t-elle d'une voix aiguë, frémissante, comme si elle exhortait les dieux à retenir son mari sur le bord du grand gouffre.

Des prêtres sont arrivés, convoqués par Agrippine. Ils ont commencé à psalmodier, formant des vœux pour que l'empereur, l'égal d'Auguste, échappe à la mort.

Plusieurs heures se sont ainsi écoulées.

Agrippine allait d'un bout à l'autre de la pièce, invitant chacun à prier les dieux pour qu'ils protègent ce glorieux et juste empereur d'un sort funeste.

Tout à coup, le corps de Claude se cabra et il se mit à vomir, puis l'autre orifice laissa s'écouler une diarrhée fétide. Ainsi semblait-il capable d'évacuer le poison et ses effets.

Je vis les rides du désarroi et de la peur griffer le visage d'Agrippine. Si Claude survivait, elle périrait, et, avec elle, Néron.

Britannicus était là, tenant la main de son père, enfant au visage triste et sévère qu'encadraient Narcisse et Nelus.

Sénèque se tenait à l'écart, impassible. Je me suis approché de lui. Il a murmuré, comme pour lui-même :

— Les plus grands crimes, lorsqu'on les entreprend, comportent des risques, mais on est récompensé si l'on va jusqu'au bout.

Il a tourné la tête comme s'il voulait me laisser entendre que l'homme qui venait d'entrer dans la salle et se dirigeait vers Agrippine serait l'exécuteur.

Agrippine alla vers lui, lui saisit les mains, clamant, afin que chacun l'entendît, que Xénophon, le guérisseur, le médecin grec, allait extirper la maladie du corps de l'empereur.

Alors qu'il le tuerait, je le savais.

Il s'est penché sur l'empereur, lui a ouvert la bouche, a glissé une longue plume noire entre ses lèvres pour – c'est ainsi qu'on procédait souvent avec Claude – susciter, en irritant le gosier, de nouveaux vomissements.

Le corps de l'empereur a été agité de spasmes, puis il s'est raidi.

Xénophon avait dû enduire la plume d'un poison violent.

Le guérisseur s'est redressé, a regardé Agrippine, peut-être lui a-t-il dit : « C'est fait. »

Il a recommandé qu'on enveloppe Claude de couvertures chaudes, et demandé qu'on quittât la salle : l'empereur devait pouvoir respirer un air que personne n'aurait vicié.

J'ai été tenté de crier : « Mais il est mort ! »

Tous ceux qui quittaient la pièce – les premiers avaient été Narcisse et Nelus – l'avaient compris tout comme moi. Tous avaient deviné qu'Agrippine, avant d'annoncer la mort de l'empereur, voulait s'assurer que les cohortes prétoriennes étaient prêtes à jurer fidélité à Néron. Peut-être aussi souhaitait-elle attendre le moment que les astrologues avaient jugé le plus propice à son fils.

Ce fut à midi, ce 14 octobre, dans la soixante-quatorzième année de Claude et la quatorzième année de son principat.

J'ai vu alors Agrippine se lacérer le visage, pousser des cris de douleur, serrer contre elle Britannicus, disant qu'il était la véritable image de son père, qu'elle serait sa mère protectrice. Ce faisant, elle le retenait d'agir. Des gardes avaient pris position devant toutes les issues, empêchant, Narcisse,

Nelus, et les sœurs de Britannicus, Antonia et Octavie, l'épouse de Néron, de quitter le palais.

Puis Burrus est arrivé à grands pas, levant son bras mutilé, criant que les prétoriens avaient prêté serment à Néron, le proclamant empereur. Certains soldats, racontait-il, avaient hésité, demandant où était passé Britannicus. Mais Néron, comme l'avait fait Claude au moment de son avènement, avait offert quinze mille sesterces à chacun d'eux, soit l'équivalent de cinq années de solde. Alors tous avaient levé leur glaive et crié : « Vive Néron, notre empereur ! »

Ils l'avaient porté jusqu'à leur camp.

Qui pouvait désormais s'opposer à lui ?

Qui aurait résisté à Agrippine ?

Elle demanda à Sénèque de se rendre au Sénat afin de faire voter les décrets attribuant la dignité impériale au fils aîné de Claude, Néron.

J'ai vu Sénèque dans la journée du lendemain.

J'avais appris qu'il avait lui-même rédigé le discours que Néron avait prononcé devant les prétoriens.

J'ai voulu l'interroger, entendre ses raisons, mais, d'un geste, il me l'a interdit.

— Le Sénat a décidé, à ma demande, de décerner à Claude la divinisation, assortie de funérailles solennelles à l'égal de celles du dieu Auguste, a-t-il précisé.

— Le testament de Claude ? ai-je demandé.

— On ne le lira pas. Claude est mort. Crois-tu qu'un mort puisse décider de l'avenir de Rome ? C'est vivant qu'il eût dû le préparer. Il a été empereur durant quatorze ans. Que n'a-t-il imposé son successeur ? Les hommes et les dieux ont choisi sans lui.

Sénèque a fermé à demi les yeux et repris, en détachant les mots :

— Néron est l'empereur de Rome, et donc le maître du genre humain.

Un empereur de dix-sept ans.

— Agrippine ? ai-je dit encore.

Sénèque a fait une moue dubitative, baissé la tête et murmuré :

— Ce n'est qu'une mère.

15

Seulement une mère, Agrippine ?

Sénèque s'aveugle ou exprime là son propre vœu, ses intentions politiques, sa volonté de voir déjà réduire le pouvoir de la mère de Néron, elle qui en quelques heures n'a plus seulement été la mère de l'empereur – *Augusta mater Augusti* –, mais Augusta elle-même, tout comme l'empereur.

J'ai entendu les acclamations des sénateurs la saluer comme jamais une femme ne l'avait été dans l'histoire de Rome.

Je les écoute.

Tous ici jouent la comédie hypocrite de l'affliction. Ils font mine de croire Agrippine et Néron pleurant l'une « mon auguste époux », l'autre « mon noble et glorieux père ». Ils s'affichent convaincus que la maladie l'a emporté, qu'aucun crime n'a décidé de la succession. Ils louent la sagesse d'Agrippine qui a permis à Néron d'accéder au pouvoir sans guerre civile, sans que se multiplient les proscriptions, que le sang ruisselle dans les rues de Rome et des villes de l'Empire.

Cela a été si souvent le cas, à chaque changement de pouvoir, qu'ils remercient le nouvel empereur, sa mère et les dieux d'avoir préservé la paix dans l'Empire.

Ils décrètent que deux licteurs, avec leurs faisceaux, précéderont partout Agrippine Augusta pour que chaque citoyen de Rome sache qu'il convient de la respecter, qu'elle est devenue, elle aussi, le visage du pouvoir.

Jamais une femme n'avait bénéficié avant elle d'une pareille reconnaissance.

Je vois s'avancer sa litière, précédée par les deux licteurs. Elle entre dans le palais. Néron – l'empereur Néron ! l'empereur du genre humain ! – marche à quelques pas derrière elle comme s'il n'était que le plus illustre des serviteurs de cette femme régnante.

Elle jouit. Chacun de ses traits, chacun de ses gestes, le plus bref de ses regards exprime le plaisir de dominer enfin, de s'être hissée à la puissance impériale, elle, plus prééminente que n'importe quelle autre Romaine ne l'a jamais été.

Je sais qu'elle convoque les secrétaires du palais impérial, qu'elle leur dicte des lettres pour les proconsuls, les cités de l'Empire. Elle ne consulte pas Néron, mais agit de son propre chef.

Elle exige que les sessions du Sénat se tiennent au palais, et, parce que la présence d'une femme est interdite dans la salle où ne doivent siéger que les pères de la Patrie, elle fait ouvrir une porte et assiste aux séances, cachée derrière un rideau.

Je le sais. Chacun le sait. Je devine, aux propos de Sénèque, que déjà les sénateurs s'inquiètent.

La lutte pour le pouvoir ne finira donc jamais ?

Mais ils cèdent. Le profil d'Agrippine figurera sur les monnaies avec celui de son fils, les deux visages seront superposés.

J'ouvre la paume, montre à Sénèque l'une de ces pièces et l'interroge :

— Seulement une mère ?

Il ne me répond pas.

Il n'est pas dupe des mensonges qui sont applaudis comme autant de vérités. C'est lui qui a rédigé le discours que Néron a prononcé au Sénat. J'ai reconnu ses pensées, son style. Et Néron a joué en acteur de talent l'orateur inspiré alors que, sur les gradins du Sénat, pas un seul sénateur n'ignorait qu'il n'avait pas écrit une ligne de ce qu'il déclamait. Et certains ont murmuré que c'était la première fois qu'un empereur ne concevait pas lui-même son premier discours.

Belles envolées : sagesse et clémence seront mes inspiratrices ; mon pouvoir sera sans haine ni rancune ; la délation, la concussion, le crime seront bannis ! Et le Sénat sera le gardien respecté des vertus romaines...

Acclamations !

Moi-même, en écoutant ce discours, j'ai nourri, l'espace de quelques phrases, l'espoir qu'une nouvelle époque commençait. La jeunesse de Néron rappelait celle de Pompée et d'Auguste. Il n'avait que dix-sept ans, de bons conseillers qu'il appelait ses amis, Burrus qui commandait les prétoriens, Sénèque qui préparait un livre où il ferait, m'avait-il confié, l'éloge de la clémence.

Un instant on nourrit l'espoir que Néron ferait oublier les principats de Caligula et de Claude, et que Rome retrouverait la grandeur d'Auguste.

Illusions !

Un arbre vaut par ses racines ; celles du pouvoir de Néron et d'Agrippine s'enfonçaient dans le poison, les crimes, l'inceste, l'intrigue et la corruption. Elles étaient encore enfouies, dérobées à la vue du grand nombre.

Le peuple acclamait le prince de la Jeunesse, le juste empereur, le généreux Néron qui ordonnait qu'on baissât les impôts, qui faisait distribuer quatre cents sesterces à chaque membre de la plèbe et décrétait qu'il fallait aider les sénateurs les plus pauvres afin que leur existence fût digne de leur rang et de leurs responsabilités.

Les doigts entrecroisés devant sa bouche, le menton appuyé sur les pouces, les yeux semblant fixer un point au loin, Sénèque se félicitait des premiers pas de Néron.

— Apollon guide l'empereur, disait-il. Les hommes reconnaissent en lui le protégé des dieux. Les Égyptiens sont de bons juges. J'ai vécu parmi eux cinq années. Sais-tu, Serenus, comment ils nomment Néron ? « Le bon génie de la Terre habitée. » Les sénateurs se félicitent de son sens de la justice, de son rejet de la vengeance, de la haine et de la rancune. Je l'ai vu hésiter à parapher une condamnation, je l'ai entendu dire d'une voix pleine de remords : « Comme je voudrais ne pas savoir écrire ! » et j'ai dû insister pour qu'il signe, lui rappelant les crimes commis par le coupable. Et quand on a voulu le remercier pour les mesures qu'il avait prises, il a déclaré aux sénateurs : « Attendez que je l'aie mérité. »

J'écoutais, j'observais Sénèque.

Un sage pouvait-il à ce point être dupe, victime de sa vanité ? Car Néron ne faisait qu'appliquer la politique que le philosophe, soutenu par Burrus, lui conseillait.

Mais Sénèque oubliait – ou ne voulait pas voir – ce qui perçait déjà sous le masque bienveillant de Néron.

Je l'avais vu s'amuser comme un enfant à pousser des quadriges en ivoire et, faisant vaincre tel ou tel char, déclarer qu'il voulait concourir comme un simple citoyen sur le sable des pistes, devant le peuple, où il était assuré de l'emporter. N'était-il pas le meilleur cavalier, le meilleur conducteur de char ? Les courtisans autour de lui l'approuvaient avec l'enthousiasme de clients qui espèrent un profit.

Il s'était pavané, une couronne de myrte lui ceignant le front, comme s'il avait vaincu les Parthes, se parant ainsi de la gloire du général Corbulon qui les avait défaits en Arménie. Et il contemplait, bouffi de vanité, sa statue que l'on venait de dresser dans le temple de Mars vengeur, plus haute que celle du dieu !

J'apprenais que, chaque nuit, il continuait de rôder dans les rues de Rome, le visage dissimulé, en quête de proies qui devaient se soumettre ou périr. Il semblait que le pouvoir suprême l'eût délié de toute mesure. On commençait déjà à rapporter à mi-voix qu'il se faisait enfermer dans une cage, vêtu seulement d'une peau de bête, et lorsqu'on le libérait il se précipitait sur des jeunes femmes ou des jeunes hommes attachés nus à des poteaux, il les léchait, leur mordillait les parties naturelles, puis, ayant ainsi assouvi sa lubricité, il se livrait à l'un de ses affranchis.

Comment un homme qui s'abandonnait ainsi à ses vices pouvait-il incarner la justice, la sagesse, la clémence ?

Lorsque je lui ai fait part de ces rumeurs, Sénèque ne chercha pas à les réfuter.

— Tous les hommes, Serenus, ont deux faces, et l'empereur et les dieux sont pareils à eux : généreux et cruels. Il faut seulement que les deux faces ne se confondent pas, que la vie nocturne de l'empereur ne vienne pas obscurcir sa part de lumière. Je m'y emploie et Burrus garde avec moi cette frontière entre les ténèbres de l'homme et sa clarté.

Sénèque s'employait d'ailleurs à faire nommer aux magistratures importantes des proches en qui il avait toute confiance. Je vis ainsi son frère aîné, Gallion, arriver à Rome et devenir consul.

Mais qui avait la faculté de s'opposer à la puissance de l'empereur et à celle de sa mère ? Qui pouvait retenir leur bras s'ils avaient décidé de frapper ?

Les premières victimes furent Narcisse et Nelus. Agrippine fit empoisonner le premier et celui-ci choisit, comme on le lui suggérait, de s'ouvrir les veines. Quand il vit les prétoriens envahir sa maison, le second tenta de s'enfuir et sa main trembla quand il voulut se porter un coup de poignard à la gorge. Il tomba à genoux, pleura comme l'esclave qu'il avait été, implora le centurion qui brandissait déjà son glaive, promit de révéler à l'empereur et à Agrippine tout ce qu'il savait de la conjuration de Narcisse qui, dans les semaines précédant la mort de Claude, avait organisé la résistance à Agrippine et tenté de faire reconnaître Britannicus comme successeur du maître de Rome.

Le centurion n'écouta pas et le frappa à la nuque d'un coup si fort que la tête de Nelus en fut tranchée net.

Agrippine lui avait donné l'ordre de « tuer Nelus quoi qu'il dise, quoi qu'il fasse », et de lui rapporter sa tête.

Elle la fit poser à côté de celle de Narcisse.

Était-ce là une politique de clémence ?

— C'est Agrippine, murmura Sénèque lorsque je lui demandai si ces crimes, cette haine, cet esprit de vengeance n'annonçaient pas un empereur encore plus cruel que Caligula ou Claude.

Ne savait-il pas que Néron avait choisi comme mot de passe, pour ces prétoriens, « la meilleure des reines », et qu'à chaque dîner il se faisait servir des champignons, déclarant en les mâchant lentement : « Les cèpes sont un mets divin » ?

— Le fils et la mère, avait répondu Sénèque. Le même sang, mais il est déjà trop tard pour que la mère dévore le fils.

16

J'ai pensé que Sénèque se trompait.

Si Agrippine avait enfoncé ses griffes dans le cou de son lionceau, comment celui-ci aurait-il pu desserrer cette étreinte mortelle ?

Sa mère s'avançait vers lui, parée, poudrée, parfumée, maquillée comme une maîtresse. Elle lui tendait les bras. Ses ongles, dont la laque noire faisait ressortir l'éclat des diamants qui ornaient ses mains, effleuraient le visage de son fils. Son corps nu ondoyait sous sa tunique. Les formes de ses hanches et de ses seins dessinaient sous le tissu des courbes alanguies.

Elle invitait Néron à monter près d'elle dans sa litière. Les deux licteurs commençaient à marcher. Agrippine baissait les rideaux de cuir. On entendait des gémissements. On imaginait qu'elle s'unissait à son fils dans un accouplement incestueux.

Lorsque, devant le palais impérial, Agrippine descendait de sa litière, suivie par Néron, leurs vêtements, la toge de l'un, la tunique de l'autre, étaient en désordre, les joues de Néron rouges de plaisir ou de honte. Mais peut-être le viol de l'interdit constituait-il pour la mère et le fils un attrait de plus ?

Agrippine entrait dans les salles du palais en défiant du regard la foule assemblée. Elle s'arrêtait devant Sénèque et Burrus. Elle était Augusta, invincible, mère et maîtresse de l'empereur. Que l'un des conseillers de Néron osât donc lui contester sa place, tentât de lui arracher sa proie, ce fils qu'elle avait voulu et fait empereur pour régner cachée derrière lui, puisque les femmes ne pouvaient accéder à la magistrature suprême !

Ainsi, un jour, je l'ai vue se diriger vers l'estrade sur laquelle Néron siégeait, attendant de recevoir les ambassadeurs d'Arménie qui venaient remercier Rome de l'aide que les légions du général Corbulon avaient apportée à leur pays dans sa lutte contre les Parthes.

Agrippine a ignoré la tribune qui lui était réservée, en dessous et à gauche de l'estrade. Là était sa place, voisine mais inférieure à celle de l'empereur. C'est de là qu'elle avait assisté, lorsqu'elle était l'épouse de Claude, à l'acte d'allégeance et de soumission des rois vaincus. Aujourd'hui, elle voulait davantage : rejoindre Néron sur l'estrade, montrer ainsi qu'elle incarnait le pouvoir, qu'elle était même plus que l'égale de l'empereur.

À chaque pas qu'elle faisait, le silence s'approfondissait dans la salle. Tous les yeux la suivaient. Elle allait proclamer sa prééminence.

J'ai vu Sénèque et Burrus s'approcher de Néron, lui chuchoter quelques mots. Après s'être tassé sur son siège, l'empereur s'est levé brusquement et a quitté l'estrade, descendant les marches, bras ouverts, comme pour accueillir sa mère.

Surprise, elle s'est arrêtée, comprenant qu'en paraissant l'honorer Néron lui faisait barrage tout en l'enlaçant, lui interdisant de monter sur l'estrade. Et qu'il venait ainsi d'écarter cette patte qui pesait sur sa gorge, cette mère qui désirait le pouvoir pour elle-même.

Si Agrippine avait pu à cet instant tuer Burrus et Sénèque, elle l'eût fait de ce regard flamboyant et meurtrier qu'elle leur lançait.

Pourtant elle accepta de s'appuyer sur le bras de Néron et de quitter la salle d'un pas lent.

Néron est revenu peu après et a siégé seul sur l'estrade.

Pour la première fois il se soustrayait aux pattes du fauve maternel.

Peut-être, comme l'avait pensé Sénèque, la mère ne parviendrait-elle pas à dévorer le fils ?

J'ai retrouvé Sénèque allongé dans les thermes de sa villa. Deux esclaves s'affairaient autour de lui. L'une le massait, l'autre, agenouillée, lui soignait les mains qu'il laissait pendre de part et d'autre du lit.

Il s'est un peu redressé pour me saluer lorsque je me suis assis près de lui. À peine avais-je prononcé le nom d'Agrippine qu'il m'a demandé, d'un signe, de me taire, renvoyant les esclaves, puis se levant, un pagne lui ceignant les hanches.

— Je sais, a-t-il dit, qu'elle a promis la liberté à certains de mes esclaves s'ils lui rapportaient mes propos et dressaient la liste de mes rencontres. Elle fait aussi espionner Burrus. L'empereur lui-même est entouré de délateurs qui la renseignent. Elle n'est pas près de renoncer au pouvoir, Serenus !

Il s'est assis en face de moi, le buste penché en avant.

— Mais elle ne peut rien contre la jeunesse de l'empereur. Le peuple acclame Néron, le peuple aime Néron ! Celui-ci sait le flatter, le combler, c'est un don d'Apollon. Je n'ai pas eu besoin de lui apprendre qu'il devait séduire la plèbe ; il le fait d'instinct. C'est lui qui a décidé d'ouvrir les portes du palais aux citoyens pour qu'ils puissent l'entendre chanter, réciter, jouer de la cithare. Il a ce sens inné, oui, ce don d'Apollon, de charmer.

J'avais assisté à l'une de ces représentations.

Je m'étais mêlé à la foule qui se pressait sur les gradins de l'amphithéâtre de bois que Néron avait fait construire sur le champ de Mars. Les jeux se succédaient chaque jour : courses de chars, combats de gladiateurs. Néron avait eu l'idée de faire incendier une maison richement meublée que les acteurs avaient le droit de mettre au pillage. On les voyait se précipiter dans le foyer pour s'emparer d'une amphore, d'un coffre, de bijoux, et certains périssaient dans les flammes, écrasés par la chute d'un pan de mur ou d'une poutre. La foule applaudissait, louait Néron, l'acclamait quand il faisait distribuer des rations de blé, des vêtements, de l'or, des perles, des tableaux, des bons donnant droit à des esclaves, à des bêtes de somme et même à des fauves apprivoisés. Certains jours, il offrait jusqu'à des navires, des maisons et des terres.

Jamais je n'avais côtoyé une foule emportée par un tel délire, ivre, subjuguée, tenue en haleine, quand descendaient dans l'arène, sur l'ordre de Néron, quatre cents sénateurs et six cents chevaliers qui devaient combattre, mais sans qu'il y eût mort d'homme. La plèbe était flattée de voir ces hommes riches et illustres contraints de s'opposer comme d'infâmes gladiateurs.

Ceux-ci d'ailleurs leur succédaient dans l'arène comme pour marquer que le pouvoir de l'empereur s'imposait à tous, sénateurs ou esclaves, et qu'aux yeux de Néron – ceux d'un dieu – aucun homme, quel que fût son rang, ne méritait d'être distingué pour lui-même. C'était la volonté de l'empereur qui élevait un homme ou une femme au-dessus des autres ou le rabaissait.

Je le compris quand Sénèque me parla puis me présenta une jeune affranchie dont il me dit, avec une expression amusée, les paupières plissées, en esquissant un sourire :

— On rapporte qu'elle est issue de la famille des Attalides qui furent rois de Pergame. Pourquoi ne pas le croire ? Quand tu la verras, tu ne penseras plus à mettre en doute ses origines. La beauté des femmes transforme en vérités tous leurs mensonges. D'ailleurs, Acté – tel est son nom – n'a jamais prétendu être la descendante d'une famille royale, mais elle n'a jamais démenti ceux qui l'ont prétendu.

Sénèque m'entraîna jusqu'à l'atrium de sa villa en murmurant qu'il était de ceux-là.

Je vis Acté.

Elle se tenait debout près de l'impluvium au centre duquel une fontaine faisait jaillir une eau chantante et claire. Et ce sont ces deux épithètes que je retins pour Acté. Sous sa tunique bleutée, ses longs cheveux blonds tombant sur ses épaules – aucune Romaine ne se coiffait ainsi –, elle était mince et attirante comme un mystère. Elle paraissait soumise et indomptable, disposée à se prêter aux jeux les plus pervers, et pure cependant. Son regard était candide, ses traits d'une perfection grecque – nez droit, menton bien dessiné, front haut, cou long –, ses bras graciles, ses doigts fuselés.

— Lorsque Agrippine saura, murmura Sénèque tandis que nous nous dirigions vers Acté, elle deviendra une bête furieuse prête à nous déchirer.

Il secoua la tête.

— Mais Néron est pris, a-t-il poursuivi. Il n'avait, avant de connaître Acté, que le choix entre Octavie, épouse aussi stérile que le désert d'Égypte, ses proies affolées capturées la nuit dans les rues de Rome, ou la litière d'Agrippine. Acté va lui faire découvrir d'autres plaisirs. Il ne renoncera à rien. Ce n'est qu'une affranchie qui doit se soumettre, même si elle est fille de roi. Tu le sais, Serenus, le désir ne suffit pas à faire naître le plaisir. Il faut un instrument au musicien. Acté sera la cithare de Néron. Elle jouera tous les rôles : fille de lupanar, femme violée, épouse, mère. Crois-tu qu'Agrippine le puisse ? Acté est jeune, Serenus, elle pourra même être la vierge qu'on force. Mais elle saura aussi être la chienne que le maître, à son gré, fouette et caresse.

Acté était l'arme de Sénèque contre Agrippine. Mais la victoire était encore incertaine. Par ses délateurs, sa mère apprit vite que Néron échappait à ses bras incestueux et à ceux des putains ou des passantes de Rome ; ils l'avaient avertie de la place de plus en plus grande que prenait chaque nuit Acté.

Néron s'était aussi choisi pour intimes compagnons deux jeunes gens, Otho et Claudius Senecio, d'une beauté pure, au corps épilé, aux yeux à peine fardés, aux cheveux teints. Il passait ainsi de leur couche à la chambre où l'attendait Acté.

À plusieurs reprises, on avait entendu au palais les criailleries d'Agrippine. La mère s'estimait trahie, la maîtresse se sentait abandonnée, la souveraine reléguée à l'écart du pouvoir.

Elle avait appris que Néron, conseillé par Sénèque, avait donné l'ordre que son profil disparaisse des pièces de monnaie. Aussi se démenait-elle, essayant de reprendre l'avantage, harcelant son fils.

J'ai été le témoin muet d'une de ces scènes.

Elle s'était mise à hurler. Ainsi, son fils l'humiliait ! tempêtait-elle. Il lui donnait pour rivale une affranchie, une ancienne esclave que l'on disait même juive ou adepte de cette secte de Christos, plus vile encore. Lui, l'empereur, préférait donc à sa mère, sœur d'empereur, et à son épouse, fille d'empereur, une servante, une vaincue ! Sacrilège !

Je regardai Néron, qui baissait la tête comme un enfant fautif mais buté.

Il menaça Agrippine d'abdiquer, et elle s'affola. En ce cas, elle perdrait tout, à moins qu'elle ne choisît de préparer l'accession à la magistrature impériale de Britannicus.

— Mais si Britannicus règne, commenta Sénèque, son premier acte sera de faire assassiner Agrippine, la meurtrière de son père. Elle le sait.

Je la vis, ainsi que l'avait prévu Sénèque, renoncer à ses griefs et à ses menaces, enlacer Acté, l'attirer dans sa chambre, inviter la jeune femme à s'allonger, se glisser près d'elle et, d'un geste, demander à Néron de les rejoindre en compagnie d'Otho et de Claudius Senecio, ses deux jeunes compagnons aux corps graciles.

Néron ne se prêta à ces jeux qu'une fois, puis refusa de retourner dans la chambre de sa mère, interdisant formellement à Acté, à Otho et à Claudius Senecio d'y suivre désormais Agrippine.

Et, comme pour bien marquer qu'elle appartenait au passé et qu'il comptait bien l'y reléguer, l'étouffer sous les honneurs, il lui fit envoyer une robe et des pierreries qui avaient appartenu aux épouses et mères d'empereurs défunts.

C'était un présent magnifique, mais Agrippine a poussé des cris de rage qu'on a entendus dans tout le palais. On lui offrait des parures pour la priver du pouvoir ! répétait-elle. Néron l'évinçait en la couvrant de tissus lamés d'or et de bijoux !

Elle venait d'apprendre que l'empereur avait supprimé la charge de ministre des Finances occupée jusque-là par Pallas l'affranchi, son amant, son complice à elle.

Je l'ai croisée alors qu'elle avançait, précédée de ses deux licteurs. Elle était allongée dans sa litière, hâve et fardée, la tête penchée comme un fauve blessé.

17

— Rien n'est plus dangereux qu'un fauve blessé, me répétait Sénèque.

Il marchait à pas lents dans l'atrium de sa villa, le buste penché en avant, la tête inclinée, les mains croisées dans le dos.

Il s'arrêtait souvent, se redressait, et j'étais frappé par l'expression de son visage qui paraissait amaigri, des rides profondes lui creusant les joues, le front plissé, les sourcils froncés.

Il semblait m'écouter avec attention.

Je lui avais remontré qu'Agrippine était abandonnée par la plupart de ses proches. Les sénateurs se félicitaient des mesures prises par Néron, conformes à la tradition qui voulait qu'une femme, fût-elle mère, sœur, épouse d'empereur, ne se mêlât point de la chose publique. Le gouvernement du genre humain ne devait pas être influencé par les passions d'une femme.

Sénèque hochait la tête.

— La violence, la férocité, l'hypocrisie, la ruse d'une femme blessée, qui peut les imaginer et donc y faire face ? Je crois, Serenus, qu'Agrippine est prête à tout, y compris à ce qui nous paraît le plus dément. Elle joue sa vie.

J'étais surpris par ses propos, son attitude, l'inquiétude et la peur qui semblaient l'avoir empoigné, dissipant cette assurance qu'il avait manifestée depuis que je le connaissais et durant ces dernières semaines au cours desquelles il avait inspiré la politique de Néron.

N'avait-il pas de plus en plus de pouvoir ?

Il était, avec Burrus, l'ami du prince, son conseiller le plus proche.

Auréolé de gloire militaire, brandissant sa main mutilée comme le plus grand des trophées, Burrus osait tenir tête à Néron, et l'empereur l'écoutait, respectueux, semblait-il, de ce soldat rigoureux et intègre qui avait la confiance des prétoriens qu'il commandait.

Comment Agrippine aurait-elle pu vaincre ces deux hommes qui côtoyaient Néron à chaque instant, l'incitaient à annuler les décrets et règlements édictés par l'empereur Claude, à dire que ce père adoptif avait été lâche et borné, un despote rempli de sottise et de cruauté qu'il fallait cesser d'honorer ? Ni stèle ni statue pour son tombeau, mais un simple muret, manière de marquer que le temps des funérailles grandioses était révolu, que Claude n'était pas un nouvel Auguste, et qu'en conséquence Agrippine, son épouse, n'était rien d'autre que la veuve d'un homme dont il ne fallait pas célébrer la mémoire !

Quant à la fille de Claude, Octavie, Néron manifestait en toute occasion le mépris dans lequel il la tenait. Qu'elle, son épouse, se contentât des insignes du mariage ! Pour le reste, les nuits de plaisir, les âcres jeux du corps, il y avait Acté, Otho et Claudius Senecio.

En m'écoutant, Sénèque paraissait rasséréné. Il s'asseyait comme à son habitude sur le bord de l'impluvium.

— Il faut frapper Claude pour atteindre Agrippine, acquiesçait-il.

Il me confiait qu'il avait commencé d'écrire un texte plein de sarcasmes contre Claude.

Il ricanait.

— Je sculpte son visage pour les temps futurs ! Le divin Claude devient citrouille, une pauvre citrouille ridicule. Personne, après m'avoir lu, n'osera se réclamer de lui.

Puis, tout à coup, il se renfrognait, les rides marquant à nouveau son visage.

— Agrippine est comme un fauve blessé, répétait-il.

Il recommençait à marcher, soucieux, s'immobilisant pour me révéler qu'elle avait commencé à rédiger des Mémoires dans lesquels elle se justifiait et exaltait la mémoire de Claude. Elle affirmait qu'elle n'était en rien responsable de sa mort. Le Sénat, Néron n'avaient-ils pas déclaré qu'il avait été victime d'une fatale maladie ? Et si l'on avait des doutes – elle-même en nourrissait à présent –, n'était-ce pas Néron et lui seul qui répétait que les cèpes sont un mets divin ? Si les champignons avaient été empoisonnés, qui d'autre que Néron – qui s'en vantait, d'ailleurs – eût pu le faire, qui d'autre que lui en avait tiré profit ? Pas elle, en tout cas, écartée du pouvoir et humiliée comme elle l'était. Et si Claude était mort empoisonné, comment ne pas soupçonner les amis du prince, cet infirme Burrus à la main mutilée, cet exilé de Sénèque, ce bavard à la langue fourchue de professeur ?

— Elle a choisi de se servir de Britannicus, reprenait Sénèque. Elle va se présenter comme l'avocate du fils légitime de Claude.

J'ai rappelé à Sénèque qu'il avait prétendu qu'Agrippine serait la première victime de Britannicus.

— Elle est blessée, elle ne veut pas mourir aujourd'hui. Elle fait le pari que Britannicus, si elle le sert et réussit à le faire accéder à la magistrature impériale, lui en sera reconnaissant. Britannicus est à la fois son glaive et son bouclier. Britannicus : voilà donc pour nous le danger !

Il allait avoir quatorze ans le 13 février.

Je l'ai observé lors des fêtes célébrées en l'honneur de Saturne.

Plus encore que d'habitude, les rues de Rome étaient envahies par la foule. À chaque carrefour, sur de petites tables, les organisateurs de jeux de hasard faisaient rouler dés et osselets. Lors des saturnales, on pouvait en effet se livrer à des divertissements interdits sur la voie publique le reste de l'année.

Ce n'étaient partout que cris, rires de femmes poursuivies par des hommes ivres, jeunes gens qui s'offraient, parés et parfumés comme des femmes. Les esclaves avaient même le droit, durant ces trois jours de la mi-décembre, du 17 au 19, de commander à leurs maîtres.

Dans l'une des salles du palais, j'ai vu Britannicus, silencieux et digne au milieu des invités de Néron qui ripaillaient et se lutinaient.

On avait tiré au sort, parmi eux, celui qui devait exercer la royauté ce soir-là. Néron avait été choisi parce que personne n'avait osé imaginer qu'un autre que lui soit le pût.

Hasard vicié ! Mensonge proclamé vérité !

Néron se leva, tendit le bras vers Britannicus, lui ordonnant de s'avancer jusqu'au milieu de la salle et de chanter. Il souriait, goguenard, sûr que le ridicule allait écraser Britannicus.

Mais celui-ci, bras à demi levés, paumes ouvertes, commença d'une voix mélodieuse à scander un chant qui racontait sa vie, le triste destin d'un fils d'empereur dépouillé de ses droits, écarté du rang suprême que le sang et la volonté de son père lui destinaient.

La sincérité de Britannicus m'a rempli d'émotion. Tous les invités étaient figés, bouleversés, eux aussi envahis par la pitié, car, debout près de Britannicus, Néron incarnait le dépit et l'amertume, le désir de vengeance et aussi la peur.

Britannicus a lentement regagné sa place dans cette nuit de fête où tous les masques étaient tombés et où le piège tendu par Néron s'était retourné contre lui.

J'ai tremblé pour Britannicus. Il avait vaincu l'empereur sans même avoir voulu le défier ni le combattre. Il n'avait fait que dire ce qu'il ressentait.

Mais la vérité se paie souvent de la vie.

Sénèque ne m'avait pas dissimulé que le fils de Claude constituait une menace qui devait être écartée à tout prix.

Agrippine, de son côté, avait profité du sentiment de pitié et de la sympathie qu'avait inspirés Britannicus pour proclamer que les dieux avaient voulu le préserver pour qu'il pût accéder un jour au gouvernement du genre humain. Il allait, le jour de ses quatorze ans, revêtir enfin la toge virile. Elle fit savoir qu'elle l'accompagnerait au camp des prétoriens et dirait en substance :

« Moi, sœur, épouse, mère d'empereur, fille du noble Germanicus, me voici aux côtés de Britannicus, le fils de la chair et du sang de Claude ! Qui mérite plus que nous de gouverner le genre humain ? Qui oserait nous préférer Burrus, l'infirme, et Sénèque, l'exilé bavard, et mon fils Néron qu'ils ont perverti, dressé contre sa mère ? Il partage son lit avec une esclave barbare, une disciple de Christos, ce Juif, et avec deux jeunes hommes dont il est pour sa plus grande honte devenu la femme, la maîtresse passive ? Quel Romain pourrait vouloir de cet attelage à la tête de l'Empire ? »

— Elle peut être entendue, grommelait Sénèque. Britannicus est populaire. Il émeut. Il a de nombreux partisans qui restent tapis dans l'ombre, mais qui surgiront et emboîteront le pas à Agrippine. Il faut...

Il s'interrompit, n'osant en dire davantage.

On m'a rapporté que Locuste, l'empoisonneuse aux voiles noirs, est entrée au palais, ce soir-là, et qu'elle y a été longuement reçue par Néron.

18

J'ai su que Locuste avait hésité à donner la mort, comme si elle avait craint de frapper celui qui n'était encore qu'un enfant dépossédé, humilié et même souillé.

Car ces jours-là, en février, alors qu'elle préparait ses poisons, j'ai appris que Néron avait même abusé plusieurs fois du jeune corps de Britannicus, le possédant, le pénétrant, son avant-bras lui écrasant la nuque, pesant de son bas-ventre gras sur les reins et les fesses maigres de son jeune frère adoptif ; la souillure qu'il imposait au sang de Britannicus était aussi la marque infamante de l'inceste.

Et maintenant, à la veille du quatorzième anniversaire de ce frère cadet, alors qu'on achevait la confection de sa toge virile, Néron s'emportait, menaçant de mort Locuste et le tribun Julius Pollio, commandant d'une cohorte prétorienne, tous deux chargés de tuer ce tendre rival.

Locuste devait préparer le poison, Julius Pollio, qui assurait la garde de Britannicus, le lui administrer.

Ils l'avaient fait. Mais Locuste avait tant cherché à dissimuler son crime, terrifiée à l'idée de commettre un sacrilège, de violer la *lex Julia* qui condamnait au supplice les coupables d'empoisonnement, que la dose qu'elle avait préparée s'était révélée trop faible. Et Britannicus, le corps recroquevillé, secoué par les spasmes d'une violente diarrhée, avait survécu, le teint à peine flétri par le poison.

— La mort pour toi, Locuste ! avait crié Néron.

Il l'avait convoquée une nouvelle fois.

Elle avait dû préparer ses mixtures sous l'œil de l'empereur, les faire cuire et recuire, éprouver leur effet sur un chevreau. Mais l'animal avait mis plus de cinq heures à mourir.

— Je veux un poison qui tue aussi rapidement qu'un coup de poignard ! avait martelé Néron, marchant autour du foyer devant lequel s'affairait Locuste.

Elle expliqua qu'elle avait cherché un poison dont l'effet, au contraire, fût aussi lent qu'une maladie qui s'insinue peu à peu, afin que personne ne pût soupçonner qu'un venin avait été instillé dans le corps de Britannicus.

Néron s'était précipité sur elle, la frappant au visage, puis à coups de pied sur tout le corps.

— Un poison qui tue comme un poignard ! avait-il réitéré. Fais ce que j'exige, et va-t'en !

Locuste avait agité ses fioles, mélangé ses poisons. On avait choisi un porc pour les essayer.

Julius Pollio avait lui-même tenu les pattes du goret qui s'était débattu quand Locuste lui avait administré sa mixture. À peine l'eut-il avalée qu'il se raidit, s'effondra, une bave rose bouillonnant à son groin.

De la pointe du pied Néron frappa l'animal inerte puis se tourna vers Locuste.

— S'il crève comme ce cochon, tu bénéficieras pour toujours de l'impunité. Tu recevras plus que tu ne peux imaginer, et tu seras libre de poursuivre ton art. Car c'est un art, Locuste, que de savoir donner la mort !

Elle s'était inclinée et avait quitté la chambre de Néron, silhouette noire que l'ombre avala.

C'est le lendemain que Britannicus est mort, le jour du banquet précédant la cérémonie de remise de sa toge virile, au moment où il aurait enfin échappé à l'enfance et aurait pu s'opposer en homme à Néron. Mais il était encore pour quelques heures un enfant, placé dans ce banquet à la table des enfants.

Il portait comme tous les convives une couronne de fleurs. Sa sœur Octavie était allongée près d'Agrippine, et Néron trônait, le corps lascif, étendu sur des tapis rouges, le coude appuyé à une table basse, le menton reposant sur sa paume, son visage poupin éclairé par une expression mutine, joueuse. Souvent il levait la main gauche pour demander aux musiciens et aux danseurs de reprendre un air, une figure qui lui avaient plu.

Mais j'ai vu, crevant ce masque ludique, les yeux fixes, comme deux pointes bleues transperçant Britannicus.

Une esclave apporte un plat rempli d'une soupe brûlante. Le goûteur de Britannicus en avale une gorgée, puis, d'un signe, invite l'esclave à présenter le plat à son maître.

Britannicus effleure des lèvres le liquide, puis grimace, secouant la tête, incapable d'avaler un mets aussi chaud.

L'esclave verse aussitôt dans le plat de l'eau froide, puis le présente à nouveau à Britannicus qui en déglutit plusieurs gorgées. Tout à coup, un spasme semble lui étirer le cou. Il rejette la tête en arrière, son corps se raidit, une bave rose couvre le bas de son visage.

On crie, certains invités se lèvent, s'enfuient. Les visages d'Agrippine et d'Octavie se sont vidés de leur sang. Blancs et figés par l'effroi, leurs traits paraissent creusés dans le marbre des stèles funéraires. L'une et l'autre ont deviné qu'on a voulu éviter que le goûteur meure avec son maître, révélant ainsi le crime.

Le stratagème choisi a permis de ne frapper que Britannicus.

Il gît au milieu des tables, les autres enfants ayant tous quitté le banquet. Mais la plupart des invités sont restés à leur place, regardant Néron qui n'a pas bougé, le visage radieux.

D'un geste de la main accompagné d'un seul mot : « Épilepsie », il a laissé entendre que Britannicus était souvent victime de ce « haut mal », qu'il allait revenir à lui.

Il s'est tourné vers les joueurs de cithare et, d'un mouvement du menton, leur a demandé de recommencer à jouer.

Les danseurs ont de nouveau occupé la scène et le banquet s'est poursuivi cependant que des esclaves soulèvent et emportent le corps déjà rigide de Britannicus.

La même nuit vit à la fois la mort de Britannicus et son bûcher.

Je suis de ceux, une poignée, qui ont assisté à ses funérailles.

Je me suis penché sur le visage du fils légitime de Claude avant que les maquilleurs ne recouvrent de poudre blanche ses joues et son front dont le teint grisâtre dénonçait l'empoisonnement.

Mais, au champ de Mars où l'on avait entassé le bois pour incinérer le corps, une pluie torrentielle s'est abattue, lavant le visage du mort, faisant réapparaître cette peau striée, presque noire, et c'était comme si le corps de Britannicus hurlait par tous ses pores qu'on l'avait assassiné.

Qui en doutait d'ailleurs parmi les sénateurs, les chevaliers, les magistrats, tous ceux qui étaient avertis des rivalités et conjurations qui déchiraient Rome ?

Mais aucun de ceux-là ne songeait à dénoncer le crime, à s'offusquer de ces funérailles brusquées, dissimulées au cœur de la nuit, sous l'orage. Ces bourrasques qui battaient les visages, flagellaient les corps étaient signe de la colère divine face au crime maquillé.

Le lendemain, sous le ciel redevenu d'un bleu immaculé, Néron invoquait la mort de Britannicus pour demander aux pères de la Patrie de se rassembler autour de lui. Ils devaient lui apporter leur soutien, puisqu'il était le dernier représentant de cette lignée sacrée née de César et d'Auguste, l'empereur du genre humain.

Je n'ai pas interrompu Sénèque quand il a prétendu que c'était bien le « haut mal » qui avait emporté Britannicus et que Néron était donc innocent.

Par suite, lui, Sénèque, ne pouvait être complice d'un crime qui n'avait pas eu lieu.

Cependant, je savais – comme tout Rome l'avait appris – que Néron avait fait don à Sénèque de certaines des villas et de domaines ayant appartenu à Britannicus. Et mon maître, le philosophe stoïcien, l'homme qui m'avait enseigné qu'il fallait « toujours vouloir la même chose et toujours refuser la même chose », vouloir le bien de l'homme et refuser le mal, était ainsi devenu, par l'effet d'un crime, l'un des plus riches Romains !

Mais il continuait de se nourrir de quelques figues, d'oignons, d'olives et d'eau, refusant le faste, humble et frugal au milieu de son immense richesse.

J'avais donc à son égard des sentiments contradictoires d'estime, d'admiration et de déception mêlées.

Mais j'étais persuadé qu'il n'était pas mû, dans ses choix, par de sordides raisons. Le gain venait par surcroît mais n'était pas le mobile. Ce qui le guidait, c'était d'œuvrer pour le bien de Rome, la grandeur et la gloire de l'Empire, l'efficacité du gouvernement du genre humain.

Quelques jours après la mort de Britannicus, Sénèque m'entraîna dans une longue promenade au long des allées du parc de sa villa. Tout en marchant, il se tourna à plusieurs reprises vers moi comme s'il était tenté de me parler, mais, se ravisant, chaque fois il se tut.

Ce n'est qu'à l'instant où nous nous apprêtions à rentrer dans le vestibule de la villa qu'il me saisit le bras et me dit :

— On ne peut juger les actes d'un homme qu'en les rapportant aux principes qui les inspirent. Si les principes sont justes, l'acte, quel qu'il soit, est légitime et nécessaire. Ainsi, n'oublie jamais, Serenus, que l'Empire ne se partage pas !

CINQUIÈME PARTIE

19

Je crus à ce que m'avait dit Sénèque.

Il logeait désormais au palais impérial et je lui rendais visite presque quotidiennement à la tombée de la nuit.

Les torches, les lampes à huile, les grands candélabres réussissaient à peine à contenir l'obscurité qui se répandait dans les couloirs, s'accumulait dans les angles des salles immenses, enveloppant statues et colonnes de voiles noirs.

Il me semblait parfois que dans la pénombre passait Locuste, tenant serrées ses fioles contre sa poitrine.

À cette heure, Sénèque était seul dans sa bibliothèque. Penché sur sa table, les mains et le papyrus éclairés, le visage caché par l'ombre, il écrivait.

Il m'accueillait avec amitié, me lisait des passages de ce traité *De la clémence* qu'il rédigeait pour lui-même, mais aussi pour les sénateurs afin de tenter de les convaincre que Néron, conseillé par un philosophe comme lui et par Burrus, était bien l'« astre qui se lève », le « jeune héros », le « nouvel Apollon », l'« âme de l'Empire », qui allait assurer la paix et un bon gouvernement.

J'écoutais.

Sénèque revenait sur la mort de Britannicus.

— Il est juste, il est clément, il est sage d'éviter au prix d'une seule mort le sacrifice d'innombrables vies humaines, me répétait-il comme s'il devinait que, presque malgré moi, je doutais encore.

De fait, je voulais croire Sénèque, j'avais le sentiment qu'il était parvenu à me convaincre que la mort de Britannicus allait être bénéfique à Rome, puisqu'elle avait évité le risque de partage – donc de guerre civile – entre frères rivaux.

Mais je connaissais Néron.

La nuit, c'est avec encore plus de frénésie et presque de la rage qu'il chassait dans les rues de Rome. Il s'habillait en esclave. Il entrait dans les lupanars et les cabarets. La troupe de gladiateurs qui l'accompagnait et le protégeait pillait les marchandises exposées, malmenait les passants ou les marchands qui osaient résister.

Le bruit s'étant répandu que cet esclave violeur et voleur n'était autre que l'empereur, des chevaliers et même des sénateurs, voire de jeunes nobles, se firent passer pour lui, agissant comme lui, et les bandes ainsi se multiplièrent.

Rome, la nuit, offrait le spectacle d'une ville prise d'assaut.

Je racontais ces faits à Sénèque. Il restait impassible. Je m'emportais.

Savait-il qu'un sénateur, Julius Montanus, qui avait vivement repoussé dans une ruelle l'attaque d'une bande dont il ne pouvait savoir qu'elle était conduite par Néron, puis qui, l'ayant reconnu, s'était excusé, avait été contraint de se tuer sous prétexte que ses excuses constituaient autant de reproches ?

Aussi les couples n'osaient-ils plus sortir de nuit dans Rome, craignant d'être attaqués, les femmes violées, les hommes battus et dépouillés.

Était-ce cela, le « bon gouvernement » ?

Était-ce là le comportement d'un fils d'Apollon, d'un empereur censé être l'« âme » du genre humain, puisque, selon Sénèque, l'Univers était dirigé par une âme dont l'empereur était l'incarnation, les hommes, ces animaux rebelles, devant lui obéir comme le corps entier est serviteur de l'esprit ?

Sénèque me répondait à mots comptés.

Il rédigeait ce traité *De la clémence*, qu'il dédiait à Néron, pour que ce livre lui fît office de miroir et le conduisît ainsi à se maîtriser, à atteindre de la sorte à la volonté la plus grande qui soit au monde : être un empereur juste.

Et, d'ailleurs, les mesures prises en accord avec le Sénat – la construction d'un quai entre le port d'Ostie et Rome pour faciliter le déchargement et l'acheminement du blé, les distributions de grain et de sesterces aux citoyens, le refus de laisser les combats se terminer par la mort – n'étaient-elles pas autant de preuves que l'empereur écoutait son conseiller, aspirait à un bon gouvernement ?

Il fallait, poursuivait Sénèque, comparer Néron aux empereurs qui l'avaient précédé : Caligula, que la folie avait aveuglé ; Claude, qui avait fait enfermer et coudre dans un sac plus de gens, en cinq ans, qu'il n'y en eût qui le furent, nous apprend l'histoire, au cours de tous les siècles écoulés ?

Qu'avait-on de grave à reprocher à Néron ? Il respectait le Sénat. Il était clément, se retenait au moment de punir. Il aimait jouer de la cithare et chanter. Était-ce preuve de folie ? de démesure ?

Il avait appelé auprès de lui Terpsus, le citharède le plus en vogue. Il restait assis près de lui jusqu'à une heure avancée de la nuit à écouter, à apprendre, à répéter. Il supportait sur sa poitrine, lorsqu'il se couchait, une feuille de plomb afin de préserver sa voix. Il avait fait bannir de ses dîners des fruits et des mets qu'il croyait néfastes à un chanteur. Il prenait des lavements et des vomitifs pour se dégager le corps, s'éclaircir la gorge.

Tout cela n'était ni d'un fou ni d'un empereur injuste, mais révélait le goût des arts chez un homme d'à peine dix-neuf ans qui rêvait, il est vrai, de se produire lui-même sur scène parce que, disait-il, de « musique cachée on ne fait point cas ».

J'interrompais Sénèque. Je lui rappelais les équipées nocturnes de son élève, ses violences, ses perversités, la débauche à laquelle il s'adonnait en compagnie d'Acté et de ses deux jeunes compagnons au corps épilé, Otho et Claudius Senecio.

Plus bas, car il me semblait que, dans ce palais, l'obscurité était peuplée de délateurs, je rappelais à Sénèque comment Néron avait souillé Britannicus, comment il avait partagé la litière de sa mère Agrippine, comment il s'était ainsi montré doublement incestueux.

Sénèque se tut longtemps, mains jointes devant ses lèvres, coudes appuyés sur sa table.

— Le sage doit acheter ce qui est à vendre, lâchait-il enfin.

J'insistais.

Comment Sénèque pouvait-il dire et écrire que Néron était un empereur solaire fils d'Apollon, l'égal des pharaons, de ces rois-dieux dont il avait étudié l'histoire lors de son séjour en Égypte et dont Chaeremon avait conté à Néron les exploits et les privilèges ?

Sénèque eut un geste de la main, doigts dressés, comme pour montrer qu'il gardait sa liberté de jugement.

— Il faut servir les hommes, marmonnait-il, et donc, pour un philosophe, conseiller le prince, tenter de l'adoucir. Le sage doit savoir que l'homme est fait pour l'action, mais il doit aussi ne pas être dévoré par elle, et rester détaché.

Il se penchait vers moi, le visage éclairé par la lumière de la lampe, et je distinguais toutes ses rides comme la trace d'autant de questions.

— J'essaie d'adoucir Néron, t'ai-je dit, reprenait-il. Mais je n'ignore pas qu'il est d'un naturel cruel et monstrueux. Je crains que lorsque ce lion féroce aura goûté au sang humain il ne retrouve sa cruauté naturelle. Que pourrai-je faire alors ? Qu'adviendra-t-il de moi, de mes amis, et donc de toi, Serenus ?

Il s'était reculé, le visage à nouveau dissimulé par l'obscurité, ses mains dessinant dans la clarté jaune de la lampe à huile des arabesques comme pour envelopper les phrases qu'il prononçait à mi-voix, si bas parfois qu'il me fallait me pencher pour les entendre.

— Je ne t'ai jamais parlé de ce rêve, Serenus...

Ses mains s'étaient immobilisées comme pour en retenir le souvenir.

— À mon retour d'exil, lorsque j'ai su qu'Agrippine voulait que je me tienne auprès de Néron pour l'élever, l'enseigner, chaque nuit j'ai fait le même rêve qui me réveillait. Je m'avançais vers le jeune prince dont je ne discernais pas le visage. Je le saluais. À ce moment-là, il se tournait vers moi et je découvrais qu'il ne s'agissait pas de Néron, mais de l'empereur Caligula qui s'approchait et me répétait : « Je veux ta mort, Sénèque, je veux ta mort ! »

Sénèque s'était levé, tout entier enfoui dans la pénombre, mais sa voix soudain m'avait paru plus forte.

— La première nuit, je n'ai pu me rendormir. Mais, les nuits suivantes, il ne m'a plus troublé qu'un instant. Je n'ai jamais cru aux rêves prémonitoires, Serenus. Je crois en revanche à l'immortalité de l'âme. Pourquoi devrais-je craindre la mort ? La chair est faite pour pourrir.

Il s'éloigna, puis revint vers moi, surgissant tout à coup de la nuit, me prenant aux épaules.

— Tout empereur peut devenir Caligula, je le sais. Mais même le plus fou, le plus monstrueux ne peut venir à bout d'une âme humaine.

20

Quelle était l'âme de Néron ?

Je continuais de m'interroger.

Était-ce celle d'un homme d'à peine vingt ans qui hésitait encore entre le bien et le mal, entre la clémence que lui enseignait Sénèque et la cruauté à laquelle le portaient ses instincts ?

Ou bien cette âme était-elle celle d'un monstre conçu par les dieux pour persécuter les hommes, vouée tout entière à satisfaire ses appétits, ses vices, ses lubies et ses rancunes ?

Il me semblait que c'était celle-ci qui, monstrueuse, s'épanouissait chaque jour davantage.

Je voyais le visage et le corps de Néron se transformer, son sourire se changer en rictus, la grâce de ses traits en mimique hypocrite, cependant que son ventre s'arrondissait, ses jambes paraissaient plus grêles. Son regard était devenu plus fuyant, mais parfois il se fixait, comme désignant une victime. Il plaçait contre son œil droit une émeraude taillée afin de corriger sa faible acuité de myope, et son visage figé ressemblait à cet instant à l'effigie d'un dieu cruel.

Il ne se déplaçait plus qu'entouré de gladiateurs et de centurions, comme s'il tentait ainsi de se protéger de la peur qui déformait ses traits.

— C'est un poltron, ai-je dit à Sénèque. La mort le tient dans sa poigne. Comment veux-tu qu'il se conduise en homme libre ? Tu me l'as dit souvent, Sénèque : seul celui qui ne craint pas la mort ne sera pas l'esclave de sa peur. L'effroi gouverne Néron. Regarde son visage !

Selon Sénèque, le comportement et les affres de Néron pouvaient se comprendre.

Agrippine n'avait pas renoncé au pouvoir. Britannicus mort, elle avait serré contre elle Octavie, sa sœur, l'épouse de Néron. Elle la consolait tout en la dressant contre l'empereur.

La rumeur d'une nouvelle conjuration se répandait dans Rome. Agrippine accumulait un trésor pour acheter les prétoriens. Elle réunissait autour d'elle les centurions, les tribuns, les nobles hostiles à Néron.

J'ai vu celui-ci, la tête rentrée dans les épaules, se frottant les mains spasmodiquement, écouter les délateurs lui chuchoter les noms de ceux qui rencontraient Agrippine.

Il y avait parmi eux ce Rubellius Plautus que les philosophes stoïciens connaissaient parce qu'il fréquentait leur cercle.

Je l'avais croisé à plusieurs reprises. C'était un homme grand à la démarche assurée, fier de ses origines qui le faisaient descendre d'Auguste. Il comptait parmi ses ancêtres l'empereur Tibère.

C'était, pour Néron, un possible rival, et on murmurait qu'Agrippine songeait à l'épouser, le faisant ainsi pénétrer davantage encore dans la lignée de ceux qui pouvaient prétendre à l'Empire.

Il y avait aussi un descendant de Pompée, de Sylla et d'Auguste, Faustus Cornelius Sulla Felix, qui avait été consul et avait épousé Antonia, l'une des filles de l'empereur Claude. Lui aussi pouvait prétendre succéder à Néron.

On n'en aurait donc jamais fini avec le risque de luttes entre rivaux, de partage de l'Empire, de guerre civile.

Je questionnais Sénèque : à quoi donc avait servi la mort de Britannicus dont il avait prétendu qu'elle se justifiait par le souci d'empêcher les affrontements entre prétendants à l'Empire qui affaiblissaient Rome ?

— Le sommet de l'Empire est un nid de scorpions, me répondit-il. Le nid est toujours fécond. Mais il faut écraser les plus menaçants.

Néron les guettait, les combattait ; sans doute se préparait-il à les écraser.

Je le voyais renvoyer d'un geste les délateurs. Il ordonnait d'une voix sourde que fussent supprimées les gardes militaires, celles des licteurs et des Germains qui avaient été octroyées naguère à Agrippine. Qu'on chassât sa mère du palais, qu'elle fût reléguée dans une autre demeure, qu'on lui refusât tous les honneurs, qu'on la menaçât de procès, ajoutait-il.

Tout à coup, il hurlait d'une voix suraiguë :

— Je veux qu'elle ait peur, qu'elle sache que je suis l'empereur et que je peux tout, si je le veux !

Il se rendait chez elle, entouré de centurions qui, le glaive tiré hors du fourreau, paraissaient faire irruption dans la demeure pour faire couler le sang.

On m'a dit qu'à aucun moment Agrippine n'avait paru paralysée par l'effroi.

Elle s'avançait, contraignant les centurions à s'écarter. Elle souriait à Néron, qui ne pouvait lui refuser de l'embrasser et qui se retirait aussitôt avec sa troupe.

Cette femme-là, qui avait porté dans son ventre un fils dont l'âme m'apparaissait de jour en jour plus monstrueuse, ne pouvait être vaincue que par la mort.

Mais un fils peut-il tuer sa mère ? cette femme dont il a été aussi l'amant ?

Sans compter qu'Agrippine devait connaître tous les secrets des poisons. Elle avait, la première, eu recours à la tueuse aux voiles noirs, Locuste. Elle avait dû se faire confectionner des antidotes censés lui permettre de survivre à tous les venins. La tuer serait une affaire difficile.

Pourtant, je sais qu'une nuit Néron l'a décidé.

Il buvait dans l'une de ces tavernes où il aimait fouler aux pieds sa dignité impériale et se vautrer dans la débauche et la perversité des plus corrompus.

L'un de ceux-là, un affranchi, bouffon, entremetteur, histrion du nom de Pâris, s'approcha de Néron et lui annonça qu'un complot se tramait.

L'âme en était Agrippine ; l'instrument, Rubellius Plautus ; l'allié, Burrus, oui, Burrus, le propre conseiller de l'empereur, le mutilé, le manchot, l'intègre et dévoué Burrus, de mèche sans doute avec l'affranchi Pallas. Et peut-être, dans l'ombre de ce premier complot, un autre prenait-il déjà forme autour de Faustus Cornelius Sulla Felix. Les conjurés avaient à leurs côtés les filles de l'empereur Claude, Antonia et Octavie.

— Ta propre épouse, Néron ! avait précisé Pâris.

L'empereur s'était levé, renversant flacons, amphores, gobelets, entraînant sa garde qui frappait tous ceux qu'elle croisait en chemin.

— La mort, la mort pour eux tous ! répétait Néron en se mordillant le pouce, ses cheveux mi-longs tombant sur son front, lui cachant en partie les yeux.

Il avait convoqué Sénèque au palais. Alors que l'aube dissipait les peurs de la nuit et faisait rentrer les scorpions dans leur nid, celui-ci – il m'en fit le récit – avait su lui raconter que, même si Agrippine rêvait du pouvoir, d'aucuns cherchaient plus sûrement à la compromettre. On voulait que Néron la fît disparaître afin de pouvoir accuser le fils de matricide – la plèbe et les prétoriens révoltés par ce crime se dresseraient alors contre lui.

Ces complots, il convenait donc de les déjouer avec prudence.

— Il ne faut pas qu'en écrasant le scorpion on lui permette de vous piquer, avait dit Sénèque.

Il avait aussi défendu Burrus.

— Un homme d'élite né pour t'avoir comme prince, Néron !

L'empereur avait écouté, puis avait décidé de se rendre avec ses centurions et ses conseillers chez sa mère afin de lui rapporter les rumeurs, les événements de la nuit, et de l'obliger à se défendre. Elle comprendrait ainsi qu'elle pouvait passer aux yeux de son fils pour une coupable.

Agrippine avait réfuté toutes les accusations. Elle n'était victime que de la jalousie et d'un excès de tendresse pour son fils, avait-elle dit. Véhémente, elle s'était écriée :

— Que se dresse quelqu'un pour prouver que j'ai essayé de corrompre les cohortes de Rome ou d'entraîner les provinces à se révolter, que j'ai incité au crime des esclaves et des affranchis !

Elle avait sollicité une entrevue en tête à tête avec Néron.

— Je ne puis être absoute que par mon fils, l'empereur, avait-elle conclu.

Néron s'était incliné et l'avait suivie, homme-enfant redevenu docile, marchant derrière cette mère qui l'avait conçu, cette femme dont il avait partagé la litière, cette génitrice qui voulait le garder en elle, pour elle.

Et qui l'avait une nouvelle fois soumis.

21

J'ai donc vu une nouvelle fois l'empereur pénétrer dans la chambre d'Agrippine.

Comment ne pas se demander si Néron pourrait un jour ne plus être soumis à cette femme dont il était à la fois le fils et l'amant, à laquelle il devait la dignité impériale, dont il avait été à plusieurs reprises le complice, ultime bénéficiaire des crimes qu'elle avait commis ou commandités ?

Comment pourrait-il rompre des liens si profonds, si multiples, pareils à ceux qu'ont les monstres quand ils naissent liés entre eux par la hanche, le ventre ou le front ?

Néron était fait de la chair et du sang d'Agrippine, et c'était comme si le cordon liant le nouveau-né à la mère n'avait pu être tranché, ou comme si, après qu'on eut tenté de le couper, il s'était reconstitué.

Sénèque ne paraissait pas s'en inquiéter.

Pourtant, il était attaqué par tous ceux qui, sénateurs, affranchis, conseillers que la mort de l'empereur Claude avait écartés du pouvoir, voyaient dans la rivalité entre Agrippine et Néron le moyen de prendre leur revanche.

Ils avaient cru dans le destin de Britannicus. Mais Néron les avait devancés.

Ils s'étaient tournés vers Agrippine humiliée, privée d'hommes, reléguée loin de son fils, et ils exultaient de la découvrir encore capable de serrer Néron dans ses bras, ils espéraient qu'elle l'étoufferait.

Eux se chargeaient de Sénèque, responsable à leurs yeux de la politique impériale.

Car c'était Sénèque qui conseillait à l'empereur de supprimer les impôts dont la collecte les enrichissait. Ils s'opposaient à cette réforme fiscale, accusaient le philosophe, avide d'argent, de domaines, de villas, de s'être immensément enrichi et d'avoir été payé par Néron pour sa complicité dans l'assassinat de Britannicus.

Ils assuraient qu'il avait prêté comme un usurier quarante millions de sesterces aux Bretons, exigeant d'eux des intérêts exorbitants et leur versement immédiat, déclenchant la guerre contre eux pour récupérer ces sommes qui lui étaient dues.

Un des anciens conseillers de l'empereur Claude, Suillius, multiplia les attaques. Pour lui répliquer, Sénèque se contenta d'écrire un petit livre, *De la vie heureuse*, dans lequel il repoussait avec mépris ces accusations sans nier que l'argent, la fortune fondaient la hiérarchie sociale à Rome et qu'un philosophe stoïcien ne pouvait l'ignorer – d'ailleurs, me disait-il, « la vocation de pauvreté n'implique pas le dénuement ».

Néron soutint Sénèque et Suillius fut banni de Rome. Mais cette attaque montrait que les adversaires de l'empereur n'avaient pas désarmé.

Presque chaque jour, j'attendais Sénèque à son retour de sa course quotidienne.

J'apercevais d'abord, surgissant entre les cyprès et les lauriers-roses, l'esclave qui l'entraînait. C'était un jeune Africain, Abbo, à la peau mate, à la silhouette élancée, aux jambes démesurées. Il paraissait s'envoler à chaque foulée. Derrière lui, à quelques enjambées, je découvrais Sénèque, le visage exsangue, haletant, semblant devoir arracher douloureusement ses pieds à la terre.

Mais, après quelques minutes passées sur la table de massage, puis le corps plongé dans le bain tiède de ses thermes, Sénèque était reposé, souriant. Il me disait qu'Abbo courait certes un peu vite pour lui, mais le suivre et le voir étaient un défi et un plaisir dont il n'entendait pas se priver.

Nous marchions à pas lents, côte à côte, entre les statues alignées sur les côtés du péristyle.

— Je sais, Serenus, me répondait Sénèque, derrière Suillius il y a la volonté d'Agrippine de retrouver le pouvoir qu'elle a perdu. Elle est prête à tuer son fils s'il ne cède pas, et même s'il cède, car elle n'a plus confiance en lui. Il s'est rebellé. Il y a entre eux le cadavre de Britannicus, les humiliations qu'il lui a infligées. Elle veut le reconquérir et elle y réussit. Cependant, ce n'est pas pour le soumettre, mais pour le détruire. Même s'il lui cède, ils ne seront plus jamais alliés.

Il hochait la tête, avançait les lèvres pour ajouter d'une voix dolente :

— Et il lui a cédé. Tu l'as vu entrer dans sa chambre. Mais les choses vont là où elles doivent aller.

Je le dévisageais, surpris par ses propos.

— L'un ne peut survivre que si l'autre succombe, a-t-il ajouté.

— La mort, encore ! ai-je murmuré.

Sénèque a écarté les mains.

— Elle simplifie le jeu. Et c'est nécessaire. Je sais qu'elle terminera le combat au profit ou de l'un ou de l'autre, mais j'ignore qui elle choisira, les armes dont elle usera.

J'ai vite su que l'une de ces armes serait une jeune femme, Poppée, dont l'impérieuse beauté avait fasciné tous ceux qui l'avait vue s'avancer vers Néron à la fin de cette journée d'été qui s'étirait, teintant d'un rose mordoré les colonnes, les dalles de marbre et les statues des grandes salles du palais impérial.

Elle cachait une partie de son visage et ses cheveux blonds sous des voiles blancs parcourus de fils d'argent. Elle marchait aux côtés de son dernier époux, Otho, l'un de ces jeunes gens qui avaient partagé avec Acté les nuits de débauche de Néron.

Mais, à l'instant où parut Poppée, je compris que c'en était fini de l'attrait qu'Acté avait pu exercer sur l'empereur. Acté, l'affranchie, la compagne soumise des perversions de Néron, était comme effacée, rayée d'un trait par cette apparition.

Poppée appartenait à une ancienne famille sénatoriale rivale de celle d'Agrippine. Elle était de la trempe de cette dernière. Ambitieuse et féline, intelligente, ayant vécu dès l'enfance parmi les hommes de pouvoir, elle ne pouvait imaginer de partager sa vie avec un mari ou un amant qui n'eussent pas appartenu au cercle étroit des puissants.

Voire, parmi eux, celui qui en occupait le centre, l'empereur Néron.

Quand je vis Néron poser son émeraude contre son œil droit afin de mieux voir Poppée s'approcher, je sus qu'il était pris dans les rets de cette femme et qu'Agrippine avait enfin trouvé une adversaire à sa mesure, qui sans doute la laisserait vaincue.

Que pourrait-elle contre Poppée, qui connaissait toutes les intrigues, tous les vices, dont le sang était noble et qui entendait venger sa famille en triomphant d'Agrippine ?

C'est à peine si la jeune femme avait incliné la tête en s'immobilisant devant Néron, mais ses voiles avaient glissé, découvrant son profil aux lignes pures, la blancheur de sa peau.

L'on disait déjà qu'elle passait une partie de sa journée à prendre soin de son corps, de sa beauté, exigeant qu'on remplît chaque jour une vasque avec le lait de cinq cents ânesses afin qu'elle pût s'y baigner à loisir.

À côté d'elle, Otho n'était qu'un époux de parade, présentant sa femme à l'empereur comme on offre un tribut. À moins que Néron ne se fût servi de lui, le mariant à Poppée pour que celle-ci pût paraître à la cour en feignant de n'être que l'épouse du proche compagnon de l'Empereur ?

Mais il a suffi de les voir face à face pour que l'on se convainque que rien, aucune convention, aucun lien, filial ou matrimonial, ne résisterait à la beauté de Poppée.

J'ai vu le rictus d'Agrippine qu'elle tentait de masquer en sourire mais qui lui déformait les traits. J'ai vu ses poings se fermer, et j'ai imaginé ses ongles noirs s'enfonçant dans ses paumes.

La tête rentrée dans les épaules, toute son attitude exprimait une jalousie rageuse et désespérée. Elle aussi savait que la partie qui s'engageait serait la plus rude, que ce cordon de chair et de sang qu'elle avait maintenu et qui la liait à Néron pouvait pour la première fois être sectionné.

Elle se mordillait les lèvres, serrait les mâchoires. Elle ne baissait pas les yeux, voulant relever le défi et voir, tout voir de cette femme qui, sans un geste, par sa seule présence, sa beauté fulgurante, s'emparait de Néron.

Debout près d'Agrippine, Octavie, l'épouse de l'empereur, avait détourné le regard comme si elle acceptait déjà son sort. Tout comme elle avait déjà subi, en dissimulant sa peine, la mort de Britannicus, restant à sa place parmi les convives du banquet cependant que se figeait le corps empoisonné de son frère.

Elle-même demandait seulement qu'on lui laissât la vie.

Mais Octavie était l'arme et le bouclier d'Agrippine, elle qui, épouse et fille d'empereur, entendait bien interdire à Néron de prendre Poppée pour femme.

Agrippine la protégeait. Leurs destins étaient liés. Mais, Agrippine vaincue, Octavie ne serait plus qu'une frêle épouse que Néron pourrait répudier d'un bref mouvement de la main.

J'ai regardé Agrippine.

Elle fixait Néron et Poppée.

Les deux femmes se ressemblaient, toutes deux aussi déterminées, l'une plus jeune, l'autre plus experte. De celle-ci on eût dit une statue qu'on ne peut déplacer et qu'il faut donc briser.

22

En observant Poppée, en l'écoutant, j'ai découvert ce qu'une jeune femme qui combine en elle la beauté, l'intelligence, l'habileté et la rouerie, l'ambition, la volonté et la séduction peut obtenir d'un homme, fût-il l'empereur du genre humain.

Mais Poppée avait quelque chose de plus encore : elle haïssait Agrippine. Pour briser cette femme, elle était prête à toutes les intrigues, à toutes les stratégies.

Je l'entendis flatter Sénèque, louer le talent de Lucain et celui de Pétrone, deux écrivains – le premier, neveu du philosophe – qui faisaient partie de cette cour de poètes, d'acteurs, de citharèdes, mais aussi de gladiateurs au sein de laquelle se plaisait Néron.

À demi couchée auprès de celui-ci, Poppée était la maîtresse officielle, celle dont on recherchait le regard et l'appui. Elle participait aux festins et aux orgies. Elle tenait à ce que Néron lui racontât ses nuits de débauche quand il se rendait au pont

Mulvius, le lieu de Rome où l'on pratiquait les « amusements nocturnes », comme disait Pétrone, l'un des familiers du lieu.

Poppée écoutait le récit de ces rencontres inattendues, de l'embuscade qu'on avait tendue à Néron et qu'il avait évitée, devinant que ces ombres rassemblées à l'entrée du pont lui étaient hostiles. Ses gladiateurs les avaient dispersées.

Poppée s'était moquée ; elle pouvait se permettre ce qu'aucune femme, même Agrippine, n'avait osé.

Elle se tournait vers Néron : se rendait-il compte, demandait-elle, que les dangers qu'il courait étaient aussi les siens ? Car les ennemis de l'empereur la haïssaient. Et lui, que lui accordait-il ? Il reculait devant Agrippine. Il ne répudiait pas Octavie. Que craignait-il ? N'était-il donc qu'une « pupille » – c'est ainsi qu'elle l'appelait ! –, esclave des volontés d'autrui ? Et il se prétendait empereur du genre humain alors qu'il ne disposait même pas de la liberté d'épouser la femme qu'il disait aimer ! Mais peut-être n'était-il pas sensible à sa beauté, à la gloire de sa famille, ou mettait-il en doute sa fécondité ?

Elle se levait. Il fallait la rendre à son mari, Otho, que l'empereur avait nommé gouverneur de Lusitanie afin de l'éloigner de Rome. Elle était sa femme légitime. Elle voulait quitter la ville pour le rejoindre. Elle serait informée du sort de l'empereur, elle serait indignée par les outrages qu'on lui infligeait, mais au moins ne serait-elle pas témoin de ces sacrilèges ni associée aux périls qu'il encourait.

Elle marchait parmi les invités de Néron, le buste droit, les bras légèrement entrouverts, le bas du visage enveloppé par un voile comme pour dissimuler le sourire de défi qu'on y devinait.

Néron la suivait des yeux, le regard illuminé par le désir, prêt, on l'imaginait, à se soumettre à ses volontés.

On disait que c'était elle qui lui avait fait couper pour la première fois la barbe. Il l'avait placée dans un coffret d'or enrichi de pierreries et l'avait fait déposer au Capitole.

N'était-il par l'imperator, auréolé par les victoires que le général Corbulon remportait contre les Parthes, les chassant d'Arménie et contraignant leur roi, Tiridate, à s'enfuir ?

Néron était bien le protégé des dieux, et Poppée s'arrogeait cette bienveillance des divinités.

Elle avait rassemblé les proches de Néron autour du figuier – l'arbre Ruminal – qui, il y avait huit cent trente ans, avait protégé Remus et Romulus. Une foule de citoyens se pressaient, constatant que cet arbre aux branches mortes, au tronc desséché, qui avait perdu toute vigueur, avait repris vie et donnait de nouveaux rejets.

Elle était celle qui apportait un surcroît de vigueur à Néron, la sève de l'arbre fécond.

La foule avait acclamé l'empereur et cette femme si belle et si mystérieuse. On murmurait qu'elle était une adepte des religions orientales, de l'égyptienne ou plutôt de la juive, puisqu'elle recevait des rabbins, envoyés de Jérusalem.

Elle conquérait ainsi peu à peu le pouvoir alors qu'elle n'était encore qu'une maîtresse. Mais déjà elle avait changé Néron, ou plutôt avait accompagné son épanouissement, et peut-être l'avait permis.

Je découvrais chez Néron une gaieté, une audace, une extravagance et même une exubérance qu'il avait jusqu'alors refrénées.

Dans l'amphithéâtre de bois qu'il avait fait construire au champ de Mars, il organisait des jeux de plus en plus étonnants qui déclenchaient l'enthousiasme de la plèbe.

Sur un lac artificiel, il faisait s'affronter des flottes rivales, et cette naumachie s'accompagnait de l'exhibition de monstres marins qui laissait la foule ébaubie.

Un autre jour, c'étaient des taureaux qui gratifiaient des génisses en bois de leur saillie, et l'on prétendait que des épouses de chevaliers et de sénateurs, et peut-être Poppée en personne, se livraient, dissimulées à l'intérieur, à la virilité taurine.

Rome était ainsi surprise chaque jour par une fête, un jeu, un événement inouïs que Néron présidait, accompagné de Poppée.

Parfois la mort se mêlait aux festivités. Un acteur qui interprétait le rôle d'Icare s'écrasait sur la tribune aux pieds de Néron ; le sang, en jaillissant, éclaboussait la tunique blanche de l'empereur.

Mais la fête l'emportait.

Autour de Néron, une troupe de quelque cinq cents jeunes gens aussi vigoureux que beaux applaudissaient. Ils étaient recrutés parmi les chevaliers ambitieux et voués à la louange de l'empereur, l'acclamant, vantant sa beauté et sa voix, le comparant aux dieux et scandant : « Nous sommes les *Augustiani*, les soldats de ton triomphe ! »

Ils obtenaient pour prix de leur enthousiasme honneurs et cadeaux, et tous les jeunes nobles romains rêvaient d'être enrôlés parmi ces *Augustiani* qui escortaient l'empereur dans tous ses déplacements et le déclaraient vainqueur quand il participait à des courses de chars, à des concours de chant ou de cithare.

Néron accueillait ces acclamations, son triomphe, avec une feinte modestie.

Je l'observais, tandis qu'il distribuait, le visage rosi d'orgueil et de plaisir, sesterces et titres tout en invitant les Romains, à son exemple, à jouir sans bornes ni entraves.

J'avais le sentiment qu'une nouvelle ère commençait à Rome avec ce jeune empereur de vingt-deux ans qui ne rêvait que festins, orgies, jeux, chants, jouissances et luxe.

Qui se souciait encore de l'austère vertu romaine ?

Même mon maître Sénèque vantait la clémence, la gentillesse, la vie heureuse, et seuls les affranchis, esclaves d'hier, manifestaient une sombre arrogance, paravent de vanité derrière lequel ils cachaient leur âpreté au gain, leurs vices, leur folle ambition.

Néron, lui, chantait, entouré de flagorneurs et de jeunes gens qui ne songeaient qu'au plaisir.

Mais parfois le visage de l'empereur s'assombrissait.

Je suivais son regard.

Agrippine, comme un spectre menaçant et vengeur, traversait la salle.

Elle était l'ombre, peut-être le remords qu'il fallait effacer.

Néron oserait-il ?

Poppée se penchait vers lui pour lui chuchoter quelques mots à l'oreille.

23

Néron a osé.

Il a donné l'ordre de tuer sa mère.

Puis, l'acte sacrilège accompli, il s'est rendu sur les lieux du crime, dans cette villa d'Antium où il était né.

Là, le devin chaldéen Balbilus avait dit, en voyant le nouveau-né : « Il régnera, mais il tuera sa mère », et Agrippine avait répondu : « Qu'il me tue, pourvu qu'il règne ! »

Vingt-deux ans s'étaient écoulés, et Agrippine était à présent ce corps ensanglanté sur lequel se penchait Néron.

Sénèque a été le témoin de la scène.

Il m'a rapporté les gestes et les propos de l'empereur.

— Néron a palpé les membres d'Agrippine comme s'il voulait s'assurer qu'elle était bien morte, a-t-il commencé.

Son ton détaché m'a glacé. Il parlait d'une voix lente, le buste immobile, les mains posées sur les cuisses, les yeux fixes. J'ai eu l'impression que ce qu'il me racontait se déroulait à l'instant même où il le décrivait, alors que le crime avait été perpétré plusieurs jours auparavant.

— Néron, a poursuivi Sénèque, a critiqué ceci, vanté cela. Puis il a dit tout à coup, en se redressant : « Je ne pensais pas avoir une mère aussi belle. »

« Alors il s'est penché à nouveau sur le corps, examinant les blessures. L'une avait tuméfié le front et le visage. J'ai appris qu'en faisant irruption dans la chambre où Agrippine se trouvait seule le capitaine de trirème Herculeius lui avait asséné un coup de bâton sur la tête. Elle a chancelé, le sang lui a brouillé la vue. Mais elle a compris que le centurion Obaritus, qui accompagnait le capitaine, tirait son glaive hors du fourreau. C'est cette arme qui a provoqué la deuxième blessure, sous le sein gauche. Néron l'a longtemps observée, frôlant de ses doigts les lèvres de la plaie. J'ai même cru qu'il allait y enfoncer la main. Il a convoqué le centurion, l'a interrogé devant moi. Tête baissée, d'une voix tremblante, l'homme a dit qu'Agrippine, au moment où il dégainait son arme, lui avait lancé : « Frappe au ventre ! » Néron a hésité. Il pouvait donner l'ordre de tuer le centurion. Et celui-ci, le corps tassé, la nuque offerte, attendait déjà la mort. Tout à coup, l'empereur a retiré de ses doigts deux bagues et les a fourrées dans la main du centurion en disant : « Va-t'en loin ! » Obaritus est sorti de la salle comme on s'enfuit. Le capitaine m'a confié qu'Agrippine avait crié au centurion non pas seulement : « Frappe au ventre ! », mais qu'elle avait ajouté : « C'est lui qui a enfanté Néron. » J'ai conseillé à Herculeius de ne jamais répéter ce qu'il avait entendu, de quitter l'escadre de Mycènes dans laquelle il servait et de se faire oublier en regagnant son pays, la Grèce.

Sénèque s'est tourné vers moi.

— On paie souvent de sa vie d'avoir été témoin ou acteur d'un grand crime. Ils doivent demeurer enveloppés de mystère, comme si les dieux seuls en avaient été les ordonnateurs. Il faut même que les corps des victimes disparaissent.

À nouveau il avait cessé de me regarder, fixant ces cyprès qui, au fond du jardin, regroupés par trois, formaient comme autant de faisceaux d'armes géantes.

— Agrippine a été brûlée la nuit même où elle a été tuée par Obaritus, a-t-il repris. On a posé son corps sur une table entourée de fagots, et les flammes l'ont consumée rapidement, car le bois de ce lit mortuaire était sec. Pas d'obsèques. Ni tertre, ni clôture pour son tombeau. L'un de ses affranchis s'est transpercé la poitrine avec son épée au pied du bûcher. Fidélité ou crainte ? Affection pour Agrippine ou certitude que Néron l'avait condamné à mort ? Qui peut savoir ?

Sénèque s'est levé, a fait quelques pas, puis est revenu vers moi.

— La mort surprend autant celui qui la reçoit que celui qui la donne. Crois-tu qu'Agrippine, sœur, épouse, mère d'empereur, imaginait périr ainsi sur ordre de son fils ?

— Les prophéties de Balbilus, ai-je murmuré, dans cette même villa d'Antium...

Sénèque a haussé les épaules.

— Qui peut savoir ? a-t-il répété.

J'ai donné raison à Sénèque.

La mort est insaisissable et nul ne peut prévoir ni le chemin qu'elle prend ni le moment où elle parvient au but.

Néron avait ainsi décidé de tuer sa mère. Il croyait avoir asservi la mort. Il avait soudoyé les esclaves d'Agrippine et certains de ses affranchis. Par trois fois, ils avaient empoisonné mets et boissons, utilisant des mixtures dont Locuste avait garanti à l'empereur que sa mère ne pouvait les connaître. Et, cependant, Agrippine avait survécu, à peine indisposée, regardant autour d'elle ses serviteurs d'un air de défi et de mépris. Quelques-uns s'étaient enfuis, craignant d'avoir été découverts. Elle avait ordonné qu'on les retrouvât et qu'on les torturât jusqu'à leur arracher des aveux. Mais les tueurs de Néron les avaient rejoints les premiers et les avaient égorgés.

Néron s'était affolé, se mordant les poings de rage et d'impatience, persuadé que sa mère possédait tous les contrepoisons nécessaires, que jamais il ne pourrait aboutir à ses fins et que c'était elle qui allait l'assassiner.

C'est alors qu'il fit appel à Anicetus, un affranchi qui avait été l'un de ses pédagogues.

J'ai connu ce Grec que l'ambition dévorait.

Anicetus avait favorisé les penchants pervers de Néron, son goût pour la débauche. Il l'avait accompagné lors de ses chasses nocturnes dans les rues de Rome. Néron l'avait récompensé en lui accordant le titre d'amiral de la flotte de Mycènes. Depuis lors, Anicetus paradait. Ses centurions et ses marins servaient dans la garde de l'empereur. Le capitaine de trirème Herculeius et le centurion Obaritus étaient de ses hommes.

Néron savait pouvoir compter sur lui.

Anicetus avait le visage d'un chacal, l'avidité d'un charognard, la hargne et l'arrogance des anciens esclaves prêts à tout pour s'élever encore. Mais il était aussi servile et flagorneur, empressé d'aller au-devant des moindres désirs de son maître.

C'est Anicetus qui, après l'échec des trois tentatives d'empoisonnement, a organisé le meurtre d'Agrippine. Il fallait, avait exigé Néron, que la mort de sa mère apparût comme un accident.

Disant cela, il tremblait comme s'il avait craint que sa mère n'écoutât, persuadé qu'elle avait obtenu la protection des divinités, que jamais il ne réussirait à la frapper, et, s'il y parvenait, qu'elle surgirait encore, dressant les prétoriens contre lui, en obtenant vengeance.

Résolu et incertain, déterminé à tuer et terrorisé à l'idée qu'il n'y parviendrait pas, il répétait : « C'est ma mère, je la connais, c'est ma mère ! »

Anicetus le rassura.

Des hommes à lui sapèrent les fondations de la maison d'Agrippine. Il était prévu que le plafond et les lambris de la chambre et de la salle où elle se tenait s'effondreraient. Ce fut le cas. Mais une poutre protégea Agrippine qui, sortie de la pièce indemne, couverte d'une poussière blanche, traversa Rome pour se rendre chez Néron et s'avança vers lui comme une morte surgie du tombeau.

Il se précipita vers elle, l'enlaça, lui jura qu'il la protégerait contre ces coups du sort, qu'il l'invitait dans sa villa de Baies, en Campanie, qu'il voulait qu'entre eux, désormais, il n'y eût plus que de l'amour, comme autrefois.

Ils restèrent ainsi serrés l'un contre l'autre, ressemblant davantage à deux amants enfin réunis qu'à une mère et à un fils réconciliés. Leur étreinte et leurs baisers étaient si passionnés qu'il y eut des murmures de Poppée, jalouse.

Sénèque me raconta plus tard comment il se servit d'Acté, l'ancienne favorite, pour convaincre Néron que les prétoriens n'accepteraient plus qu'il renouât avec Agrippine des liens incestueux. Que celle-ci serait la seule bénéficiaire de cette union contre nature. Et qu'elle l'utiliserait pour montrer aux soldats qu'elle détenait le pouvoir, que son fils n'était entre ses bras qu'un pantin. À la fin, elle le ferait tuer, le remplaçant par l'un de ses amants, ce Rubellius Plautus qui, lui aussi, appartenait à la famille des César et des Auguste.

Anicetus commença d'argumenter. Selon lui, cette réconciliation entre Néron et sa mère, cette invitation à se rendre à Baies étaient autant de présents des dieux.

Anicetus préparerait le naufrage du navire sur lequel Agrippine embarquerait. On ouvrirait dans la cabine une voie d'eau qui noierait ses occupants. C'en serait fini d'Agrippine, et quoi de plus naturel qu'un naufrage ?

On pourrait dresser sur le rivage des autels, des monuments à la gloire d'Agrippine disparue en mer, regrettée par son fils et Rome tout entière. On célébrerait son culte. Et Néron composerait pour elle un chant funèbre.

L'empereur riait. Il croyait avoir asservi la mort. Mais elle s'était à nouveau dérobée, comme si elle avait voulu que Néron la suppliât, s'obstinât dans le désir de tuer sa mère.

Il avait dû regarder en face ce matricide, être contraint de mentir, de jouer au fils aimant qui accompagne sa génitrice jusqu'à l'embarcadère, qui l'embrasse, la tient contre lui, lui déclare sa flamme pour qu'elle ne nourrisse aucun soupçon.

Puis il avait été obligé d'attendre, d'écouter un envoyé d'Anicetus lui relater les faits.

Le marin raconta que le naufrage avait bien eu lieu, que l'eau s'était engouffrée, qu'on avait tué à coups d'aviron une femme qui criait le nom d'Agrippine, puis, lorsqu'on avait repêché son corps, on avait découvert qu'il s'agissait d'Acerronia, une de ses suivantes. Quant à Agrippine, elle avait disparu. Peut-être avait-elle regagné le rivage ? Car on n'avait retrouvé qu'un autre cadavre, celui d'un de ses proches, Gallus, coincé sous la cloison de la cabine.

— Qui n'a pas vu Néron écoutant ce récit, apprenant l'échec de cette tentative de meurtre, ignore ce que l'effroi peut faire d'un homme, fût-il l'empereur du genre humain.

C'est Sénèque qui, plus tard, me confia ce qu'il avait ressenti quand il pénétra dans la salle où se tenait l'empereur. Burrus aussi y avait été convoqué.

— Elle sait, maintenant, avait répété Néron. Elle va s'adresser aux prétoriens. Elle va m'accuser !

Il se tordait les poignets et se tournait vers Poppée qui, glissant la main dans ses cheveux, lui caressait la nuque. De temps à autre, il levait la tête vers elle avec un regard reconnaissant et soumis.

— Le risque était grand, en effet, a expliqué Sénèque. Il fallait désormais choisir entre la mort d'Agrippine et la certitude d'un soulèvement militaire qu'elle allait susciter.

Il s'est interrompu.

— Burrus et moi avons choisi. Anicetus a dit qu'il disposait d'hommes sûrs. Et Burrus s'en est félicité, car les prétoriens n'auraient pas accepté de tuer Agrippine. C'est ainsi que des soldats de la flotte de Mycènes ont entouré sa villa, que le capitaine Herculeius et le centurion Obaritus ont fait irruption dans sa chambre et l'ont frappée, puis achevée.

— Sa mère, ai-je murmuré. La femme qui lui a donné la vie, puis l'Empire !

— Serenus, il fallait éviter la guerre civile, qui est le mal par excellence, m'a répondu Sénèque.

Il a poursuivi, le visage sévère :

— Même à sa mère on peut appliquer cette loi que le bienfait n'est régi par aucune loi écrite. Il dépend du seul jugement. On a le droit de comparer combien telle personne m'a rendu de services et combien elle m'a nui, et décider ensuite si sa dette envers moi l'emporte, ou si c'est la mienne. Agrippine constituait un danger pour Rome autant que pour Néron. Les bienfaits qu'elle avait apportés étaient bien inférieurs aux malheurs qu'elle avait suscités et à ceux qu'elle s'apprêtait à déclencher.

Car elle avait regagné sa villa d'Antium, sûre, après avoir vu sa fidèle affranchie Acerronia tuée à coups d'aviron parce qu'on l'avait prise pour elle, que la perfidie de Néron était sans limites et qu'il n'aurait de cesse de tenter à nouveau de la faire périr.

Elle avait donc décidé de tromper Néron pour se donner le temps de préparer sa riposte. Elle avait envoyé l'un de ses affranchis, Agermus, dire à Néron qu'elle était sauve, qu'elle avait échappé à un naufrage, et combien elle était heureuse de sa réconciliation avec l'empereur. Il fallait que Néron croie qu'elle n'avait pas compris qu'il voulait sa mort.

Mais Néron, écoutant Agermus, avait éventé le stratagème. Il avait lancé un poignard aux pieds de l'affranchi et crié qu'Agrippine avait chargé cet homme de le tuer, qu'il fallait s'emparer de lui, le supplicier, déjouer le complot criminel et sacrilège dont lui, l'empereur, avait été la cible.

À ce moment, les tueurs, le capitaine Herculeius et le centurion Obaritus, étaient déjà entrés dans la chambre d'Agrippine, et Herculeius avait déjà asséné ce coup de bâton qui avait ensanglanté le visage d'Agrippine. Obaritus avait tiré son glaive du fourreau et sa main n'avait pas tremblé lorsque la mère de l'empereur lui avait crié : « Frappe au ventre, c'est lui qui a enfanté Néron ! »

Néron avait tenu à voir le corps. Il en avait palpé les membres, effleuré les plaies, puis – c'est Sénèque qui ajoute ce détail –, « pris de soif, il a commandé une boisson ».

J'ai vu et entendu Néron dans les jours qui ont suivi. Il passait de la joie à l'abattement.

Il serrait Anicetus contre lui, disant : « Ce jour est celui où je reçois l'Empire d'un affranchi. »

Il répétait avec une conviction chaque jour plus affirmée qu'il avait été contraint de se défendre pour briser le complot qu'Agrippine avait fomenté contre lui. Et les dieux lui avaient été favorables. Il ajoutait : « Ma vie est sauve, je ne puis encore ni le croire ni m'en réjouir. »

Il exprimait ainsi son inquiétude, n'osant rentrer à Rome, s'attardant dans les villes de Campanie, se demandant comment il serait accueilli par le Sénat, la plèbe, les prétoriens dans la capitale de l'Empire.

J'ai entendu Anicetus le rassurer. Le nom d'Agrippine était honni, disait-il. Néron serait accueilli en triomphateur.

De fait, j'ai été témoin de l'enthousiasme de la foule romaine, de la servilité des sénateurs qui avaient revêtu leurs vêtements de fête. Les épouses et les enfants s'avançaient en file pour saluer Néron. Les citoyens s'entassaient sur les gradins construits à cette occasion tout au long du trajet.

À chaque pas, à chaque vague d'acclamations, j'ai vu le visage de Néron se transformer. L'orgueil l'illuminait. Le mépris, aussi, pour la servilité de tous. La certitude qu'enfin il allait pouvoir régner et vivre comme il l'entendait, en donnant libre cours à ses passions, à ses instincts.

Il a gravi les marches du Capitole.

Je l'ai entendu rendre grâces aux puissances surnaturelles, puis il s'est tourné vers la foule et a levé les bras.

Il ressemblait bien ainsi à la statue d'un dieu.

SIXIÈME PARTIE

24

Quel homme pourrait désormais se faire entendre d'un empereur assuré d'être l'égal d'un dieu ?

Je me suis mêlé à la foule.

Je l'ai vu passer, entouré de ses cinq cents *Augustiani,* ces jeunes gens à la taille élancée, vêtus comme des joueurs de cithare, portant les cheveux longs, mimant Néron dans leur aspect et leur démarche et l'acclamant chaque fois qu'il apparaissait sur une scène, se mettait à danser, s'accompagnant à la cithare, ou bien récitant l'un de ses poèmes.

Presque à chaque note, à chaque mot, il était interrompu par les flagorneries, les exclamations enthousiastes de ces *Augustiani* aux somptueux costumes. Ils avaient préféré retirer de leur main gauche l'anneau de l'ordre équestre et recevoir de l'empereur un traitement de plusieurs dizaines de milliers de sesterces pour l'applaudir.

À leur suite, j'ai vu apparaître une troupe de plébéiens vigoureux qu'on appelait les néroniens et qui étaient chargés de soutenir de leurs voix rauques le chœur louangeur des *Augustiani*.

La plèbe romaine se délectait de ce spectacle.

Au lendemain de la mort d'Agrippine, chaque citoyen avait reçu une poignée de sesterces afin, avait déclaré Néron, que chacun pût se réjouir de la protection que les dieux avaient dispensée à l'empereur du genre humain.

On avait donc bu. On avait braillé. On avait envahi les gradins de l'amphithéâtre du champ de Mars, puis on s'était pressé pour rejoindre la vallée du Vatican.

Là, l'empereur Caligula avait fait tracer une piste réservée aux courses de chars. On savait que Néron l'avait fait élargir et que, devant ses familiers, puis les sénateurs, les chevaliers, et naturellement les *Augustiani* et les néroniens, il conduisait son char à quatre chevaux, participant ainsi aux courses, toujours salué comme le vainqueur. Alors il déclamait, chantait en s'accompagnant à la cithare, et les louanges déferlaient.

Mais la foule plébéienne n'avait pas encore été autorisée à venir l'acclamer. Je savais que Sénèque et Burrus tentaient de s'opposer au désir de Néron d'apparaître devant les citoyens de Rome en citharède, en poète, en aurige guidant son quadrige, qu'ils lui remontraient qu'un empereur n'était ni un acteur, ni un chanteur, ni un poète, ni un conducteur de char, et que son autorité, sa dignité, sa gloire ne pouvaient se confondre avec celles d'un gladiateur, d'un citharède ou d'un histrion.

Ni Sénèque ni Burrus n'osaient certes prononcer ce dernier mot. Et leurs voix peu à peu avaient été étouffées par celles des *Augustiani*, de tous ceux qui incitaient Néron à se livrer à ses passions, quelles qu'elles fussent.

Maintenant qu'Agrippine était morte, n'était-il pas enfin libre d'agir à sa guise ?

Il a donc ignoré les conseils de Sénèque et de Burrus et fait ouvrir à la plèbe la vallée du Vatican afin qu'elle pût le voir triompher dans les courses de chars, les concours de chant et de poésie, les représentations théâtrales.

Il était l'empereur citharède, l'empereur chanteur, l'empereur poète, à l'instar d'un prince grec ou d'un roi oriental. Et avec leurs postures languides ou provocantes, leurs corps épilés, huilés, parfumés, leurs chevelures épaisses, les *Augustiani* l'enivraient de leurs acclamations enthousiastes.

Telle était la Rome nouvelle, la Rome grecque et orientale dont rêvait Néron.

Qui pouvait encore s'opposer à lui ?

Un seul sénateur, Thrasea Paetus, un stoïcien, quitta la salle pour ne pas approuver les textes félicitant Néron d'avoir déjoué un complot d'Agrippine puis décrétant que l'anniversaire de la naissance de cette femme sacrilège serait désormais qualifié de jour néfaste.

Mais qui se souciait de la réprobation de Thrasea ? ou de ces quelques affichettes placardées sur les façades, accrochées aux colonnes, qui condamnaient Néron le matricide et devant lesquelles nul n'osait s'attarder ?

Je les ai vues. Je les ai lues.

L'une d'elles disait : « *Voici une nouvelle arithmétique, voici un nouvel avis : Néron a tué sa propre mère.* »

Les autres répétaient toutes ce mot de matricide alors que Néron s'en tenait à déclarer que sa mère avait fomenté un complot et que c'était « grâce à la fortune de l'État » qu'elle était morte.

Néron avait même adressé une lettre au Sénat accablant Agrippine, l'accusant de tous les maux qui avaient sévi sous le règne de l'empereur Claude, invoquant le hasard – cette « fortune » qui protège ceux que les dieux ont choisi d'aimer – pour expliquer le naufrage, puis la découverte du poignard avec lequel Agermus voulait tuer l'empereur, enfin, comment Agrippine s'était châtiée elle-même d'avoir voulu attenter à la vie de son fils.

Telle était la vérité impériale, celle que, d'un seul mot – « *matricide* » –, les affichettes contestaient.

Mais leurs auteurs n'étaient qu'une écume à peine visible sur cette mer d'approbations, de dévotion et d'enthousiasme quand, enfin, l'entrée de la vallée du Vatican fut ouverte à la plèbe et qu'elle put voir, debout sur son char à quatre chevaux attelés de front, Néron, qu'elle put l'entendre déclamer et chanter, qu'elle le vit revenir, vêtu comme un citharède, pinçant avec application les cordes de son instrument.

Je me trouvais une fois encore parmi la foule. Je l'écoutais, l'observais. Elle hurlait sa joie de voir les rejetons des familles nobles, des chevaliers, des sénateurs participer à ces jeux que venait de créer Néron, les juvénales, pour célébrer ce qu'on appelait sa seconde naissance, son véritable avènement.

J'ai moi aussi été gagné par cette excitation qui embrasait la foule quand elle perçait à jour les travestissements, les jeunes chevaliers apparaissant grimés en femmes. Peut-être même sous le déguisement de l'une de ces actrices l'empereur en personne se cachait-il ?

On riait. On s'interpellait. On se répandait dans les banquets. Néron avait ordonné que fussent ouvertes des tavernes où des dames nobles s'offraient à ceux qui les désiraient. Et l'on avait distribué des pièces de monnaie pour que chacun pût les satisfaire.

J'ai assisté à tout cela. Et, après quelques instants d'ivresse, j'ai éprouvé du dégoût, du désespoir, même, devant un tel spectacle, une telle vague de scandales et d'infamies, et il me sembla que, bien que les mœurs de l'empire fussent depuis longtemps corrompues, jamais on n'avait vu réunis plus de vices dans un tel cloaque.

Mais je n'ai pas osé clamer mon indignation, mon regret ni ma honte de voir l'empereur du genre humain se pavaner sur scène comme un musicien, un poète ou un acteur grec.

Était-ce ainsi que l'on pouvait défendre et illustrer la grandeur de Rome au moment même où, en Bretagne, les peuples barbares attaquaient les légions, où, en Arménie, les Parthes remportaient des victoires sur les cohortes de Corbulon, et où leur roi, Tiridate, s'installait à nouveau sur le trône de ce royaume ?

Qu'étaient devenues les vertus romaines ?

Je ne voyais partout que jeunes gens désireux de se rapprocher de Néron afin d'en être distingués, prêts à toutes les flagorneries, à toutes les soumissions pour attirer son regard, obtenir ses récompenses, soucieux de se faire remarquer en participant à des concours de chant ou de poésie, en se classant en tête dans les courses de chars, en n'ayant pour tout désir que celui de vivre dans le luxe et la débauche.

Était-ce cela, la nouvelle Rome ?

Et personne pour la contester, s'en indigner !

Même les prêtres de la confrérie des arvales, qui appartenaient tous à la haute aristocratie sénatoriale, célébraient par des sacrifices l'empereur Néron, et presque chaque jour, dans un temple ou sur les gradins d'un amphithéâtre, on exaltait la beauté et les talents du fils d'Apollon qu'il était.

J'en voulais à Sénèque de l'appui qu'il continuait de lui apporter, alors même qu'à l'évidence l'empereur n'était plus décidé à suivre le moindre conseil, mais à se laisser aller au jeu de ses passions et de ses vices, préférant la complaisance des courtisans à l'austère réserve de Sénèque et de Burrus.

Pourquoi donc Sénèque avait-il écrit, au nom de Néron, cette lettre au Sénat dans laquelle il avait maquillé le matricide sous le mensonge du naufrage accidentel et du complot ? Il avait ainsi suscité le mépris et la colère des quelques hommes qui, à Rome, connaissaient la vérité et qui en voulaient au philosophe de la sacrifier au bénéfice d'un tyran dont ils craignaient que, libéré de toute tutelle et de toute crainte, il ne se révélât bientôt pire que Caligula.

Je n'ai pas obtenu de réponse claire de Sénèque. Je l'ai senti hésitant. Parfois il convenait que la monstruosité de Néron, révélée et confirmée par le matricide, ne pourrait que submerger sa personnalité, ruiner sa politique, et que personne ne serait à l'abri de cette démesure dans le mal.

Il baissait la tête et ajoutait dans un murmure :

— Je te l'ai dit, Serenus, moi-même et mes amis – et donc toi – ne représentons rien pour un homme qui, avec obstination, a voulu tuer sa mère et a dû s'y reprendre à plusieurs fois avant d'y parvenir.

— Tu as maquillé et justifié ce crime, Sénèque !

Il penchait un peu la tête sur son épaule gauche, le front creusé de rides. Il ouvrait les mains, les bras à demi écartés.

— La mort d'Agrippine était devenue nécessaire. C'était le seul moyen de limiter le mal qui pouvait naître de cet affrontement entre mère et fils.

— Tu avais dit la même chose au moment de l'assassinat de Britannicus.

— La guerre civile a, chaque fois, été évitée.

— Et l'empereur du genre humain chante et déclame sur les estrades comme un histrion grec !

— Il n'a ordonné ni chasse à l'homme ni proscription.

— Demain...

— Tout est possible, il est vrai. C'est un empereur de vingt-trois ans. Il commence seulement à marcher seul.

— Dans le sang de sa mère.

— On naît dans le sang, Serenus. Toujours.

J'ai marmonné :

— Il s'y noiera !

Le coude posé sur sa cuisse gauche, le bras replié, une main soutenant son menton, Sénèque a paru ne pas entendre.

Après un long moment de silence, il m'a parlé de Poppée qui se soumettait à tous les désirs de Néron, y compris les plus pervers, comme si elle n'avait été qu'une esclave, mais qui affirmait ainsi son pouvoir afin d'obtenir ce qu'elle désirait : le mariage.

Pour cela, il fallait d'abord que Néron répudie Octavie, son épouse.

— Il la tuera, ai-je dit.

— Elle est fille d'empereur.

— Il trouvera un prétexte. Et tu écriras une lettre au Sénat pour justifier ce crime !

J'ai regretté d'avoir ainsi fustigé Sénèque. Mais il ne m'a pas paru affecté pour autant, souriant au contraire, m'accusant de ne pas connaître l'âme humaine, si pleine de détours.

Néron, qui, à mes yeux, n'était qu'un monstre, était aussi dévoré par l'inquiétude et le remords, m'a exposé Sénèque. Chaque jour, l'empereur questionnait mages et astrologues. Il tremblait lorsque l'un d'eux lui apprenait qu'une femme avait accouché d'un serpent ou avait été foudroyée au moment de s'accoupler.

Quand le soleil était resté masqué tout un jour ; que chaque quartier de Rome avait été frappé par la foudre dans un fracas quatorze fois répété, Néron s'était terré dans la salle la plus reculée de son palais, si terrorisé qu'il en claquait des dents, avouant que depuis la mort d'Agrippine il était poursuivi par les Furies vengeresses qui le menaçaient de leurs fouets et de leurs torches ardentes. C'était sa mère qui le tourmentait afin qu'il fût déchiré par le remords.

Il avait crié qu'il l'était, qu'il avait aimé Agrippine comme jamais il n'aimerait aucune autre femme, qu'il avait admiré sa mère et avait souhaité la combler, la servir. Mais pourquoi avait-elle voulu gouverner à sa place et le réduire au rôle de marionnette ? Pourquoi s'était-elle alliée à Britannicus, à Octavie, à ce Rubellius Plautus ? Pourquoi avait-elle voulu lui arracher la dignité impériale, à lui, le fils d'Apollon ?

— Néron n'est qu'un homme qui a peur, a conclu Sénèque. Il s'enivre de bruits, de chants, d'accords de cithare pour ne pas entendre résonner en lui la voix du remords et le souvenir d'Agrippine. Il fuit. J'essaie de le rassurer. Il en va de l'intérêt de Rome.

Puis il m'a pris par l'épaule.

— Mais peut-être est-il trop tard, Serenus.

25

Déjà je ne reconnaissais plus Rome.

J'avançais au long des ruelles défoncées par les chariots chargés d'énormes blocs de marbre. Néron avait entrepris d'agrandir son palais, de faire construire des gymnases, des écoles pour les citharèdes et les acteurs, d'autres pour les gladiateurs. Il avait élargi les pistes des cirques, augmenté la hauteur des gradins de l'amphithéâtre du champ de Mars et entamé la construction d'un gigantesque temple dédié à Apollon, le dieu dont il prétendait, tel un roi d'Égypte, être le fils.

Chaque jour je mesurais la transformation de la ville.

Il était bien tard, en effet, selon l'expression de Sénèque, pour empêcher Néron d'aller jusqu'au bout de ses passions.

D'ailleurs la population de la ville lui semblait tout entière acquise. Elle acceptait que les chariots traversent les quartiers dans la journée et non plus seulement de nuit, selon l'ancienne règle.

Chaque jour, j'étais témoin d'accidents quand un chariot versait ou qu'un de ces blocs de marbre, en basculant, de ses arêtes tranchantes entaillait un corps, coupait un membre, sectionnait une vie.

Il y avait quelques murmures, mais les prétoriens dispersaient la foule avec la pointe de leur glaive, et les Germains de la garde impériale la repoussaient avec le poitrail de leurs chevaux.

Et les charrois recommençaient d'avancer.

Je les suivais. Je pénétrais dans les quartiers du Velabre ou de la vallée du Vatican. Néron avait ordonné la destruction de certaines *insulae* en chassant les locataires des cinq ou six étages. Une poussière ocre montait des gravats, collait à la peau, cependant que des nuées d'esclaves aplanissaient le sol, entreprenaient d'élever les murs de ces écoles où rêvaient déjà d'entrer les jeunes Romains dont l'ambition n'était plus de servir dans les légions, aux frontières de l'Empire, afin d'y acquérir la gloire, mais de paraître sur scène aux côtés de Néron et d'attirer son attention et celle des spectateurs.

Chacun, dans cette ville qui se transformait, recherchait la jouissance, le succès facile, les acclamations, les récompenses.

Les jeux se succédaient.

Après les juvénales, Sénèque m'apprit que le 13 octobre allaient débuter des jeux quinquennaux, imités des jeux grecs, comportant ce que Néron avait décidé d'appeler des « joutes néroniennes », où rivaliseraient musiciens, gymnastes et conducteurs de chars.

Lui-même hésitait à paraître, voulant, disait-il, n'être considéré que comme un quelconque concurrent.

J'ai entendu les flagorneurs lui assurer qu'il en serait ainsi s'il l'ordonnait, mais que c'était folie puisqu'il était l'égal d'un dieu, le plus grand des chanteurs, le plus sensible des citharèdes, le plus agile des poètes et le plus expérimenté, le plus valeureux des conducteurs de quadrige.

Il souriait, baissant les yeux, comme s'il avait été gêné par ces éloges et que sa modestie eût dû en souffrir.

Puis il se redressait : « Allons, disait-il, allons assister aux jeux néroniens, et peut-être y concourir. »

J'ai vu le cortège impérial s'ébranler. J'en ai fait partie.

L'empereur s'avançait, jouant de la lyre. La foule s'enthousiasmait et l'acclamait. Il était le fils d'Apollon, le nouveau Dionysos, celui qui offrait à Rome le blé et le plaisir. Celui qui contraignait les riches familles sénatoriales à descendre comme les simples citoyens dans l'arène, à concourir. Celui qui avait exigé que les jurés soient de rang consulaire. Les jeux devenaient ainsi, sous la conduite d'un empereur Apollon, l'un des moments principaux du culte impérial et de la politique de Néron.

Je me suis mêlé aux *Augustiani* qui entouraient l'empereur et rythmaient la marche par leurs applaudissements.

Derrière eux venaient près de cinq mille plébéiens, les néroniens, divisés en factions, chacune chargée d'accompagner par des bourdonnements, des cris, des bruits de tuiles ou de tessons le chant, les accords de lyre de l'empereur. Les chefs de chaque faction touchaient quatre cent mille sesterces, et chaque plébéien recevait sa copieuse part de récompense.

Pourquoi, dès lors, risquer sa vie sous les armes ?

L'empereur lui-même ne triomphait pas sur le champ de bataille, mais sur scène.

J'ai vu ainsi Néron recevoir la couronne du vainqueur au terme du concours d'éloquence alors même qu'il n'avait pas participé à la compétition. Mais il était le fils du dieu Apollon, le dieu incarné, et donc le meilleur d'entre les meilleurs.

Dans ce cortège qui accompagnait Néron, non loin de ces *Augustiani* et de ces plébéiens chargés de l'acclamer, j'ai aperçu Sénèque. Il faisait partie du petit groupe qui se tenait à quelques pas de l'empereur. J'ai reconnu là Burrus, le poète Lucain, neveu de Sénèque, d'autres encore parmi les familiers du palais.

J'ai observé Sénèque à l'instant où la foule entraînée par les *Augustiani* et les néroniens applaudissait Néron qui, le front ceint de sa couronne, s'avançait vers elle. Le visage du philosophe exprimait une attention intense, bouche serrée, regard fixe, menton un peu levé. Devant ce spectacle d'un Néron ovationné comme un histrion, Sénèque ne paraissait en rien surpris ni désapprobateur. Au contraire, il ressemblait à un ordonnateur qui voit se dérouler ce qu'il a conçu.

J'ai alors compris qu'il n'avait pas voulu m'avouer que non seulement il acceptait les changements voulus par Néron, mais qu'il les approuvait, qu'il les avait suggérés, même.

Peut-être lui, qui était partisan de la paix aux frontières, de la clémence à l'intérieur de l'Empire, voulait-il asseoir le pouvoir du nouvel empereur sur le plaisir, les jeux, la jouissance.

Puisque l'empereur n'était plus un chef de guerre ni un prince sanguinaire, il fallait qu'il fût aimé, vénéré comme le dieu du Plaisir, le dieu de la Jeunesse, le fils d'Apollon.

Mais alors, était-il encore un empereur romain ?

Néron avait exigé que, durant ces jeux quinquennaux, ces joutes néroniennes qu'il inaugurait, chaque participant fût vêtu à la grecque et non plus à la romaine.

D'ailleurs, les rues de la ville étaient pleines de Grecs, d'Égyptiens, d'Orientaux, de Juifs, et on entendait plus souvent parler grec que latin. On disait que l'empereur allait devenir un roi d'Orient, une sorte de pharaon ou de monarque grec. Lorsque j'ai fait part à Sénèque de ces réflexions, il ne les a pas contestées.

Comme à l'habitude, nous déambulions dans le parc de sa villa. Il me rappela qu'Auguste lui-même avait honoré Apollon. Alors, pourquoi pas Néron, qui était son descendant ? Et pouvais-je oublier que la famille de César avait des origines troyennes, qu'elle ne les celait pas mais les proclamait ? Que les jeux, les courses de chars avaient été pratiqués depuis la plus glorieuse Antiquité en Grèce, exaltés par les philosophes, et que les rois et les généraux les plus illustres – et Auguste lui-même – n'avaient pas dédaigné d'y participer ?

Sénèque était-il sincère ?

Cette stratégie politique qu'il mettait en œuvre le comblait-elle ? Ou bien, faute de pouvoir remonter le courant de ce fleuve, faute de pouvoir refréner les passions de l'empereur, feignait-il de les organiser et, avec érudition et habileté, avançait-il opportunément les arguments pour les justifier, les excuser ?

Mais, à Rome, quelques-uns s'indignaient.

J'ai écouté les critiques du sénateur Thrasea Paetus.

D'un ricanement, Sénèque avait tenté de le déconsidérer. Thrasea n'avait-il pas lui-même, à Padoue, chanté sur scène pour s'y faire acclamer ? Quelles leçons de vertu romaine pouvait-il donc donner ?

J'ai été pourtant attentif aux propos de Thrasea et de quelques autres. Rome, disaient-ils, était devenue une grande taverne grecque, un lupanar égyptien. Il était indigne d'un empereur du genre humain d'interpréter sur scène des rôles infamants. Ne s'était-il pas grimé en femme, offert à de vigoureux gladiateurs ?

Il parcourait les rues de Rome, la nuit, entouré d'une bande de voleurs et d'assassins. Il humiliait sa femme Octavie, une fille d'empereur.

Et toute la jeunesse romaine l'imitait. Elle s'habillait à la grecque. Elle se livrait à la débauche, aux amours honteuses. Elle avait renoncé aux vertus et aux mœurs traditionnelles.

Les adeptes des religions venues d'Orient étaient de plus en plus nombreux. Les disciples de Christos qui refusaient les sacrifices en l'honneur de l'empereur se multipliaient non seulement parmi les esclaves, mais aussi parmi les citoyens romains. L'on disait que Poppée était juive, et qu'Acté écoutait les prédictions des disciples de Christos.

Était-ce là le destin de Rome ?

Mais ces hommes qui regrettaient les temps austères, les vertus d'autrefois, la religion des pères ne pouvaient faire entendre leur voix.

Lorsqu'ils tentaient, au milieu de la foule, au passage de Néron, de protester contre les vêtements grecs que portait l'empereur, ou bien de ricaner au défilé des *Augustiani* et des néroniens, ils étaient insultés, pourchassés, frappés, parfois battus à mort par des partisans de Néron ou des prétoriens.

C'était comme si, tout à coup, la mer paisible s'était creusée, que des vagues tumultueuses avaient déferlé.

Je sentais alors l'inquiétude de Rome.

Je percevais combien la paix civile, le culte de Néron-Apollon, l'attrait des jeux étaient fragiles.

J'ai vu un jour toutes les têtes se lever, les bras se tendre vers le ciel que traversait une comète. Et la foule s'est mise à murmurer que cette apparition, ce brillant passage dans un firmament qui paraissait enténébré annonçait un changement de règne.

Je fus fasciné par la rapidité avec laquelle – comme une mer, en effet – la foule changeait.

Elle acclamait Néron mais était déjà prête à applaudir un successeur.

On annonça le lendemain que la foudre avait frappé dans le quartier de Tibur un banquet auquel assistait Néron. Les mets avaient été carbonisés, la table s'était effondrée dans un bruit de tonnerre.

On m'entraîna à l'écart. On m'assura que c'était un nouveau présage qui, venant après celui de la comète, confirmait l'événement d'un nouvel empereur.

On baissa encore la voix.

Avais-je remarqué que la foudre avait frappé à Tibur et que c'était là le lieu d'origine de la famille du jeune sénateur Rubellius Plautus, ami des philosophes stoïciens, un homme qui descendait de la famille de César, romain austère et vertueux auquel Agrippine avait déjà songé pour succéder à Néron ?

Les temps étaient sans doute venus. Les dieux le manifestaient.

J'ai craint pour la vie de Rubellius Plautus.

J'ai murmuré son nom à Sénèque, qui a souri.

— La clémence, en quelque maison qu'elle se manifeste, la rendra heureuse et paisible, a-t-il commenté, mais dans une maison royale elle est d'autant plus admirable qu'elle y est plus rare.

Il m'a rassuré. Il avait obtenu de Néron que Rubellius Plautus, au lieu d'être proscrit ou tué – et la proscription s'accompagnait souvent de la mort –, serait, comme la plupart des empereurs l'auraient eux aussi décidé, invité à séjourner dans ses domaines d'Asie.

Néron avait écrit à Rubellius Plautus – la lettre avait sûrement été rédigée par Sénèque – qu'il « *devait se soustraire à ceux qui lançaient de mauvais propos utilisant son nom. Il devait, en se retirant sur ses terres, assurer la tranquillité de la ville. Il pourrait, en Asie, profiter en sécurité et sans alarme de sa jeunesse* ».

— Il a déjà quitté Rome avec sa femme Antistia, a ajouté Sénèque, et quelques familiers, dont deux philosophes de mes amis, Ceranius et Musonius Rufus. Lorsque tu juges Néron, Serenus, et lorsque tu doutes de moi, songe à cette clémence impériale.

J'ai voulu croire Sénèque, espérer que Néron n'était qu'un jeune homme dont la peur avait miné l'enfance et qui se livrait maintenant avec passion aux plaisirs qui lui avaient été refusés, mais qu'une fois consumées ces jouissances il serait l'empereur clément qui avait eu Sénèque pour maître.

Il a suffi de quelques jours pour que mon espérance soit anéantie.

Une sorte de peste frappa en plusieurs quartiers la population de Rome. On découvrit que les citoyens malades, le corps rougi par la fièvre, la gorge si enflée qu'elle les étouffait, avaient tous bu l'eau fraîche que l'aqueduc de Marcius acheminait de la source sacrée du fleuve Anio jusqu'à la ville. Puis on apprit que Néron s'était baigné dans cette source, violant par là tous les interdits, et qu'il l'avait souillée.

Les dieux se vengeaient sur Rome des infamies et sacrilèges de l'empereur.

26

Et Néron n'avait que vingt-quatre ans !

Je l'observais à la dérobée au cours de ces soirées d'après-dîner qui, au palais, se prolongeaient parfois jusqu'à l'aube.

Il était à demi allongé sur une sorte d'estrade. Des marches couvertes de tapis permettaient d'y accéder. Sur chacune d'elles se tenaient les invités de l'empereur, les plus proches à seulement un degré de lui, les plus éloignés, dont j'étais, relégués dans la pénombre, presque contre les cloisons de cette grande salle qu'éclairaient des torches, des lampes à huile et de hauts candélabres.

Néron appuyait son coude gauche à une table basse surchargée de flacons de vin, de vasques remplies de fruits, de plats couverts de beignets, d'abricots fourrés au miel, de pommes et de poires enrobées de sucre.

Il soutenait son visage de sa main. Il croisait les jambes et sa tunique entrouverte laissait apparaître des cuisses grasses sur des mollets maigres. D'un geste, parfois, il conviait une jeune esclave à s'agenouiller à ses pieds. Elle lui soignait les ongles, le massait, ses mains disparaissant sous la tunique, montant haut vers le bas-ventre, et Néron, les yeux mi-clos, laissait aller sa tête en arrière.

Mais de la main droite il demandait que la conversation continuât. Des poètes improvisaient des vers qu'ils se lançaient les uns aux autres comme autant de défis, et lorsqu'un mot touchait juste Néron riait, se redressait, frappait la table de sa paume droite, offrait une récompense dont la disproportion surprenait parfois l'assistance. Celle-ci restait un instant saisie et Néron gloussait, invitait le bénéficiaire à s'avancer, à s'installer sur la marche la plus proche de l'estrade.

Puis les concours d'éloquence, de versification et de chant reprenaient, parfois interrompus par une nuée de jeunes esclaves nus, les vierges à peine différentes des éphèbes qui, comme elles, étaient entièrement épilés, la verge coincée entre les cuisses, et c'était l'un des plaisirs des invités que de les comparer, une fois libérées.

Sur son estrade, Néron donnait l'exemple, le corps presque entièrement caché par ceux des jeunes esclaves qui s'étaient couchés tout autour de lui, attendant ses ordres, s'offrant. Et il hésitait, boudeur, blasé, puis amusé, las tout à coup, renvoyant cette volée de corps et invitant les philosophes, parmi ses invités, à débattre entre eux, pour lui, car il tenait aussi à assister à une joute philosophique. Et Sénèque, qui me paraissait si décati parmi cette foule des jeunes gens aux cheveux longs, aux ongles et aux paupières teints, qui rivalisaient entre eux pour séduire Néron, lançait une phrase.

— Affirme ta propriété sur toi-même et le temps qui jusqu'à présent t'était enlevé ou soutiré, ou qui t'échappait, ressaisis-le, ménage-le !

Néron écoutait avec attention, feignant quelques instants le respect pour son vieux maître, puis, brusquement, il se tournait vers Sporus, l'un de ses jeunes affranchis, et l'attirait à lui.

Sporus ressemblait à Poppée, la maîtresse officielle, qui participait souvent à ces soirées mais se contentait de caresser les cheveux de Néron, de lui chuchoter quelques mots comme si elle voulait l'inciter à aller plus loin encore dans la débauche, la controverse ou la joute poétique.

C'était Sénèque qui me conviait à ces soirées. Néron suggérait à ses invités de se présenter accompagnés de jeunes gens beaux et talentueux. Je n'étais ni l'un ni l'autre, mais je restais dans l'obscurité, là où se pressaient les *Augustiani* et les néroniens, les prétoriens et les gladiateurs dont l'empereur souhaitait la présence.

Ils applaudissaient. Ils surveillaient l'assistance et, quand la soirée devenait orgie, ils offraient leurs corps musclés aux invités.

Ils n'écoutaient guère Sénèque qui répondait à un contradicteur d'une phrase ciselée dont il me semblait que j'étais le seul à saisir la résonance tragique.

Le philosophe énonçait d'une voix qu'il voulait enjouée :

— Accepter volontairement les ordres du destin, c'est échapper à ce que notre esclavage a de plus pénible : devoir faire ce qu'on préférerait ne pas faire.

Le silence s'établissait un instant, puis Néron demandait à Sporus de se coucher près de lui, et l'affranchi, dans un mouvement alangui, s'exécutait.

J'étais fasciné.

Je savais que Néron avait fait émasculer Sporus, prétendant le métamorphoser ainsi en femme. Il avait même voulu l'épouser, et Sporus, enveloppé dans un voile rouge, portant sa dot, avait marché à ses côtés, en tête du cortège nuptial, puis s'était allongé dans sa litière d'épouse d'empereur.

Quelqu'un avait lancé : « Quel bonheur pour l'humanité si Domitius, le père de Néron, avait pris une telle femme plutôt qu'Agrippine ! »

Personne n'eût osé répéter cette plaisanterie dans cette salle du palais alors que Néron s'exhibait, invitait les convives à se vautrer eux aussi dans la débauche, et les plus jeunes, les plus ambitieux s'y livraient avec un entrain joyeux, cependant que l'empereur interpellait Sénèque qui, morose, ne s'abandonnait pas aux esclaves venus le caresser.

— N'est-ce pas toi, Sénèque, qui a dit : « Saisis-toi de toutes les heures ? Rien n'est à nous, seul le temps est nôtre » ? Tu as même ajouté : « Souviens-toi : tout ce que nous laissons derrière nous de notre existence, la mort l'aura en sa possession. » Alors, jouis, Sénèque ! Jouis, ton empereur l'ordonne !

J'étais humilié de voir le philosophe s'allonger, boire le vin qu'une esclave lui offrait, se soumettre ainsi à Néron. Lequel, tout à coup, frappant dans ses mains, exigeait que l'on reprît les controverses, qu'on improvisât des vers. Et il se tournait de nouveau vers Sénèque, lui reprochant de ne pas se donner, d'être économe de son savoir, de son talent.

— N'as-tu pas assez reçu, dis-moi, Sénèque ? Que veux-tu que je t'offre, quelles terres ? Tu es plus riche que l'empereur ! Parle donc, tu es sage, tu dois nous faire profiter de ta philosophie !

Sénèque souriait, inclinant la tête avec humilité.

— Je sais qu'il est trop tard pour épargner quand on arrive au fond du tonneau, répondait-il. Et j'y suis parvenu. Ce qui reste de vin, c'est bien peu et c'est la lie.

Néron se récriait, se mettait à chanter en s'accompagnant à la cithare, et les applaudissements crépitaient.

Jusqu'où ses penchants, ses curiosités, ses fantaisies, ses talents, ses perversions, ses vices, l'adulation qu'il suscitait, le conduiraient-ils ?

Son pouvoir ne rencontrait plus guère d'obstacles.

Les sénateurs qui refusaient de paraître sur scène ou de descendre dans l'arène comme l'exigeait Néron, afin, disaient-ils, de préserver la dignité de leur fonction et de marquer leur opposition à ces mœurs grecques et orientales qui empoisonnaient Rome n'étaient qu'une poignée.

Néron ne les condamnait pas à mort, comme je le craignais, mais à l'exil. Sénèque pouvait ainsi louer la clémence impériale et croire qu'il continuait lui-même à influencer son élève.

Mais je le sentais inquiet, amer.

De nouveaux sénateurs avides et ambitieux, dévoués à Néron qui les avait choisis parmi des familles modestes, puis promus, remplaçaient peu à peu les vieux pères de la Patrie qui, comme Thrasea Paetus – et Sénèque malgré tout –, restaient attachés aux vertus romaines, s'indignaient de la place prise par les histrions et par les mœurs nouvelles marquées du goût du plaisir et de la richesse vite acquise par n'importe quel moyen.

Il ne se passait pas de jour que je n'apprisse qu'un jeune noble, un chevalier, un sénateur, un magistrat avait extorqué la fortune d'un homme ou d'une femme vieillissants en s'offrant puis en se faisant coucher sur son testament à titre de légataire. Autant de crimes, de viols perpétrés par ceux qui auraient dû respecter le droit.

Les nouveaux sénateurs – Vitellius, Titus, Nerva, Vespasien, Terpilianus – n'avaient que le souci de s'enrichir et, pour cela, de complaire à Néron.

Vitellius et Nerva l'accompagnaient dans ses aventures nocturnes, participaient à ses viols, même s'il s'agissait de celui d'une prêtresse de la déesse Vesta, l'une de ces vierges qui devaient observer une chasteté totale sous peine d'être enterrées vives ! Que dire alors du sort des épouses ou des vierges rencontrées dans les ruelles, renversées, souillés puis abandonnées ?

Et c'était cet empereur-là que Sénèque espérait encore conseiller, retenir, alors qu'autour de lui les nouveaux sénateurs rivalisaient de bassesse pour recevoir récompenses et pouvoir ! Que pouvaient le vieux Sénèque et le vieux préfet du prétoire, Burrus ?

Chaque jour ils perdaient de l'influence, non seulement au profit des sénateurs les plus jeunes et les plus complices des débauches de Néron, mais aussi d'hommes qui étaient pires : les affranchis.

Ces anciens esclaves, qu'un coup de baguette ou une phrase dans le testament de leur maître avaient rendus libres, entouraient Néron, l'enivrant de leur servilité, l'aveuglant de leurs approbations et de leur admiration démesurée.

Ils voulaient accumuler des biens. Ils avaient un passé d'esclave à oublier. Ils ne connaissaient pas le sens du mot vertu. Et ils étaient d'autant plus méprisants et injustes envers ceux qu'ils pouvaient dominer qu'ils avaient eux-mêmes subi le mépris et l'injustice, et qu'ils continuaient de se comporter en esclaves avec plus puissants qu'eux.

Ils étaient chargés de l'administration du palais impérial, de celle des routes et des aqueducs. Mais ils veillaient aussi sur la chambre à coucher de Néron. Ils lui proposaient de jeunes vierges et de beaux éphèbes. Ils connaissaient tous ses secrets.

Ils courtisaient Poppée parce que Néron l'écoutait. Ils méprisaient Octavie parce que c'était encore l'épouse et qu'il fallait qu'elle disparût pour que Néron pût épouser Poppée et qu'ainsi se réalisât le vœu de cette femme intelligente, plus habile encore qu'Agrippine, et qui lui ressemblait tant.

Ces affranchis, Sénèque les haïssait, et eux-mêmes le craignaient et se méfiaient de lui, s'efforçant de le tenir loin de l'empereur.

Et comment Sénèque aurait-il pu rivaliser avec le jeune Sporus, l'« épousée » de Néron ?

Ou bien avec Helius, Phaon, Petinus, Pythagoras, Polyclitus, Epaphrodite, tous prêts à exécuter pour Néron les crimes les plus sombres, les besognes les plus sordides, à organiser les rencontres les plus perverses, les orgies les plus folles, à s'enfermer avec lui dans le vice et la débauche sans que jamais la morale ne vînt les retenir ?

Pour eux ne comptait que la dévotion qu'ils vouaient à Néron, mesurée par les richesses qu'ils en retiraient. Et elles étaient immenses.

Et même quand Néron retirait sa confiance à l'un d'eux – à Pallas qui avait servi Agrippine –, sa fortune demeurait. Pallas restait ainsi l'un des hommes les plus riches de Rome.

Qu'avait de commun Sénèque avec eux qui, désormais, formaient le proche entourage de Néron ?

Le philosophe, lui, s'interrogeait sur les limites de la richesse dont il disait qu'elle doit être bornée par la sagesse : « Le pauvre, ce n'est pas l'homme qui possède peu, mais celui qui désire plus qu'il n'a », répétait-il.

Mais qui pouvait encore entendre, dans le palais de Néron, une parole de sage ?

27

Moi aussi, en ces années-là, j'ai souvent oublié les leçons de sagesse de mon maître Sénèque.

Je connaissais cependant les perversions et les cruautés de Néron. Je n'ignorais rien des crimes qu'il avait ordonnés. Et j'avais reproché à Sénèque sa complaisance, sa complicité même à l'égard d'un empereur qui révélait chaque jour davantage sa nature sauvage et ses vices. Mais j'étais jeune, le corps plein de sève. Et Néron était fils d'Apollon, prince de la Jeunesse, et sa vitalité insouciante, ses dons, son goût du plaisir m'attiraient.

J'allais au palais impérial avec une inquiétude mêlée d'enthousiasme.

J'étais comme un conducteur de char qui retient ses chevaux et les excite avant le départ de la course.

J'attendais avec angoisse et impatience le moment de la soirée où les mots, la musique et les chants céderaient la place à l'orgie.

Je vidais ma coupe que les esclaves de Néron remplissaient aussitôt du vin de Falerne, d'Alba, de Caecubano, ces crus de Campanie et du Latium, ou bien de ceux, plus épais, d'Étrurie et de Sicile.

Mon regard se voilait. Mon âme s'assoupissait. Mes sens et mes désirs s'éveillaient. La salive humectait mes lèvres quand je voyais s'approcher de moi ces vierges et ces éphèbes auxquels leurs maîtres avaient appris depuis l'enfance à jouer de leurs doigts, de leur bouche, de leur sexe.

Ils étaient roués comme de vieilles putains racolant devant la porte de leurs lupanars. Mais ils avaient la beauté de l'innocence et je m'abandonnais à leurs mains, à leurs cuisses, à leurs lèvres.

Où étais-je ?

Mon corps alors se moquait bien de savoir si Néron était un empereur clément, un poète ou un citharède talentueux, un histrion oublieux de sa dignité qui pervertissait Rome avec ses folies grecques et orientales.

Lorsque, d'un geste, il renvoyait ces jeunes débauchés et qu'il commençait à chanter, je l'applaudissais aussi fort qu'un *Augustianus* ou un néronien. J'étais alangui, ivre de jouissance, et je remerciais ainsi cet empereur qui était le généreux ordonnateur de cette fête du plaisir.

Il appelait près de lui, au pied de l'estrade, des poètes et des musiciens dont le talent et la beauté étouffaient les quelques relents de conscience qui parfois venaient encore me troubler.

J'appréciais surtout Pétrone.

C'était un homme jeune, quoi qu'il eût occupé déjà des charges publiques où il avait, disait-on, excellé.

Il racontait d'une voix ironique des histoires de satyre, et je jalousais son talent.

Je riais des malices de l'un de ses personnages, séduisant et pervers, le jeune Giton qui faisait naître la jalousie de ses amants, les abandonnait, les retrouvait, se jouant d'eux avant de leur offrir son corps.

Pétrone se moquait aussi avec une verve féroce de ces affranchis riches et vulgaires qui organisaient des banquets pour se persuader qu'ils étaient enfin des hommes libres et respectés, mais dont le ridicule et la grossièreté se révélaient dans chacun de leurs gestes et de leurs paroles.

Néron paraissait aimer ce *Satyricon*, cette description d'orgies et de vices. Et je quittais le palais vacillant, appuyé parfois au bras de Sénèque, entourés par nos esclaves, le désir ravivé par la silhouette élancée de l'un d'eux et les invites que ses yeux me lançaient.

Puis il y avait le réveil, la tête lourde, le corps las, le sentiment que ma vie m'échappait comme le vin d'une amphore brisée, et qu'il ne restait au fond, comme disait Sénèque, que la lie.

Mon regard changeait.

Les esclaves qui, autour de moi, s'affairaient en silence, leurs pas semblant à peine frôler les dalles de marbre, je les voyais à présent comme des hommes et des femmes, et non plus seulement comme des outils capables de me servir et de me donner du plaisir.

Nous les reconnaissions bien comme appartenant à notre espèce, puisque nous affranchissions certains d'entre eux. Et ceux-là devenaient riches, puissants, administraient le palais impérial.

Je m'interrogeais sur le destin et les dieux qui décidaient que les uns échappent à leur condition servile et que les autres ne disposent d'aucun droit.

Je me souvenais en particulier de Nolis, le régisseur de ma villa de Capoue, un affranchi, un homme si vieux qu'il avait connu Gaius Fuscus Salinator, ce préteur de Crassus, qui avait, au temps de César, combattu dans la guerre de Spartacus ; il avait fait le récit de ces affrontements sauvages et du châtiment infligé aux rebelles, dont six mille avaient été crucifiés entre Capoue et Rome, le long de la via Appia.

J'étais dans ces dispositions d'esprit quand j'appris que le préfet de la ville, Pedanius Secundus, un ami de Sénèque, avait été assassiné par l'un de ses esclaves.

J'ai accompagné Sénèque à la villa où le crime avait été perpétré. Des soldats gardaient plusieurs centaines d'esclaves déjà enchaînés, recroquevillés les uns contre les autres, les femmes serrant leurs enfants contre elles, les hommes la tête rentrée dans les épaules, tous entassés, assis à même le sol, dans une pièce que la pénombre envahissait.

Je me suis promené avec Sénèque dans le parc de cette somptueuse demeure construite sur les pentes de l'Aventin.

Pedanius était riche et honoré. Il possédait, me

dit Sénèque, plus de quatre cents esclaves et des dizaines d'affranchis. Le meurtrier, qu'on avait déjà torturé puis abattu, avait sans doute été jaloux de son maître qui lui avait ravi son amant, un jeune garçon – un Giton, avais-je dit, me souvenant du *Satyricon* de Pétrone.

Et j'avais imaginé ce Giton excitant la jalousie de son amant esclave, aguichant le maître, si heureux de le séduire. Mais peut-être aussi celui-ci avait-il promis à l'esclave de l'affranchir et avait-il été payé pour cela, puis, parce qu'un maître à tous les droits, avait-il changé d'avis, gardant l'argent et ajoutant à cette forfaiture le rapt du Giton ?

Et l'esclave rendu fou avait tué le maître.

Alors que nous traversions les grandes salles de la villa, que nous découvrions fresques et statues, Sénèque a murmuré :

— Platon a déjà dit que les esclaves sont une propriété bien difficile.

Puis il s'est arrêté devant l'une des fresques qui représentait un énorme phallus posé sur le plateau d'une balance, l'autre plateau, quoique chargé de fruits, déséquilibré par le poids du membre en érection.

— Il y a un usage ancien, a repris Sénèque, qui veut que toute la domesticité qui se trouve sous le toit de la maison où le maître a été assassiné soit suppliciée.

J'ai pensé à ces femmes et à ces enfants entassés. Sénèque m'a regardé.

— Tous les esclaves, a-t-il répété, comme s'il avait partagé ma pensée, quels que soient leur âge et leur sexe. C'est ainsi.

Nous avons marché en silence et Sénèque s'est arrêté de nouveau.

— Aucune demeure ne peut être en sécurité, a-t-il dit, si les esclaves ne sont pas contraints, sous peine de mort, à assurer la protection de leur maître contre toute atteinte venant de l'intérieur ou de l'extérieur de la maison. Quand il y a eu meurtre, tous les esclaves doivent être torturés et mis à mort.

— Quatre cents, ai-je dit.

— La terreur est nécessaire.

En moi, quelque chose se révoltait contre ce que je ressentais comme une cruauté inique. J'avais envie de vomir.

— On ne peut pas appliquer cette règle, non, on ne doit pas !

Nous sommes sortis de la villa.

Les rues autour de l'Aventin étaient remplies d'une foule qui grondait, protestait contre le supplice.

Il n'y avait pourtant là que des citoyens, cette plèbe romaine qui, habituellement, se défiait des esclaves et les méprisait. Mais, sans doute comme moi, ressentait-elle du dégoût à la perspective de l'hécatombe qui se préparait.

J'ai supplié Sénèque d'intercéder auprès de Néron.

— Écoute la plèbe, ai-je dit. Chaque jour elle applaudit l'empereur. Elle le soutient. Elle lui sait gré de sa générosité. S'il accorde la grâce à ces innocents, elle l'acclamera.

Sénèque ne m'a pas répondu, mais, le jour même, il a obtenu de Néron que le Sénat juge cette affaire.

J'ai espéré que Sénèque plaiderait, lui qui avait fait de la clémence le principe d'une juste politique.

J'ai espéré que les sénateurs qui partageaient cette idée la défendraient.

Mais Sénèque s'est tu.

Et seul Gaius Cassius Longinus, que l'on disait grand juriste, a parlé. Chacun des mots qu'il a prononcés m'a accablé. Il a fustigé ceux qui contestaient l'obligation de punir.

— Allons-nous déclarer officiellement que ce maître a été assassiné à bon droit ? disait-il. Nos ancêtres déjà tenaient pour suspecte la nature des esclaves, même au temps où ils naissaient sur les terres ou dans la maison où ils devaient vivre et où ils apprenaient aussitôt à aimer leur maître. Mais, depuis que nous avons parmi nos gens des peuples qui ont des façons de vivre différentes, des religions étrangères, ou aucune, ce ramassis ne saurait être retenu que par la peur.

Ce « ramassis », c'étaient des hommes, des femmes, des enfants.

— Mais, dira-t-on, poursuivait Gaius Cassius Longinus, des innocents vont périr. Oui, et aussi dans une armée qui a connu la déroute, lorsqu'un soldat sur dix meurt sous le bâton, les braves sont tirés au sort. Tout grand châtiment a quelque chose d'injuste à l'égard des individus mais est compensé par l'intérêt général.

J'étais bouleversé.

J'ai quitté le Sénat, sûr de sa décision.

Il faisait nuit.

Une foule menaçante, brandissant des torches et lançant des pierres, s'était assemblée, criant qu'elle s'opposerait au supplice des quatre cents innocents.

Mais déjà Néron avait dans un édit blâmé le peuple, écrit que la décision du Sénat était juste et serait exécutée. Il précisait qu'il s'était opposé à ce que les affranchis de Pedanius Secundus, comme le voulaient certains sénateurs, fussent déportés hors d'Italie.

— La règle antique, disait Néron, que la pitié n'a pas adoucie, ne doit pas être aggravée par cruauté.

J'étais sûr que Sénèque était l'auteur de cette phrase.

J'ai déambulé à travers la ville.

J'ai vu des soldats prendre position, épaule contre épaule, tout au long du trajet que les condamnés devaient suivre pour se rendre sur le lieu de leur supplice, les boucliers formant une ligne continue, les glaives hors du fourreau brillant dans la nuit éclairée par les torches.

J'ai entendu les gémissements des esclaves, le piétinement de leur troupeau. J'ai deviné leurs corps entravés qui s'approchaient.

J'ai fui pour ne pas voir leurs visages.

Ils n'étaient point d'abord esclaves, mais hommes, comme moi.

Cette évidence nouvelle m'a aveuglé.

Et, pour la première fois de ma vie, j'ai pleuré sur le sort d'inconnus, tout simplement parce qu'ils étaient des hommes qui allaient injustement mourir.

28

Ces esclaves suppliciés m'ont hanté.

J'ai tenté en vain de les chasser de mon esprit.

Je ne comprenais pas les raisons de mon émotion et du désespoir qui m'accablait : n'avais-je pas toute ma vie profité de leur soumission, abusé de leurs corps ? ne les avais-je pas considérés moi aussi comme des outils parlants, des sortes d'animaux domestiques à visage humain ?

Et, depuis l'origine du monde, n'avait-il pas toujours existé des esclaves, plus nombreux et plus utiles que les chiens ou les chevaux, leur présence innombrable permettant aux hommes que les dieux et le destin avaient choisis, d'échapper au travail des mines, au dur labeur des moissons, à toutes ces besognes serviles sans lesquelles les galères ne pouvaient avancer, les armes être forgées, le grain moulu, le raisin vendangé et pressé, les villas construites, les vêtements tissés, les amphores et les tuiles façonnées et cuites ?

Pourquoi et comment concevoir un autre monde ?

Et puisque, dans l'empire de Rome, pour un citoyen il y avait au moins neuf esclaves, il fallait bien qu'on empêchât cette foule servile de se révolter, qu'on la domptât comme on fait d'une monture, d'un fauve !

Et pour avoir lu le récit de la guerre de Spartacus écrit par Gaius Fuscus Salinator, l'un des ancêtres de ma famille, je savais que lorsque les esclaves se rebellaient, ils saccageaient, détruisaient, violaient, tuaient, brisaient les statues, incendiaient villas et moissons.

Leur monde était plus sauvage que le nôtre. Il n'y avait plus pour eux ni lois ni limites. Villes et campagnes devenaient tout entières des arènes où les hommes étaient livrés aux fauves.

Le châtiment et la terreur étaient donc nécessaires. Sénèque, mon maître en sagesse, l'avait dit.

Et au Sénat, avec force et rigueur, dénonçant la trahison de l'esclave criminel qui avait assassiné Pedanius Secundus, préfet de la ville, Gaius Cassius Longinus avait insisté sur les périls qui résulteraient de l'indulgence accordée aux autres esclaves de la maison.

— Qui sera protégé par le nombre de ses esclaves alors que quatre cents d'entre eux n'ont pas sauvé Pedanius Secundus ? avait demandé Gaius Cassius Longinus. Qui sera secouru par les gens de sa maison qui, même par peur, ne peuvent détourner de nous les périls ?

Il fallait donc condamner et tuer ces esclaves, hommes, femmes, enfants.

J'ai cent fois repris ces arguments dans ma solitude nocturne.

J'ai répété les mots de Platon que Sénèque avait cités : « Les esclaves sont une propriété bien difficile. »

Les maîtres grecs n'y avaient pourtant jamais renoncé.

Tout cela aurait dû me convaincre et m'apaiser. Au contraire, j'étais accablé, incapable de trouver le sommeil.

C'était déjà l'aube.

Je me suis levé. J'ai quitté la villa et, dans les rues encombrées par les charrois et la foule des esclaves courbés sous leur faix ou portant des amphores, j'ai marché vers le forum Boarium.

Là, les quatre cents esclaves de Pedanius Secundus avaient été suppliciés.

Au fur et à mesure que je me rapprochais de ce quartier où coulait la Cloaca maxima qui recueillait les eaux putrides de la ville, j'ai remarqué des groupes d'hommes et de femmes – celles-ci souvent enveloppées de voiles noirs – qui se dirigeaient eux aussi vers le forum Boarium.

Ils avançaient serrés les uns contre les autres, les visages graves mais paisibles.

Ils murmuraient une sorte de mélopée accordée à leur lente démarche. Leurs mains étaient jointes, placées devant leurs lèvres.

J'ai pensé qu'il s'agissait de juifs.

Sénèque, qui les méprisait, assurait qu'ils corrompaient Rome, qu'ils étaient chaque jour plus nombreux dans la ville, peut-être l'équivalent de l'effectif de cinq ou six légions. Ils se déversaient avec leur religion comme si une cloaca maxima les portait jusqu'ici.

Ils avaient leurs entrées au palais de l'Empereur, Poppée les défendait ; peut-être elle-même était-elle juive. Néron l'écoutait, oubliant qu'en Palestine, à Jérusalem, leurs bandes fanatiques, les Sicaires, harcelaient les troupes romaines, cependant que leurs prêtres, ces prétentieux rabbins, tentaient d'imposer leur loi au procurateur de Rome.

J'ai dépassé ces groupes et, au bout de quelques centaines de pas, j'ai découvert, derrière une ligne de soldats, un vaste champ mamelonné sur lequel se dressait la lugubre forêt des croix des suppliciés, et les bûchers qui achevaient de se consumer.

Des femmes et des hommes étaient agenouillés devant les soldats.

Je me suis approché. Dans les fumées qui s'élevaient encore des bûchers.

J'ai deviné les corps enchevêtrés et calcinés des femmes et des enfants. Les hommes, eux, avaient été crucifiés.

Au-dessus des bois les oiseaux tournoyaient.

J'ai reconnu le même murmure que j'avais entendu tout au long de la route.

Un homme aux cheveux longs, maigre, une barbe lui noircissant le visage, allait, effleurant de la main les hommes et les femmes agenouillés.

J'ai croisé son regard dont la lumineuse intensité et la fixité m'ont frappé.

J'étais pétrifié.

J'ai pensé aux six mille croix que Crassus avait fait dresser le long de la via Appia pour marquer sa victoire sur Spartacus.

Combien étaient-elles ici ? Peut-être trois cents.

Et, comme le soleil se levait au-dessus des collines de Rome, j'ai distingué les corps brisés, cloués des esclaves de Pedanius Secundus.

L'homme maigre est venu vers moi et s'est immobilisé à un pas.

— Mon nom est Linus. Je crois au Dieu Christos. Certains de ces esclaves étaient nos frères et sœurs, tous fils de Christos. Notre Seigneur, celui qui a été crucifié et qui est ressuscité des morts. Ceux-là ressusciteront aussi.

Je connaissais la secte de Christos. Le Juif ainsi nommé l'avait créée, puis ses disciples avaient été pourchassés par les prêtres juifs. Au palais, c'étaient les Juifs qui traquaient ses membres.

Ils étaient les « ennemis du genre humain ».

On disait qu'ils empoisonnaient l'eau des aqueducs et des fontaines, qu'ils allumaient des incendies, refusaient les sacrifices en l'honneur de l'empereur et des dieux de Rome.

Ils insultaient les ancêtres du peuple romain et ignoraient les temples et les sanctuaires, ne songeant qu'à les brûler.

On assurait qu'ils étaient capables de tous les crimes, même les plus atroces, allant jusqu'à se nourrir de la chair des enfants.

Leur culte était une sombre superstition, funeste à l'Empire. Et pourtant leur nombre s'accroissait sans cesse.

Le devin Balbilus, astrologue et mathématicien, défenseur de la religion des ancêtres, affirmait qu'ils étaient comme les mauvaises herbes qui repoussent toujours.

Parmi eux il y avait des Juifs convertis à la religion de la secte, mais la plupart des nouveaux adeptes étaient des Romains de la plèbe, des esclaves, et même quelques citoyens appartenant aux familles nobles de la ville.

On murmurait qu'Acté, l'affranchie qui avait partagé la couche de Néron et ses débauches, avait été attirée par cette superstition et qu'elle priait elle aussi Christos.

Les femmes étaient séduites parce que la secte prêchait la chasteté, refusait les perversions, vantait la réserve, le refus des vices et des mœurs nouvelles à la grecque.

On ne les avait jamais vus participer à ces processions qui parcouraient la ville, portant comme un emblème sacré un phallus.

Eux refusaient même la circoncision !

Sénèque avait rapporté que Néron s'inquiétait du développement de cette secte qui refusait de le reconnaître pour le fils d'Apollon, le bienfaiteur de la plèbe, le meilleur des empereurs, qui donnait au peuple de Rome le grain et les jeux et s'offrait à lui pour l'enchanter de sa voix, des accords de sa cithare, de toutes les facettes de son talent. Ces barbares ne croyaient pas au plaisir, à la jouissance, à la « félicité » des temps.

Qui étaient-ils ? Des criminels ! Des immondices qui ne valaient pas mieux que celles que drainait la Cloaca maxima.

Et, cependant, je les voyais agenouillés, sereins malgré ces croix et ces bûchers.

J'entendais leurs prières. Je devinais dans leur murmure le nom de Christos, dieu crucifié et ressuscité, qu'ils invoquaient. Ils me paraissaient humbles et soumis.

L'homme maigre me dit :

— Tu ignores tout de Notre Seigneur Christos, de son enseignement, des temps qui viennent, de la résurrection qu'il annonce pour tous les morts.

Puis il a élevé la voix :

— Pour Lui, grâce à Lui, nous supportons tous les jours la mort. Nous sommes comme des brebis destinées à la boucherie.

Il a tendu le bras vers les croix et les bûchers.

— Mais nous croyons en Lui et nous serons ressuscités. Le reste n'est rien. Le monde n'est rien. Seul Christos et notre foi existent. Rejoins-nous et tu sauras. La foi en Christos éclairera ta vie.

Tout à coup, dans un élan qui m'a surpris, fait reculer, il a saisi mes bras au-dessus du coude, si proche de moi que j'ai été contraint de détourner la tête pour échapper à ses yeux exorbités.

Mais il m'a empoigné plus durement, comme pour me contraindre à le regarder.

— L'heure est venue de te réveiller ! m'a-t-il dit. Ton salut pour l'éternité est dans les mains de Christos. Prie-le ! Honore-le ! La nuit est passée. Le jour approche. Laisse donc là les œuvres des ténèbres et revêts les armes de lumière. Marche honnêtement, comme il convient de faire en plein jour, non dans les festins et les orgies, les impuretés et la débauche, les disputes et la jalousie.

Rejoins Christos, et prends garde que le soin de la chair ne dégénère en désirs !

Il s'est éloigné de quelques pas, puis, défiant les soldats qui pointaient leurs javelots vers lui, il a crié :

— Prions Christos ! Vos frères et sœurs vont ressusciter ! La nuit est passée, le jour approche !

Il s'est agenouillé un peu à l'écart des autres.

Je suis resté quelques instants au milieu de ces gens que j'avais dépassés le long de la route et qui, au fur et à mesure qu'ils arrivaient, tombaient à genoux, continuaient de chanter, mais un ton plus haut, leur mélopée, semblant ne pas être anéantis, apeurés ou révoltés par la vue de ces croix et de ces bûchers ni par les cris aigus des oiseaux dont certains commençaient à se poser sur les têtes et les épaules des crucifiés pour mieux leur picorer le visage.

L'attitude de ces hommes et de ces femmes, leurs prières me calmaient. Le désespoir qui m'avait étreint toute la nuit se dissipait.

Je me suis éloigné, croisant, alors que je me dirigeais vers la villa de Sénèque, des gladiateurs, des gens de la plèbe armés de bâtons qui hurlaient qu'il fallait nettoyer Rome de cette vermine, de ces étrangers sacrilèges qui attiraient les foudres des dieux en colère sur l'empereur, sur la ville et sur le peuple de Rome.

Ils m'ont bousculé, repoussé contre les façades. Leurs visages étaient haineux, leurs yeux égarés, ils criaient leur désir de meurtre.

Il y avait moins d'une nuit, la plèbe avait protesté contre la condamnation et le supplice des esclaves de Pedanius Secundus, et maintenant, sans doute excitée par ces gladiateurs qui obéissaient aux ordres de Néron, elle s'apprêtait à frapper les sectateurs de Christos qui se contentaient de prier au pied des croix et des bûchers pour les esclaves suppliciés.

J'ai eu besoin de raconter à Sénèque ce que j'avais vu et éprouvé.

Je l'ai retrouvé penché sur ses tablettes, mais les paumes à plat sur son écritoire, le stylet posé devant lui.

Les lampes à huile fumaient, épaississant ainsi la pénombre qui, malgré le soleil déjà haut, stagnait dans cette petite pièce retirée, loin de l'atrium et du vestibule.

Sénèque me fit signe de prendre place en face de lui, sur le lit où lui-même habituellement se reposait.

Il arrivait du palais de Néron, à l'issue de l'un de ces banquets où l'on improvisait chants, musique, poésie et scènes d'orgie.

— Notre temps s'achève, me dit Sénèque avant même de m'écouter. Néron est emporté par sa nature. Burrus est peu à peu écarté, comme moi.

Il a ouvert les bras.

— Pourquoi nous désoler ? Quand la mort t'approche, pourquoi la craindre ? Ou bien elle te frappe, ou bien elle passe. Elle ne peut coexister avec toi.

Je l'ai interrompu.

Je lui ai dit que j'avais vu la lugubre forêt des croix et des bûchers, rencontré des disciples de

Christos agenouillés, et que j'avais croisé la plèbe et les gladiateurs qui allaient les agresser, les tuer sans doute.

Sénèque a hoché la tête.

À la caserne des prétoriens, sur le conseil de Burrus, qui commandait ces soldats, il avait rencontré un détenu qui passait pour un maître de la religion de Christos. Cet homme avait été emprisonné en Palestine non pour avoir suscité la révolte contre Rome, mais parce que sa prédication gênait les défenseurs de la Loi juive. Les rabbins avaient dénoncé au procurateur ce Paul qui arrivait de Tarse. Et il avait fallu leur arracher de force cet homme que les prêtres juifs voulaient lapider.

— Je l'ai vu, a poursuivi Sénèque. C'est un petit homme chauve, un citoyen romain. Laid, les jambes arquées et malingres, le nez busqué, le teint sombre, c'est un Juif de Tarse à l'esprit aguerri. Il a tenté de me convaincre. Burrus voulait que je l'entende plaider que le culte de Christos est un culte de raison, sans autre sacrifice que celui de soi-même, qu'il est différent de celui des Juifs, qu'un adepte de Christos doit servir Dieu dont la nouveauté est dans l'esprit et non dans la vétusté de la lettre. Ainsi, il refuse la circoncision et m'a dit : « Nous sommes circoncis en Christos. » Je l'ai senti surtout soucieux de m'assurer, moi dont il sait que j'approche l'empereur chaque jour – il s'illusionne sur mon influence, mais je ne l'ai pas détrompé –, que la religion de Christos, contrairement à celle des Juifs, ne constitue en rien une menace pour l'Empire : « Je dis, j'écris dans mes épîtres qu'un disciple de Christos doit être un sujet soumis non seulement par crainte du châtiment, mais aussi par devoir de conscience. Les souverains, en effet, sont des fonctionnaires de Dieu, occupés à remplir l'office qu'Il leur a imposé. Le croyant en Christos doit rendre à chacun ce qui lui est dû. À qui vous devez payer l'impôt, payez l'impôt. À qui payer la redevance, payez la redevance. À qui la crainte, payez la crainte. À qui l'honneur, payez l'honneur... »

— Ils priaient pour les esclaves suppliciés, ai-je observé.

Sénèque s'est levé et est venu s'asseoir près de moi sur la couche étroite.

— Ils ne condamnent pas l'esclavage, a-t-il répondu. J'ai appris que les familles nobles de Rome qui sont de la secte disposent d'esclaves qui partagent leur foi. Elles ne les affranchissent pas mais les traitent avec bienveillance.

Je me suis redressé. J'ai osé, moi, l'élève, mettre mes deux mains sur les épaules de mon maître, le questionner avec anxiété :

— Que penses-tu d'eux ?

— Je n'ai jamais vu un homme revenir du royaume de la mort, a-t-il murmuré. Mais ils croient que Christos a ressuscité et que les morts, un jour, comme lui, se relèveront.

— Tu crois à l'immortalité de l'âme, maître. Tu me l'as répété tant de fois !

Sénèque a souri.

— Il faut user de tout, et même de cette pensée, avec mesure. Or les disciples de Christos ne connaissent que la démesure. Ils croient à la résurrection et donc refusent les plaisirs de la vie. Ni viande, ni vin, quelques légumes et un peu d'eau.

Et tu en souffrirais, Serenus : ils condamnent ces orgies auxquelles il ne t'a pas déplu de t'abandonner avec entrain. Tu as remercié Néron de t'avoir offert vierges et éphèbes. Je t'ai observé !

Il s'est esclaffé.

— Mais peut-être ce Paul de Tarse est-il le plus austère des disciples de Christos ? Et d'autres sont-ils sans doute plus sages que lui...

Il a fait une moue.

— J'ai moi aussi, en Égypte, autrefois, quand la mort me paraissait si éloignée que j'en oubliais le plaisir de vivre, été un ascète qui se nourrissait de quelques figues. Depuis que la mort est proche, je savoure la plus petite des gorgées de vin de ma vigne de Falerne.

Il est resté un long moment silencieux, puis a continué :

— Ce qui m'étonne, c'est le dieu qu'ils se sont choisi, ce Christos. Toutes les religions, la nôtre ou celle des Grecs ou des Égyptiens, vénèrent des dieux puissants. Ils prient les empereurs. Le nôtre est fils d'Apollon. C'est un prince solaire, le glorieux empereur du genre humain. Or ce Christos me semble bien humble, portant non pas la couronne d'or ou de laurier du triomphe, mais celle d'épines du condamné. Et il a été crucifié comme un esclave.

Il s'est penché vers moi.

— Mais là est peut-être sa force ? Les esclaves sont si nombreux..., a-t-il ajouté.

Puis il s'est écarté lentement, concluant dans un murmure :

— Nous sommes tous menacés de devenir esclaves et de périr comme eux.

SEPTIÈME PARTIE

29

Dans les jours qui ont suivi le supplice des esclaves de Pedanius Secundus, j'ai songé à quitter Rome.

J'étais retourné au forum Boarium. Les cendres des bûchers avaient été dispersées, les croix abattues.

En écoutant les soldats et les gladiateurs qui s'exerçaient sur ce terrain gorgé du sang de tous les torturés, j'avais appris que les corps des crucifiés avaient été jetés aux fauves dans les fossés qui entouraient les amphithéâtres.

J'avais entendu les ricanements de ces hommes qui se moquaient des esclaves disciples de Christos et du fait que ceux-ci croyaient à leur résurrection. Les gladiateurs s'esclaffaient : jamais ils n'avaient vu un corps dépecé par les crocs et les griffes d'un lion, d'un tigre ou d'un ours se remettre debout, entier, comme un vivant.

Ils méprisaient ces fables orientales et, après s'en être gobergés, ils recommençaient à se battre. Souvent, la passion les emportait, et, au lieu de se livrer à un simple exercice, ils s'affrontaient jusqu'à la mort.

L'on m'a assuré que parmi les spectateurs venus assister à ces combats se trouvait souvent Néron, le visage caché par un pan de sa toge, encourageant les combattants, les incitant à s'entre-tuer, offrant des récompenses à ceux qui survivraient.

— Néron aime le sang, a épilogué Sénèque.

Néron, me disait-il, avait fait venir d'Égypte un homme aux yeux rouges, aux canines de loup, qui était habitué à se nourrir de chair crue comme une bête sauvage. Et il avait tenu à ce qu'on livrât à cet Égyptien des hommes à déchiqueter, à dévorer. L'empereur avait assisté à ce carnage, puis il avait convoqué au palais toutes les courtisanes, les matrones, les putains des bas-fonds, toutes les joueuses de flûte de Rome afin qu'on l'amuse et le surprenne.

Il avait déclaré à Sénèque :

— Nul empereur jusqu'à moi, vois-tu, n'a su tout ce qui lui était permis d'ordonner et de faire.

Il avait appelé son « épouse », son affranchi châtré, ce Sporus maquillé et habillé comme Poppée, il l'avait chevauché et pénétré comme on fait d'une femme, disant :

— Nul homme ne respecte la pudeur, mais moi j'ose au su et au vu de tous ce qu'aucun empereur n'a osé avant moi !

Puis il avait exigé que l'on versât de la neige dans son bain afin que l'eau fût plus fraîche. Et il avait menacé de mort ceux qui tentaient de lui remontrer qu'il était difficile de transporter de la neige des Apennins jusqu'à Rome.

— Je suis empereur du genre humain ! avait-il crié. Qui ose refuser de satisfaire les désirs et la volonté du fils d'Apollon ?

Ses affranchis, ses courtisans, ses délateurs, tout cet entourage avide qui espérait recevoir sa récompense, l'applaudissaient.

On se pâmait en voyant Néron paré chaque jour de bagues, de diadèmes, de colliers, de vêtements nouveaux.

On l'approuvait d'exiger que, lorsqu'il songeait à pêcher, on lui tressât un filet doré retenu par des cordes pourpres et écarlates. Ses mules devaient être ferrées d'argent, ses muletiers revêtus de laine de Canusium, ville d'Apulie célèbre pour la qualité de ses tissages.

Lorsqu'il jouait aux dés, c'était à quatre mille sesterces le point, et si un histrion, un acteur, un jongleur, un citharède le divertissait, il lui offrait des villas, des coffres remplis de sesterces, mais il pouvait aussi le dépouiller, l'exiler, le faire rouer à mort si l'homme avait déplu ou s'était montré meilleur que Néron dans l'exercice de son talent.

L'empereur voulait tout éprouver, le plaisir du lupanar comme la fureur du viol. Et, lorsqu'il se rendait de Rome à Ostie, il ordonnait que toutes les putains de Rome se tinssent sur les bords du Tibre, devant des tavernes créées pour l'occasion, et que, cambrant leurs corps, ouvrant leurs cuisses, elles l'invitent à le visiter.

Son émeraude sur l'œil gauche, Néron les examinait avec avidité, grognant de plaisir. Puis il s'asseyait à la poupe du navire, demandait à un poète de sa cour de réciter quelques vers, et, lorsque l'un d'eux avait déclaré : « Après ma mort, que la terre disparaisse dans le feu ! », Néron s'était récrié :

— Mais non, que ce soit de mon vivant !

Et tous ceux qui l'entouraient l'avaient acclamé, vantant sa verve et son génie de l'improvisation.

Comme Néron, je me suis rendu à Ostie.

Je voulais embarquer sur un navire que la fortune et les dieux me désigneraient et dont je souhaitais qu'il m'emportât dans quelque province de l'Empire, de l'autre côté de la mer, peut-être en Arménie où les troupes de Corbulon affrontaient toujours les Parthes. Ou bien à Jérusalem : la ville des Juifs m'attirait.

Poppée avait reçu le grand prêtre de la ville et avait convaincu Néron d'accepter la requête du Juif qui voulait que son peuple fût autorisé à élever un grand mur séparant le Temple de Jérusalem du palais du roi Hérode.

J'étais curieux de ce peuple juif, de cette secte de Christos qui en était issue, de la querelle qui les opposait. Depuis le supplice des esclaves de Pedanius, les Juifs de Rome avaient dénoncé ceux qu'on appelait les « chrétiens » comme des ennemis de l'empereur du genre humain. Certains membres de la secte de Christos avaient été livrés aux bêtes, les membres liés, sans pouvoir se défendre. Et, une fois encore, la plèbe les avait invités, dans l'amphithéâtre, au milieu des rires, à ressusciter comme leur Christos l'avait fait.

J'étais aussi tenté de gagner une ville de la Gaule narbonnaise, Massalia, où se trouvait en exil le noble Sulla qui avait défié Néron, ou encore de me rendre en Asie où vivait, lui aussi chassé de Rome, Rubellius Plautus, entouré de quelques sages stoïciens.

Peut-être ces hommes-là, un jour, soulèveraient-ils les provinces contre un empereur d'à peine vingt-cinq ans dont la tyrannie, le désir fou de vouloir tout et de tout pouvoir s'affirmaient chaque jour davantage.

Mais quand je suis arrivé à Ostie, une tempête comme jamais de mémoire d'homme on n'en avait vue avait dressé contre les quais et les rochers près de deux cents navires, coques brisées, équipages souvent noyés, et qui gisaient comme des épaves démâtées que les vagues et les pluies d'averse achevaient de submerger.

Je suis resté face à la mer grise, cette divinité échevelée qui me faisait ainsi savoir qu'elle se refusait à satisfaire mon désir, qu'elle voulait que je demeurasse à Rome.

Je suis donc rentré. Et il m'a semblé que je découvrais pour la première fois cette ville qui m'avait jadis attiré et même séduit, bien que j'eusse su la corruption et la violence qu'elle recelait, les crimes qui s'y perpétraient, la débauche qui la rongeait.

Mais j'avais aimé y côtoyer des citoyens de tout l'Empire, faire partie de ce cercle des amis de Sénèque, et même, je l'ai déjà avoué, avoir mes entrées dans le palais impérial et m'y vautrer dans les orgies dorées que Néron offrait à ses convives.

Avais-je à ce point changé ?

Je ne percevais plus de Rome que ses rictus et sa cruauté.

Elle puait.

Elle exhibait ses seins, ses phallus. Tout y était à vendre, le corps d'un enfant ou d'un éphèbe, celui d'une épouse ou d'une vierge.

Je voyais, comme si elles venaient seulement de se constituer, ces bandes de voleurs et de violeurs, ces gladiateurs qui recherchaient les rixes, et peut-être – je le savais depuis longtemps, et cela m'avait indigné –, parmi eux, Néron, grimé, masqué, mais le plus dévoyé, capable de violer une prêtresse ou un éphèbe.

L'on disait même qu'il avait abusé d'un jeune enfant avant de l'envoyer à la mort parce qu'il craignait l'ambition et la rivalité de sa famille, celle des Aulus Plautius. La mère de l'enfant, Pompeia Graecina, avait depuis lors rejoint la secte de Christos. On ne l'avait plus vue que vêtue de noir, austère, si digne cependant que même Néron ou l'un de ses affranchis, prêts à toutes les infamies, n'avaient osé la frapper.

J'avais vu cela et l'avais accepté, comme si les autres facettes de la ville compensaient sa noirceur.

Maintenant, c'était cette obscurité sordide qui s'imposait à moi.

Quand j'ai retrouvé Sénèque, j'ai su que, même si j'étais devenu différent, la ville aussi avait changé.

La nuit s'était épaissie. Néron révélait le fond de ses désirs. Un temps réduits au silence, les délateurs étaient à nouveau à l'affût, dénonçant la moindre réserve à l'égard de l'empereur.

Les nouveaux sénateurs – les Vitellius, les Nerva – étaient aux ordres de Néron. Ils dénonçaient Thrasea Paetus qui, au Sénat, rassemblait autour de lui les quelques pères de la Patrie décidés à s'opposer à la tyrannie.

On disait qu'avec ses amis stoïciens Thrasea célébrait par des festins les anniversaires de Cassius et de Brutus, les assassins de César. Et qu'il considérait Sénèque comme un jouisseur, un stoïcien de cour qui servait Néron par ambition et pour accroître sa fortune.

Je souffrais de ces accusations portées contre mon maître.

Il me paraissait vieilli, déçu, non par ce que Thrasea pensait de lui, mais à cause de l'échec de sa politique.

Néron s'abandonnait à sa nature sauvage. Devenu un autocrate, un tyran, il rêvait non pas d'établir – comme le lui avait conseillé Sénèque – un équilibre entre le pouvoir impérial et celui du Sénat, mais une monarchie orientale telle que les Grecs en avaient implanté dans leurs colonies. Il ne supportait plus que l'on ne s'enthousiasmât pas devant les spectacles et les jeux où il apparaissait, histrion et conducteur de char, ou qu'on refusât d'exécuter la moindre de ses volontés.

Il avait ainsi décidé de faire condamner le préteur Antistius Sosianus qui avait, au cours d'un banquet, récité quelques vers satiriques qui ridiculisaient l'empereur.

— Crime de lèse-majesté ! avait murmuré Sénèque en me rapportant l'incident.

Un délateur – Cossutianus Capito – avait dénoncé Antistius à Néron. Celui-ci avait saisi le Sénat pour qu'on appliquât au coupable le châtiment prévu. Il devait être battu à coups de verge puis décapité. Thrasea avait refusé d'approuver cette condamnation et beaucoup de sénateurs s'étaient ralliés à lui, déchaînant la colère de Néron.

— Il a fait mine d'accepter la position du Sénat, avait précisé Sénèque. Antistius ne sera ni battu ni décapité, mais dépouillé de ses biens et exilé. Pourtant, crois-moi, Néron n'oubliera ni Antistius, ni Thrasea, ni moi, qui ne l'ai pas approuvé.

Nous étions assis épaule contre épaule dans le parc de sa villa que nous avions parcouru, selon notre habitude, tout en devisant.

Il s'est penché en avant comme si quelqu'un avait pesé sur sa nuque.

— Serenus, la mort s'avance vers nous, a-t-il soupiré.

30

Cette mort que Sénèque voyait s'avancer, je la rencontrais à chaque pas que je faisais dans Rome.

Elle était ce Germain de la garde de Néron qui brisait les os d'un homme dont le corps disloqué s'effondrait sur le pavé, au milieu de la foule acclamant l'empereur.

L'homme avait ricané en voyant Néron jouer de la flûte, entouré d'acteurs, de citharèdes. Un de ces délateurs qui recevaient chaque jour une poignée de sesterces avait couru jusqu'aux prétoriens de Néron et montré l'homme du doigt. La foule s'était écartée, les soldats avaient empoigné l'homme aux épaules, et l'un d'eux, ce Germain, avait entrepris de le rouer de coups.

Le corps était resté étendu sur les pavés et des chiens errants venaient le flairer, lécher le sang qui s'était répandu, lacérer les vêtements et bientôt les chairs.

Plus loin, dans une ruelle du quartier du Velabre, la mort avait le visage de ces hommes, de ces femmes et de ces enfants en train de lapider un couple qui, les bras levés, tentait de se protéger le visage. À chaque fois que les pierres atteignaient les corps collés l'un contre l'autre, des cris, des rires s'élevaient.

Une voix lançait :

— Chrétiens, vous allez ressusciter ! Priez votre Dieu !

Et une nouvelle volée de silex accompagnait ces mots.

Je regagnais la villa de Sénèque.

Il semblait ne pas avoir bougé, et pourtant, plusieurs heures, parfois plusieurs jours s'étaient écoulés, mais je le retrouvais assis à la même place, non loin des cyprès et de cette statue d'Apollon qu'il avait fait édifier dans son jardin, là où il avait l'habitude de méditer, peut-être en hommage au dieu qui, selon lui ou selon ce qu'il avait voulu faire accroire – inspirait Néron.

Je m'asseyais près de lui.

Nous restions d'abord silencieux, puis, comme si nous reprenions, après un court silence, une conversation interrompue, il murmurait :

— Ce n'est en rien un grand mal, celui qui marque le terme de tous les autres.

Il levait la tête, me regardait, poursuivait :

— Serenus, médite chaque jour aux moyens de quitter sereinement la vie à laquelle beaucoup s'accrochent et se retiennent comme ceux qui, emportés par les flots d'un torrent, s'agrippent aux ronces et aux rochers. La plupart des hommes sont lamentablement ballottés entre la crainte de la mort et les tourments de la vie, se refusant à vivre et ne sachant pas mourir. Aucun bien ne satisfait celui qui le possède si de lui-même il n'est pas prêt à le perdre.

Un jour, Sénèque s'interrompit pour m'annoncer que notre ami, le préfet du prétoire Burrus, venait de mourir.

Il avait depuis quelques jours la gorge qui enflait ; une grosseur, comme un morceau de viande qu'on n'a pas mâché et qui obstrue, l'empêchait de respirer.

Néron lui avait dépêché ses médecins, et l'un d'eux avait enduit le palais de Burrus d'une pommade censée dissoudre cette protubérance. Mais, au contraire, elle avait encore enflé, et lorsque Néron, tel une hyène, était venu se pencher sur le corps du préfet du prétoire, s'inquiétant comme un acteur qui, de manière grandiloquente, joue la compassion et l'amitié désespérée, Burrus avait murmuré dans un dernier effort : « Moi, je vais bien. »

— C'est la réponse de Scipion au centurion de César vainqueur venu le tuer, conclut Sénèque.

Sénèque croisa les mains, calant son front sur ses deux pouces et ajoutant, sur le ton d'une oraison funèbre :

— J'aimais Burrus. Je l'ai connu quand il arrivait de Vasio, sa ville natale, en Gaule narbonnaise. C'était un homme droit qui voulait comme moi la clémence et l'équilibre. Auprès de Néron, nous étions tour à tour la lame et la poignée du glaive. Nous avons espéré ensemble que Néron serait un jeune et juste empereur du genre humain. Nous avons essayé de le retenir. Burrus l'a empêché de commettre plusieurs crimes. Si Rubellius Plautus vit en Asie sur ses domaines au lieu d'avoir été contraint de se trancher la gorge, si Sulla vit à Marseille et n'a pas été jeté dans une fosse aux lions, c'est à Burrus qu'ils le doivent. Et si Octavie n'a pas encore été répudiée par Néron, c'est que Burrus s'y est opposé. Nous étions le glaive de la clémence et de la sagesse. Burrus est mort. Le glaive est brisé. Je ne suis plus ni la lame ni la poignée, mais un tronçon inutile dont Néron va se défaire dès qu'il le jugera bon.

Sénèque ne paraissait pourtant ni inquiet ni désespéré. Seulement las.

— J'ai souvent dit à Burrus : « Ne te fie pas à la tranquillité dont tu jouis. En un instant, la mer est bouleversée ; le même jour, dans la vague même dont ils se jouaient, des navires sont engloutis. »

Sénèque ferma les yeux, toutes ses rides sont devenues plus profondes. Son visage avait pris une expression douloureuse.

— Burrus est englouti, avait-il murmuré. La vague s'est refermée sur lui et va se rouvrir pour moi.

Je m'étais insurgé contre cette acceptation d'un sort funeste.

Sénèque n'était-il pas toujours l'ami de Néron ? Reçu par l'empereur ? N'était-il pas l'invité des banquets ? N'applaudissait-il pas Néron quand celui-ci apparaissait sur scène, déclamait, improvisait un poème ou conduisait un quadrige sur la piste du cirque ?

— Burrus applaudissait aussi et conviait ses soldats à acclamer l'empereur, répondit Sénèque. Mais Néron n'a nul besoin de son émeraude sur l'œil pour savoir ce que l'on pense de lui. Il est acteur. Il n'est pas dupe du jeu des autres. Il savait que Burrus était affligé de devoir applaudir un histrion. Et il sait tout aussi bien ce que je pense.

Il se leva, fit quelques pas, puis s'immobilisa devant la statue d'Apollon.

— La fortune n'a jamais élevé si haut un homme au point de ne pas faire peser sur lui autant de menaces qu'elle lui a laissé de latitude, a-t-il dit en se tournant vers moi.

Quelques jours plus tard, j'ai rencontré l'homme qui, proche de Néron, tenait le glaive de Burrus, mais ce n'était plus l'arme de la clémence et de la justice, de la sagesse et de l'équilibre, c'était la lame de l'ambition, du crime, de la débauche. Ce n'était plus une arme romaine, mais une épée grecque ou orientale.

L'homme s'appelait Gaius Ofonius Tigellin.

Il avait la musculature, le visage rude et la peau tannée d'un homme de la campagne. On disait que ce Tigellin d'origine grecque avait servi Agrippine puis l'avait trahie pour Néron. Il avait fait de son gendre, Cossutianus Capito, le prince des délateurs, espionnant les sénateurs, dénonçant et réclamant la mort.

Tigellin était devenu l'un des courtisans les plus serviles de Néron. Il avait invité l'empereur dans ses domaines de Lucanie.

Sur ses terres brûlées par le soleil du Sud, il employait des milliers d'esclaves dans ses vergers, ses champs de blé, ses écuries. Car il élevait des chevaux de course dont il avait offert à l'empereur les paires les plus véloces. À la mort de Burrus, Néron avait fait de lui l'un des préfets du prétoire, l'autre étant Faenius Rufus qui devait assurer le ravitaillement en grain de Rome comme préfet de l'annone et dont la popularité servait à masquer que le pouvoir sur la garde prétorienne était désormais entre les mains de Tigellin.

Je l'ai croisé dans le palais impérial où je devais retrouver Sénèque.

Il m'a fait peur.

Pour complaire à Néron, mais aussi parce que tels étaient ses penchants, ses croyances, sa nature de Grec de Sicile, son âme corrompue d'Oriental, cet homme organisait des nuits de débauche au cours desquelles il livrait à Néron – et partageait avec lui dans l'ivresse – des vierges, des éphèbes achetés en Asie, en Égypte, en Lucanie, dont les corps et les talents, raffinés ou frustes, surprenaient et ravissaient Néron, qui poussait de petits cris aigus comme ceux d'un enfant comblé.

Il aimait en Tigellin l'homme qui exhibait son impudicité, alors que, selon l'empereur, si personne n'échappait au vice, chaque homme voulant pénétrer et être pénétré par un autre, rares étaient ceux qui l'avouaient.

Par le vin et par les vices, Tigellin était le complice achevé de l'empereur.

C'était aussi un ennemi du Sénat, de Thrasea Paetus, de ces vieux sénateurs ou bien de ces philosophes qui, fidèles aux institutions de Rome, recherchaient la clémence et l'équilibre.

Au contraire, Tigellin voulait un empereur sans limites, décidant et jouissant de tout selon son bon plaisir, se livrant à la débauche et osant régner par le crime.

Mais il était assez habile pour masquer cette volonté en invoquant le droit et les dieux, ou bien la défense de l'empereur contre des conspirateurs.

Comprenant cela, j'ai imaginé le pire aussi bien pour Sénèque que pour moi.

31

Le pire s'est abattu sur nous.

J'ai vu Sénèque venir à moi dans l'allée de son jardin. Il marchait voûté comme un vieil homme. Je suis allé à sa rencontre. Il s'est immobilisé. Ses cheveux gris étaient collés à son front et à ses joues. Les plis de sa toge maculée de traînées brunâtres retombaient lourdement, imbibés d'eau.

— L'orage, a-t-il murmuré.

Il avait plu une grande partie de la journée et la terre dans l'allée était boueuse. Les feuilles et les fleurs des lauriers avaient été arrachées, des branches cassées.

En quelques mots, Sénèque me raconta comment les affranchis du palais impérial lui avaient interdit d'entrer. Néron ne voulait pas le recevoir. Des prétoriens l'avaient entouré, reconduit, et l'avaient laissé sous l'averse.

On avait voulu l'humilier. Quelqu'un avait renvoyé sa litière et il avait dû regagner sa villa à pied, par ces ruelles que la pluie avait transformées en torrents.

Les esclaves, les porteurs, cette plèbe bruyante et grossière, l'avaient bousculé, lui qui avait été l'homme le plus puissant de la ville et qui en était encore l'un des plus riches.

Il m'a montré sa toge maculée par l'eau boueuse que les roues des chariots projetaient.

— Rome est devenue un égout, a-t-il soupiré.

C'était du palais que des immondices se déversaient.

Tigellin avait ouvert les vannes, devinant que Néron ne supportait plus la présence ni le regard d'un homme qui avait été son maître, son conseiller, qu'il avait proclamé son ami et qui avait été le témoin de sa vie.

Les chiens de Tigellin et le chef de sa meute, le délateur Cossutianus Capito, aboyaient leurs calomnies et leurs critiques. Et on nous rapportait leurs propos.

On accusait Sénèque de vouloir ternir la gloire de l'empereur, de posséder des villas et des jardins dont la magnificence surpassait celle des propres biens de Néron. On lui reprochait de n'avoir jamais admis que l'empereur offrît à la plèbe l'éclat de son art. Et, cependant, il voulait rivaliser avec lui en composant des livres et des poèmes pour faire étalage d'un talent supérieur à celui de Néron. Mais cet ennemi masqué de l'empereur profitait pourtant avec avidité des avantages du pouvoir. Il continuait d'accumuler villas et domaines. Sa richesse n'était pas celle d'un philosophe ou d'un citoyen honnête qui prétendait donner des leçons à Néron lui-même. Que voulait-il ? Conspirer contre l'empereur ? De quoi rêvait-il ? du pouvoir ? Pourquoi réunissait-il dans ses villas des poètes, des écrivains, des philosophes, des sénateurs qui étaient tous des adversaires de cette manière nouvelle de gouverner l'Empire, celle de la jeunesse qu'incarnait Néron ?

Un homme comme Sénèque n'avait plus sa place auprès de l'empereur qui bénéficiait de la protection des dieux et de ses illustres ancêtres, les fondateurs de l'Empire.

J'ai rapporté à Sénèque ces propos, ces injures, ces attaques.

Je lui ai confié mes craintes de voir des prétoriens, des tueurs s'avancer, tout comme ils étaient entrés naguère dans la chambre d'Agrippine, à moins que Néron ne préférât utiliser les poisons de Locuste.

J'ai été étonné du calme de Sénèque. Il m'a rappelé qu'il ne craignait pas la mort, et il a ajouté avec un sourire que ce n'était là qu'un premier assaut, une cohorte d'avant-garde. Nous disposions encore de trop de troupes pour qu'on osât lancer l'ultime attaque.

— Néron et Tigellin savent que je ne suis pas seul, a-t-il conclu.

J'ai cru qu'il s'illusionnait. C'est moi qui me trompais. Des sénateurs, des chevaliers, de simples citoyens, même, se sont présentés à la villa pour manifester leur appui.

Lucain, l'écrivain, le neveu de Sénèque, auquel Néron avait manifesté son admiration avant de rompre avec lui, jaloux de son talent, est venu nous dire que même parmi la jeunesse noble on condamnait le despotisme de Néron, on critiquait sa volonté d'instaurer une monarchie orientale. Rome n'était pas une ville de Grèce, d'Asie ou d'Égypte, aucun Alexandre ne pourrait la gouverner. Sénèque devait résister, rassembler tous ceux qui s'opposaient à la cruauté, à la mégalomanie, à l'extravagance de Néron, aux débauches et aux pitreries d'un empereur entouré des pires hommes et influencé par cette Poppée qui ne rêvait que d'Orient et d'épousailles.

— Je suis vieux, a murmuré Sénèque, levant lentement le bras et palpant du bout des doigts ses cheveux gris. Voilà plus de soixante ans que je vis, a-t-il ajouté en croisant les bras, les mains accrochées à ses épaules. Est-ce une grâce ou une malédiction des dieux ? C'est ainsi : chaque geste me coûte. Je m'essouffle après un tour de jardin. L'esclave avec qui je cours doit s'arrêter tous les cent pas, loin devant moi, pour m'attendre. Je vais bientôt cesser de courir. Mes jambes, mes bras sont lourds comme si la mort les avait déjà transformés en pierre.

Il a souri.

— Mais je peux lire, écrire. La philosophie est le remède de mon corps et de mon âme. Je lis Épicure, j'écris à mon ami Lucilius.

Il s'est interrompu, la tête quelque peu penchée, se pinçant la lèvre inférieure entre les doigts.

— Néron vient de désigner Lucilius comme procurateur de Sicile. Je lui ai conseillé d'accepter. Pourquoi refuser une magistrature ? Il faut continuer de servir Rome. Néron...

Il a haussé les épaules.

— Il ne faut pas irriter les fauves. Le sage évite un pouvoir qui est appelé à lui nuire, mais il ne doit pas dévoiler qu'il cherche à l'éviter ; la sécurité réside en effet aussi dans le fait de ne pas montrer qu'on la recherche, car quiconque fuit se condamne.

Il a fait quelques pas, s'éloignant, revenant, disant qu'il voulait se retirer du pouvoir sans ostentation mais avec prudence, lentement, en montrant à Néron qu'il abandonnait la vie publique pour la vie intérieure, que la sagesse, le poids de la vieillesse et de la maladie lui dictaient son choix.

— Je ne veux pas condamner Néron, a-t-il conclu.

— Il t'a déjà jeté hors de son palais, ai-je objecté. Il t'a humilié, toi, Sénèque qui fus son maître !

— Ce n'est que le geste rageur d'un jeune homme impatient de vivre loin de celui qui l'a instruit.

— La tyrannie fera couler le sang dans les rues de Rome, a lancé Lucain.

— Rien n'est jamais sûr, a répondu Sénèque. Le fauve est dans l'arène, mais peut-être va-t-il s'assoupir. Il ne faut pas le provoquer, mais tenter de l'endormir.

Sénèque s'y est essayé. Il s'est rendu au palais. Il a obtenu une audience de Néron.

Il s'est avancé, humble, plein de reconnaissance.

— Tu as accumulé sur moi tant d'honneurs et de richesses que rien ne manque à ma prospérité, sinon la mesure, a-t-il dit.

À l'entendre il n'était rien avant de se mettre au service de Néron.

— Mais moi, que pouvais-je apporter en face de la munificence, sinon mes études pour ainsi dire grandies dans l'ombre et qui sont devenues célèbres seulement parce que l'on voit que j'ai aidé les premiers pas de ta jeunesse, ce qui est un prix déjà énorme pour ce que j'ai fait. Or toi, tu m'as comblé d'une faveur sans limites et d'argent sans mesure...

J'avais entendu Sénèque répéter ce discours avant sa rencontre avec Néron. Je n'en avais aimé ni les mots ni le ton. Il m'avait répondu qu'il fallait donner au fauve ce qu'il attendait, lui offrir les avantages du crime sans qu'il eût besoin de l'accomplir.

— Et s'il veut jouir de ta mort ? avais-je demandé.

Sénèque avait ouvert et écarté les mains en signe d'impuissance.

— Ce sera l'aveu public qu'il aime à tuer pour tuer. Rares sont ceux qui osent reconnaître ce vice, le plus grand de tous. Écoute, ce que je vais lui proposer, c'est un bel appât.

Il avait changé de visage et de voix, s'inclinant comme s'il avait eu Néron devant lui.

— Sur le chemin de la vie, âgé, a-t-il commencé, et incapable d'assumer même les charges les plus légères, comme je ne puis soutenir plus longtemps le poids de mes richesses, je demande que l'on vienne à mon secours. Ordonne que ma fortune soit administrée par tes procurateurs, qu'elle soit inscrite dans ton patrimoine. Ainsi, je ne serai pas réduit à la pauvreté, mais, une fois que j'aurai abandonné des biens dont l'éclat m'empêche de voir clair, tout le temps qui est consacré à la gestion de mes jardins et de mes villas je le récupérerai pour mon âme...

— Tu lui donnerais tout, Sénèque ?

— Sauf, comme tu l'as dit, le plaisir de me tuer pour me dépouiller. Je lui offre ma capitulation, et ma lâcheté en guise de compensation.

— Tu l'humilies, Sénèque, en lui imposant ton choix. Il n'acceptera pas !

Je ne me suis pas trompé.

Néron a écouté, d'abord immobile, tête baissée, puis de plus en plus impatient, regardant autour de lui, serrant les mâchoires, empoignant les accoudoirs de son trône, mais se maîtrisant, laissant son corps glisser au bord de son siège, jambes étendues, souriant, doucereux, les yeux clos, n'interrompant pas Sénèque, et après un long silence, toussotant, comme s'il cherchait ses mots, le juste ton, disant enfin :

— Mais ton âge est encore vert, Sénèque, tu es capable de traiter les affaires et de jouir de leurs fruits, tandis que nous, nous faisons seulement nos premiers pas dans la carrière impériale. Ne veux-tu pas, si sur quelque point ce que ma jeunesse a encore d'incertain s'écarte du droit chemin, m'y ramener et diriger avec plus de soin ma vigueur à laquelle tu auras donné ton appui ?

Le fauve, griffes rentrées mais la patte lourde, jouait avec Sénèque, éloquent, acteur roué ayant percé à jour les intentions de cet homme qu'il couvrait d'éloges mais qu'il haïssait.

— Si tu rends cet argent, si tu abandonnes ton prince, a-t-il continué, ce ne sera pas de ta modération ni de ton désir de repos, mais bien de mon avidité et de la crainte de ma cruauté que tout le monde parlera. Et si même on loue ton désintéressement, ce n'est pas le fait d'un sage de faire que ce qui perdra la réputation d'un ami lui soit un titre de gloire.

Il s'est levé, s'est dirigé vers Sénèque et l'a serré contre lui et embrassé.

— Je l'ai remercié, a commenté Sénèque.

Puis, encore plus bas :

— J'ai fait ce que j'ai pu, mais Néron aime par trop le sang. Il faut maintenant penser à notre âme.

32

Sénèque a fait fermer les portes de sa villa comme s'il ne voulait pas savoir que sur ordre de Néron le sang avait commencé à couler.

— Il ne faut pas s'affliger avant que le temps n'en soit venu, me disait-il.

Je rétorquais qu'au palais impérial Tigellin, Poppée et leurs délateurs dressaient des listes de noms. Ils les remettaient chaque jour à Néron, prétendant que Sulla et Rubellius Plautus – l'un exilé à Massilia, l'autre en Asie – conspiraient, cherchaient à soulever légions et provinces, cependant qu'à Rome les sénateurs Thrasea et Pison, mais aussi Sénèque préparaient l'assassinat de l'empereur.

Néron les écoutait d'un air las, puis il s'emportait, les yeux exorbités, marmonnait des injures, lançait des malédictions, criait qu'il fallait défendre l'Empire contre ceux qui le trahissaient. Il avait été clément, mais on l'avait trompé et le châtiment des conspirateurs serait impitoyable. Il frapperait avec la force d'un dieu. Il était fils d'Apollon, hurlait-il, et ceux qui l'avaient oublié seraient suppliciés !

On disait que des tueurs étaient déjà partis pour Massilia, qu'une soixantaine de soldats commandés par l'eunuque Pelagon, qui avait participé à toutes les orgies, s'apprêtaient à prendre la route de l'Asie.

Rubellius Plautus était un rival dangereux, descendant d'Auguste, comme Néron, riche de milliers d'esclaves qui faisaient prospérer ses immenses domaines en Afrique, et bénéficiant sans doute de l'appui du général Corbulon, qui commandait les légions d'Asie, et de son beau-père, Antistius Vetus, ancien consul, légat en Germanie supérieure.

Et, lorsque Tigellin avait ajouté que Rubellius Plautus vivait entouré de philosophes stoïciens – le Grec Caranius, l'Étrusque Musonius Rufus, des amis de Sénèque –, Néron s'était levé, avait frappé du pied et du poing les esclaves qui se trouvaient auprès de lui, criant qu'il fallait en finir avec les conspirateurs, les tuer avant qu'ils ne passent à l'action.

J'étais surpris du calme avec lequel Sénèque accueillait mes propos. Il repoussait ses tablettes, ses livres, ses stylets et ses parchemins. Il quittait son écritoire, se dirigeait vers l'atrium où je le suivais.

— Si je me suis dissimulé, si j'ai fermé mes portes, me disait-il, c'est afin de pouvoir servir d'une autre façon un plus grand nombre d'hommes. Ici, dans ma solitude, je fais plus que m'améliorer, je deviens autre. Tu ne peux imaginer, Serenus, à quel point je constate que chaque jour m'apporte des choses importantes.

— Les tueurs de Tigellin quittent Rome, Sénèque, pour perpétrer leurs crimes, certains sont peut-être déjà dans ton jardin à te guetter.

Il secouait la tête.

— Il y a plus de choses qui nous font peur qu'il n'y en a qui nous écrasent, et nous souffrons plus souvent en imagination qu'en réalité.

Si j'insistais, il ajoutait :

— C'est un mal que de vivre sous l'emprise de la nécessité, mais vivre sous l'emprise de la nécessité n'est pas nécessaire.

Il s'arrêtait devant un esclave qui nettoyait le bassin de la fontaine.

— Je l'ai connu enfant, murmurait-il après l'avoir dévisagé. Tu vois ses rides, sa bouche édentée ? J'ai vécu longtemps, Serenus. Bien des arbres que j'ai fait planter dans le jardin sont morts foudroyés. Mon âme sait que le temps m'est compté. Ce n'est plus la vie qui m'importe, mais la manière de la quitter. Si je peux, je choisirai le moment.

J'ai dit, regrettant aussitôt ma phrase :

— Néron, si tu le laisses faire, décidera pour toi, pour moi, pour tous ceux qui veulent que Rome reste Rome !

Sénèque m'a considéré longuement.

— Les dieux disposeront, a-t-il murmuré.

Ils ont choisi de laisser agir les tueurs de Néron. Trois d'entre eux ont fait irruption dans la salle à manger de Faustus Cornelius Sulla, à Massilia.

Ils se sont jetés sur lui cependant que les esclaves s'enfuyaient.

Sulla était un homme encore jeune, mais aux cheveux déjà gris, au corps lourd.

Néron l'avait chassé de Rome en lui confisquant tous ses biens, craignant que ce descendant d'Auguste, ce demi-frère de Messaline, cet époux d'Antonia, l'une des filles de l'empereur Claude, ne devînt un jour un rival.

À Massilia, Sulla s'était contenté de maudire Néron, de lui prédire une mort ignominieuse, mais l'homme était sans ressources, trop indolent aussi pour être menaçant.

Lorsque les tueurs ont levé leurs glaives, il a crié : « Néron me tue comme il a tué Claude, Britannicus, Agrippine ! »

Le sang a rempli sa bouche. Puis l'un des tueurs lui a tranché la tête qu'il a enveloppée dans la toge déjà imbibée de sang.

Les trois hommes ont traversé la villa déserte, leur glaive à la main, et personne ne s'est opposé à leur départ.

Il n'est resté de leur passage que cette traînée de sang sur les dalles de marbre, et ce corps mutilé que les esclaves n'osaient enlever.

C'est Romanus, affranchi de Poppée, délateur et homme de débauche, qui a déposé aux pieds de Néron ce paquet rouge que l'empereur, en s'approchant, lui a demandé d'ouvrir. L'homme s'est agenouillé, a déplié le tissu, et la tête de Sulla est apparue.

Néron s'est penché, a longuement examiné ce visage, puis, en se redressant, a lâché, en faisant la moue :

— Cette chevelure blanchie avant le temps ne l'embellissait pas.

Ce n'est que deux mois plus tard que l'eunuque Pelagon a présenté à Néron la tête tranchée de Rubellius Plautus.

L'homme était d'une autre trempe que Sulla. Lorsque, à Rome, on avait appris que soixante prétoriens avaient quitté la ville pour le tuer, des messagers s'étaient élancés pour l'avertir du danger.

On estimait Rubellius Plautus, on vantait l'austérité de ses mœurs, ses vertus stoïciennes, ses amis philosophes, on respectait son épouse Antista. On le savait riche et donc puissant.

On imaginait qu'allié au général Corbulon, aidé par son beau-père, ancien consul et légat, soutenu par les sénateurs Thrasea et Pison, les écrivains et les philosophes proches de Sénèque, ce descendant d'Auguste, qui avait autant le titre à gouverner le genre humain que Néron, et dont les mœurs étaient celles d'un Caton plutôt que celles d'un Caligula, était capable de renverser le despote.

Il lui suffisait de croire les messagers, de s'enfuir, d'échapper aux tueurs, de se mettre sous la protection des légions de Corbulon, d'attendre et, au moment propice, de se présenter en successeur de celui qui apparaissait chaque jour davantage comme un tyran sanguinaire.

Comme tous ceux qui craignaient Néron, j'ai guetté le retour des messagers. J'ai espéré apprendre que Rubellius Plautus était toujours en vie et que l'eunuque Pelagon, mis en échec, rentrait les mains vides avec ses prétoriens et que tous subiraient la colère de Néron.

J'ai voulu partager mon espoir et mes attentes avec Sénèque.

Il m'a écouté, puis, le buste penché, le coude droit appuyé sur la cuisse, détournant la tête comme pour ne pas affronter mon regard, il m'a dit qu'un homme vertueux peut aller au-devant de la mort parce qu'il répugne à vivre dans l'inquiétude et à s'engager dans un avenir incertain. Avec la mort, on en finit avec le doute.

Il m'a semblé que Sénèque me parlait alors davantage de lui que de Rubellius Plautus.

— Plautus peut croire aussi, a-t-il ajouté, que s'il se laisse tuer, Néron, rassuré, accordera à son épouse et à leurs enfants le droit de survivre.

Il m'a enfin regardé.

— Même un homme sage, un philosophe peut se tromper. Rubellius Plautus a peut-être oublié que Néron a voulu avec obstination tuer sa propre mère.

— Tu as toi-même justifié ce meurtre ! ai-je répliqué.

— Je te l'ai dit alors, Serenus : l'Empire ne se partage pas. Néron a retenu cette leçon que je lui ai donnée. Rubellius Plautus, lui, ne l'a jamais apprise.

Il était nu, en train d'exercer son corps, quand l'eunuque Pelagon et ses soixante prétoriens l'ont entouré.

Un centurion s'est avancé. Rubellius Plautus a laissé tomber son glaive, levé la tête vers ce soleil haut, celui de midi, qui l'a aveuglé.

On dit que deux philosophes, Ceranius et Musonius Rufus, des amis de Sénèque qui l'avaient suivi en exil, lui avaient conseillé d'attendre fermement la mort plutôt que d'entamer, en fuyant, une vie semée d'angoisse.

Peut-être Rubellius Plautus a-t-il pensé à eux quand le centurion a enfoncé sa lame.

Le flanc gauche percé, il s'est effondré. Le centurion savait tuer et l'agonie a été brève. Pelagon s'est approché du corps et a demandé qu'on lui tranche la tête.

Alors les prétoriens se sont répandus dans la villa. Ils cherchaient Antista, l'épouse de Plautus, et ses enfants.

Aujourd'hui, j'ignore encore s'ils les ont découverts, mais Néron voulait bel et bien qu'on les tuât. Quand on a le dessein d'exterminer une meute, avait-il dit, on ne se contente pas d'égorger le loup, on éventre la louve et on écrase la tête des petits.

Tel était Néron, et j'ajoute avec amertume : tel était l'élève de Sénèque.

Quand l'empereur s'est penché sur la tête de Rubellius Plautus que Pelagon lui présentait dans une jarre comme un gros fruit rouge, il l'a considéré avec dégoût et s'est borné à lécher ses lèvres en grimaçant.

— Je ne savais pas qu'il avait un si grand nez.

Telle fut l'oraison funèbre du sénateur Rubellius Plautus, descendant d'Auguste.

J'ai cru que l'indignation, la volonté de s'opposer à Néron allaient dresser contre lui les sénateurs qui venaient d'apprendre l'assassinat de deux d'entre eux alors qu'en exilant Sulla et Rubellius Plautus il avait promis de sauvegarder leur vie, jurant qu'il se montrait ainsi fidèle à l'esprit de clémence.

— De ton jugement, avait-il dit à Sénèque, de ta clairvoyance, de tes préceptes tu as entouré et protégé mon enfance, puis mon adolescence. Les présents que j'ai reçus de toi, aussi longtemps que je vivrai, seront éternels.

Il l'avait répété dans une lettre au Sénat alors que les têtes de Sulla et de Rubellius Plautus avaient été jetées aux fauves. Il y écrivait que Sulla et Rubellius Plautus pouvaient causer des troubles dans l'Empire, mais qu'il veillait lui-même avec le plus grand soin à l'intégrité de l'État.

Il n'avouait pas pour autant le meurtre de Sulla et de Rubellius Plautus alors que tous les sénateurs savaient que les tueurs avaient accompli leur besogne. Mais j'ai vu au Sénat les pères de la Patrie, le corps recroquevillé, la tête rentrée dans les épaules, écouter en silence la lecture de la lettre de Néron, décréter des supplications aux dieux pour qu'ils protègent l'État et décider d'exclure et Sulla et Rubellius Plautus du Sénat.

Comme s'il s'était agi de deux vivants !

Dans l'ombre des colonnes, j'ai deviné le rictus de mépris de Tigellin.

Il allait regagner le palais, rapporter à Néron les décisions des sénateurs.

Ils acceptaient les mensonges et avalisaient les crimes.

Ils les justifiaient par avance tout en refusant de les voir.

Pourquoi Néron aurait-il hésité à frapper de nouveau ? À tuer ceux qui, même reclus et soucieux de leur âme, comme mon maître Sénèque, le gênaient ?

Le temps des proscriptions et des assassinats était venu.

33

J'ai attendu, assis près de Sénèque, que la mort vienne.

Nous savions que rien, désormais, sinon sa disparition, ne pourrait empêcher Néron de tuer. Autour de lui, ses affranchis, ses proches conseillers, Tigellin, Poppée, tous ces chacals, ces charognards assassinaient pour lui complaire ou satisfaire leur ambition.

L'une de leurs premières victimes fut Octavie, l'épouse depuis plus de dix ans de Néron.

Je l'ai vue, pauvre jeune femme d'à peine plus de vingt ans, maigre et rabougrie, le corps écrasé par l'angoisse, les yeux d'un animal traqué, sachant qu'autour d'elle, depuis des années, les tueurs rôdaient, hésitant à perpétrer leur forfait, guettant un geste de Néron.

Mais celui-ci hésitait.

Elle était la fille de l'empereur Claude, donc la sœur-épouse de Néron, et la plèbe l'aimait pour les malheurs qu'elle avait subis.

Mariée à peine sortie de l'enfance, elle avait assisté à la mort de son père et à celle de Britannicus. Lors du banquet fatal, elle était assise à quelques pas de lui. Elle avait dû feindre de croire que la maladie et non le poison avait emporté son frère.

Elle avait été protégée par Agrippine qui, après l'avoir méprisée, l'utilisait comme une arme et un bouclier contre Néron.

Elle avait vu les prétoriens d'Anicetus entrer dans la chambre d'Agrippine et le centurion Obaritus lui perforer la poitrine de son glaive.

Comment Néron, l'homme qui avait osé faire assassiner sa mère, pourrait-il hésiter à faire égorger Octavie qu'il effleurait d'un regard de mépris, qu'il accusait d'être stérile et dont il craignait que le nom qu'elle portait et le souvenir de son père empereur ne fussent un jour utilisés contre lui par des rivaux ?

Tout Rome savait qu'il la désirait morte.

Mais la plèbe entourait Octavie d'affection et de compassion, l'accompagnait lorsqu'elle sortait, silhouette gracile, recroquevillée dans sa litière.

Les femmes la plaignaient non seulement d'avoir dû accepter l'assassinat de son père et de son frère, mais d'avoir été humiliée par Néron qui lui avait préféré Acté, l'affranchie, et maintenant cette femme aux crocs acérés par l'ambition, au corps rompu à la débauche, Poppée, qui ne rêvait que d'un mariage avec Néron. Mais, pour cela, il fallait qu'Octavie fût répudiée ou, mieux encore, qu'elle fût morte.

Et la plèbe de murmurer : « Pour Octavie, le jour de ses noces avec Néron fut le jour de ses funérailles. »

C'était cet amour de la plèbe pour Octavie qui retenait le poignard de Néron. Mais Tigellin et Poppée, alliés par l'intérêt et les vices, venaient chaque jour tenter le tyran.

Que risquait-il à répudier Octavie ? lui remontraient-ils. Elle ne lui avait pas donné de descendance. Et Poppée, posant ses mains croisées sur son ventre, murmurait : « Je porte ton enfant : il bouge, Néron ! »

Tigellin ajoutait qu'Octavie constituait une menace, que tous les adversaires de Néron se servaient de son nom, de son sang de fille, d'épouse, de sœur d'empereur pour justifier leur opposition et légitimer leur complot.

Il concluait : « Elle est la nouvelle Agrippine, plus jeune, donc plus dangereuse. »

Un jour de mai, Néron décida de la répudier afin d'épouser Poppée au ventre fertile.

Lorsque j'appris qu'il avait fait attribuer à Octavie la maison de Burrus et les propriétés de Rubellius Plautus, ceux-là mêmes qu'il avait fait assassiner et dépouiller de leurs biens, je sus que cette répudiation n'était que la première marche à descendre.

La mort était en bas, qui attendait.

Je ne sais qui a le plus voulu cet assassinat : Poppée, Tigellin ou Néron ?

Poppée et Tigellin le préparèrent. Néron, par ses silences, ses regards, les incita à passer à l'acte.

J'ai vu Néron ces jours-là, quand la rumeur s'était répandue dans Rome qu'Octavie avait eu une relation infamante et sacrilège avec un esclave égyptien, un joueur de flûte. Elle l'avait accueilli dans son lit, elle, fille, sœur, épouse d'empereur. Et cet Eucareus avait reconnu avoir cédé aux ordres d'Octavie.

Elle niait. Elle jurait sur les dieux qu'elle n'avait jamais rencontré cet homme, qu'elle avait seulement connu son époux, Néron, et était toujours prête à le satisfaire.

Je le regardais alors qu'il écoutait Tigellin rapporter que les servantes d'Octavie avaient avoué avoir vu l'esclave joueur de flûte s'introduire dans la chambre de leur maîtresse.

Le visage de Néron était bouffi de vanité. Deux petites rides au coin de sa bouche révélaient sa cruauté et sa perversité. Le menton était enveloppé d'une chair grasse, rosée comme celle d'un goret. Il plissait les paupières, s'efforçant de demeurer impassible, et cependant ses traits veules se contractaient dans un rictus de jouissance.

— Les servantes l'ont dit, répétait-il avec gourmandise.

Tigellin baissait la tête.

On savait que les esclaves d'Octavie avaient été torturées : corps écorché, écartelé, lèvres écrasées, dents brisées. Elles avaient souffert longtemps avant de mentir et de répéter ce qu'on leur demandait d'avouer, de trahir Octavie.

Tigellin avait lui-même torturé, frappé. Il avait tué, en l'étranglant, l'une des servantes – son nom est resté inconnu et pourtant il eût mérité d'être illustre – qui lui avait crié : « Le sexe d'Octavie est plus chaste que ta bouche ! »

Néron ne pouvait l'ignorer, mais il voulait que ses complices se vautrent dans la perversion et le mensonge. Et il avait besoin de ces calomnies pour accabler Octavie, la chasser de Rome, l'exiler en Campanie, gardée par des prétoriens dont chacun savait qu'il suffirait d'un mot de Néron, de Tigellin ou de Poppée pour qu'ils mettent à mort cette femme prostrée, aux yeux apeurés.

Mais, tout à coup, les rues de Rome, celles-là mêmes que parcouraient les bandes de tueurs, celles que scrutaient les délateurs, se sont remplies de femmes et d'hommes de la plèbe qui pleuraient sur le sort d'Octavie.

J'ai suivi cette foule qui se rendait au Capitole.

J'étais surpris qu'elle osât ainsi défier Néron et lorsque, plus tard, j'ai décrit à Sénèque comment cette foule avait renversé les statues de Poppée, brandi celles d'Octavie, couvertes de fleurs, les dressant sur le forum et dans les temples, il a murmuré :

— Serenus, ne t'étonne pas du silence et de la lâcheté des sénateurs et des chevaliers. Ils ont beaucoup à perdre. Le peuple est moins prudent. En raison de la médiocrité de sa condition, il court moins de dangers. Que veux-tu qu'on prenne à qui n'a rien ? Sa vie ? Mais, à ses propres yeux, que vaut sa vie ?

La foule s'était pourtant dispersée lorsque des pelotons de soldats étaient sortis du palais impérial et avaient commencé à frapper à coups de bâton et à menacer de la pointe de l'épée.

— Maintenant, a ajouté Sénèque, Néron va décider de tuer Octavie. Cette foule qui le contestait, les cris qu'elle a poussés, les statues qu'elle a portées, tout cela a dû le terroriser. Octavie est devenue une menace. Et Poppée comme Tigellin vont le lui répéter à satiété, jusqu'à ce qu'il donne l'ordre de tuer.

Sénèque avait vu juste.

Poppée a harcelé Néron. Elle craignait qu'il ne la sacrifiât à la foule. Elle a affirmé que celle-ci n'était composée que des esclaves, des affranchis et des clients d'Octavie. Ils s'étaient fait passer pour la plèbe. Ils n'étaient qu'au service des ennemis de Néron. Demain ils choisiraient un chef. Et pourquoi pas un nouvel époux à Octavie ? Elle pouvait se remarier. Elle apporterait en dot son ascendance, l'appui de la plèbe. Et elle, Poppée, grosse de l'enfant de l'empereur, que deviendrait-elle ?

Laisserait-on la plèbe, achetée, préférer la maîtresse d'un esclave, d'un flûtiste égyptien ?

Néron avait réussi à disperser les premières émeutes, mais qu'en serait-il demain si Octavie pouvait, par un futur mari, prétendre à gouverner l'Empire ?

Octavie n'était-elle pas celle qu'Agrippine avait protégée et dont elle s'était servie pour menacer Néron ?

Ce nom, ce souvenir d'Agrippine ont fait tressaillir Néron. C'était comme si sa mère le menaçait à nouveau, comme si ce spectre qui hantait souvent ses nuits venait de s'incarner dans cette femme qu'il fallait accabler d'accusations pour que sa mort parût nécessaire et juste.

Et à qui s'adresser pour préparer et justifier le crime, sinon à cet Anicetus, toujours préfet de la flotte de Misène, qui avait été l'organisateur du meurtre d'Agrippine et dont les hommes, le capitaine de trirème Herculeius et le centurion Obaritus, avaient tué sa mère à coups de glaive et de bâton ?

On a vu entrer Anicetus au palais. Il avait le masque de la mort plaqué sur son visage quand il en est ressorti.

On a su que Néron lui avait offert un marché : sa vie sauve contre un témoignage chargeant Octavie qui autoriserait à la tuer.

Il devait avouer qu'il avait été l'amant d'Octavie. Qu'elle l'avait choisi parce qu'il commandait la flotte de Misène et qu'elle voulait disposer des navires, des marins, des cohortes embarquées pour se dresser contre l'empereur. Elle avait même – elle ! – choisi de se faire avorter.

Peu importait à Néron qu'il l'eût accusée d'être stérile. Il fallait déverser sur Octavie toutes les calomnies, la déclarer coupable.

Anicetus a accepté le marché.

Il a accablé Octavie. Il a reconnu sa faute, mais, a-t-il ajouté, il avait cédé à la tentation. Il s'en repentait devant l'empereur, implorait sa grâce, et celui-ci l'exila en Sardaigne.

Disparu, oublié, Anicetus !

Restait l'accusation.

Les soldats entraînèrent Octavie, la conduisirent jusque sur l'île de Pandateria, dans la baie de Naples.

Elle n'était plus qu'un corps qui attend qu'on l'égorge, qu'une âme qui craint la mort, que plus personne – pas même cette plèbe qui, à Rome, manifestait encore en sa faveur – ne pouvait sauver des poignards des tueurs.

Elle a, un jour de juin, le 9, reçu l'ordre de mourir.

Des centurions ont parlé, eux aussi émus par cette jeune femme qui n'avait connu de la vie que le malheur, et dont le chemin n'avait été, depuis l'enfance, que celui d'un convoi funèbre.

J'ai ainsi appris qu'elle avait supplié, répétant qu'elle n'était plus que la sœur de Néron, qu'ils avaient des ancêtres communs, et, à la fin, elle a cité le nom d'Agrippine qui ne l'avait jamais condamnée à mort.

Elle était si naïve que ce nom, qu'elle prononçait comme ultime argument de défense, elle n'imaginait pas qu'à lui seul il la condamnait.

Les centurions témoins de ses derniers instants en ont fait le récit avec autant d'émotion que s'ils avaient participé pour la première fois à un crime.

Ils ont attaché Octavie.

Ils lui ont ouvert les veines des quatre membres. Le sang retenu par la violence de son effroi ne coulait que lentement.

Ils l'ont alors plongée dans un bain bouillant. Et c'est la chaleur qui l'a tuée.

On lui a coupé la tête et on l'a apportée à Rome, Poppée voulant s'assurer de sa mort, se repaître de ces chairs boursouflées, de ces yeux sur lesquels personne n'avait abaissé les paupières.

La plèbe a pleuré.

Les sénateurs ont ordonné des actions de grâce pour remercier les dieux d'avoir protégé l'État et l'empereur.

— Sa mère, sa sœur-épouse, son frère et son père adoptif, Burrus, Rubellius Plautus, Sulla..., a énuméré Sénèque. Pourquoi nous épargnerait-il ? Néron va tuer au gré de ses peurs et de sa fantaisie. Nul ne pourra dresser la liste des victimes. Il y a celles qu'il aura désignées et celles que ses proches lui auront offertes dans l'espoir de lui plaire, de montrer qu'ils sont prêts à tous les crimes pour le servir.

Combien de jours me restait-il à vivre ?

Cette question, Sénèque ne se la posait jamais.

Je n'avais pas sa sagesse. Quand j'apprenais que Pallas, l'affranchi, avait été assassiné non parce qu'il représentait une menace, mais parce que ses biens tentaient Néron, ou qu'un autre affranchi, Doryphore – l'un de ses amants parmi les plus débauchés –, avait été empoisonné parce qu'il était opposé au mariage de Néron avec Poppée, ou que Romanus, l'accusateur de Sénèque, avait été tué parce que ses calomnies étaient si grossières qu'elles avaient fini par se retourner contre Néron, j'étais sûr que la mort était devenue l'impératrice de Rome et l'inspiratrice de Néron.

Et qu'elle me frapperait donc.

Mon seul espoir était qu'elle se retournât d'abord contre Néron comme un piège tendu par les dieux.

Or, cette année-là, la foudre frappa le gymnase que Néron avait fait construire. Il brûla et la statue de Néron qui s'y trouvait fut fondue et transformée en lingot de bronze informe.

Était-ce le présage annonçant la mort du tyran ?

Quelques jours plus tard, la ville de Pompéi, qu'Octavie avait pu voir au dernier jour de sa vie depuis l'île de Pandateria, était détruite par un tremblement de terre.

Était-ce un nouveau signe que la vengeance des dieux se préparait ?

J'ai voulu le croire.

HUITIÈME PARTIE

34

Sénèque m'a mis en garde.

Nous marchions dans son jardin.

Je lui décrivais l'un de ces présages qui me paraissaient annoncer le proche châtiment de Néron.

Son silence m'irritait. J'insistais : savait-il que Tigellin avait transformé Rome en véritable geôle ?

Chaque citoyen était surveillé. Des cohortes de prétoriens, des cavaliers germains de la garde impériale parcouraient la ville, prêts à disperser toute manifestation de la plèbe, à arrêter et à tuer ceux que les espions leur désigneraient.

Un peloton de soldats avait été placé autour des ruines du gymnase détruit par la foudre et l'incendie afin d'empêcher que l'on ne vît la statue de Néron, tel un corps démembré, masse noire ensevelie sous les décombres. Néron et Tigellin avaient compris le signe des dieux et entendaient le dissimuler, l'effacer.

Et lui, Sénèque le sage, dont je devinais le scepticisme, qu'en pensait-il ? Oserait-il contester le sens de ce présage ?

Sénèque s'est arrêté devant la statue d'Apollon, mais il paraissait s'intéresser davantage aux arbres qui l'entouraient et que l'hiver avait dénudés. D'un mouvement du menton, il me montrait les cyprès serrés les uns contre les autres, trois par trois.

— Ce sont les arbres qui font la fierté de la maison romaine, me dit-il en me dévisageant avec une commisération mêlée d'ironie. Ils résistent aux saisons, aux illusions et aux désespoirs qu'elles suscitent. Ni l'ivresse du printemps et de l'été ni la tristesse et l'angoisse de l'automne et de l'hiver ne les atteignent. Ils demeurent verticaux, drapés dans leur toge, s'efforçant de vivre chaque jour avec courage. Le présent, Serenus, le jour que l'on vit : voilà l'éternité !

J'étais déçu. Je l'interrogeai à nouveau sur les présages. Il s'est appuyé au socle de la statue d'Apollon.

— Les dieux se jouent de la vanité et de la crédulité des hommes. Les prêtres, les devins, les astrologues croient déchiffrer leurs intentions alors que la plupart des hommes, même ceux qui sont censés connaître le langage des dieux, ne disent, devant un fait inattendu – cette foudre, ce tremblement de terre dont tu parles –, que ce qu'ils espèrent ou redoutent. Or la crainte suit toujours l'espérance, Serenus.

Il s'est approché de moi tout en laissant sa main droite appuyée au socle de la statue comme s'il voulait invoquer l'autorité d'Apollon.

Il me rappela qu'on pouvait énumérer de nombreux présages dont on aurait pu dire qu'ils manifestaient la bienveillance des dieux à l'égard de Néron.

Après les défaites des légions romaines commandées par Paetus, le général Corbulon avait remporté une nouvelle victoire, et le roi d'Arménie, Tiridate, s'était incliné devant l'effigie de Néron. Il avait déposé sa couronne au pied de cette image de l'empereur. Il se déclarait soumis à Rome et se rendrait auprès de Néron pour recevoir de lui sa couronne.

J'avais vu les arcs de triomphe que Tigellin avait fait édifier dans toute la ville afin que la plèbe sût que Néron avait obtenu la victoire des armes, la plus prestigieuse, celle qui marquait que l'empereur était bien le protégé des dieux.

Pour la première fois depuis Auguste, le temple de Janus allait être fermé parce que Néron avait instauré la paix dans l'Empire.

— Ne sont-ce pas là des signes heureux ? a repris Sénèque d'une voix sarcastique. Tu espérais et maintenant tu es rempli de crainte...

Nous nous sommes remis à marcher. La terre était sèche et dure sous nos pas.

— Tu cesseras de craindre si tu as cessé d'espérer, a poursuivi Sénèque. Prends les choses telles qu'elles sont à l'instant où tu les vois, où tu les vis. Tu ne sais pas ce qu'elles portent en germe, ni quelles facéties les dieux te réservent. Ne projette pas tes pensées au loin. La prévoyance, qui est l'un des plus grands biens de la condition humaine, devient alors un mal. Observe les animaux : ils fuient à la vue du danger. Une fois échappés, ils recouvrent le calme. Nous, en revanche, nous nous tourmentons et de l'avenir et du passé. La mémoire ramène le tourment et la peur, la prévoyance l'anticipe. Nul n'est malheureux seulement à cause du présent.

Nous avions fait le tour du jardin et nous nous trouvions de nouveau devant la statue d'Apollon.

— Tu sais combien les thermes qu'a fait construire Néron sont vastes, somptueux comme un palais, impressionnants comme un temple, a continué Sénèque. On m'assure que quatre fois vingt-cinq mille pas suffisent à peine à en faire le tour. Martial, dont tu connais les mots aussi tranchants qu'une lame, a écrit, me rapporte-t-on : « Quoi de pire que Néron ! Quoi de mieux que les bains chauds ! » Que veux-tu que j'ajoute à cela ? C'est de la bonne et juste philosophie.

Je n'ai pas oublié cette leçon de Sénèque.

Je ne savais plus ce que voulaient les dieux. Étaient-ils favorables à Néron, ou bien lui étaient-ils hostiles ? Le doute m'habitait.

J'assistais au milieu de la foule à ces jeux que Néron offrait à la plèbe, invitant sénateurs et matrones à y prendre part. Il s'avançait dans l'arène et sur la piste du cirque. Je devinais sa tentation de participer à ces combats, à ces concours, à ces courses de quadriges, mais, après avoir chanté ou conduit un char, il se retirait, et, assis dans sa loge, il observait les joutes, le corps penché en avant, l'émeraude sur son œil gauche, passionné, levant le pouce, arrêtant les duels au moment où l'un des gladiateurs allait être mis à mort, se levant comme un simple citoyen pour encourager un aurige qui fouettait ses quatre chevaux.

Près de Néron, Tigellin lui murmurait sans doute que ces chevaux appartenaient à ses écuries et, toujours aussi courtisan, devait lui dire qu'il regrettait que l'empereur ne s'élançât pas sur la piste, puisqu'il était le fils du divin Apollon, le plus talentueux des conducteurs, des poètes, des chanteurs et des citharèdes.

Poppée devait lui faire entendre la même musique.

Mais, après quelques hésitations, Néron se rasseyait comme si un dieu lui avait conseillé la réserve, lui inspirant la prudence, lui rappelant que le peuple de Rome ne désirait pas que son maître, comme un quelconque citoyen, un esclave ou un gladiateur, renonçât à la dignité impériale et se comportât en histrion.

On murmurait que Néron songeait à se rendre dans une ville grecque, peut-être à Athènes, Alexandrie ou Naples – cette cité peuplée de Grecs où l'on n'avait pas les mêmes préjugés, et c'est le front ceint de la couronne du vainqueur des jeux qu'il rentrerait à Rome.

Alors le peuple acclamerait son jeune empereur, le prince solaire, le fils d'Apollon, le vainqueur des Parthes, le protégé des dieux, l'homme qui aspirait à marier la grandeur de Rome aux mœurs d'Orient.

Je déambulais dans Rome.

La plèbe, malgré les espions et les prétoriens qui la surveillaient, semblait les ignorer. Elle se pressait dans les ruelles, s'écartait quand passaient ces troupeaux d'esclaves venus de tout l'Empire pour creuser les canaux que Néron avait décidé d'ouvrir entre Ostie et Rome.

Les citoyens regardaient avec mépris ces Orientaux dont on disait que beaucoup appartenaient à la secte de Christos, qu'ils tentaient de s'évader, de trouver refuge chez les chrétiens vivant à Rome et dont le nombre augmentait d'autant.

Parfois je surprenais un murmure.

On critiquait Poppée qui recevait des Juifs au palais impérial et obtenait de Néron qu'il libérât des rabbins emprisonnés.

On l'accusait de trahir Rome, de ne pas accomplir les sacrifices qu'exigeait la religion des ancêtres.

On la soupçonnait d'introduire auprès de Néron, en usant de tous les pouvoirs qu'une épouse débauchée peut exercer sur un mari pervers, des Orientaux : ainsi ce mime d'origine juive, Alityrus, dont on affirmait qu'il était en relation avec Joseph Ben Mathias, l'ambassadeur du peuple juif à Rome.

Mais ces critiques s'effaçaient. Les dieux, qui semblaient partagés, marquaient pourtant leur soutien à Néron puisqu'on annonçait que Poppée avait mis au monde, à Antium, une fille, Claudia, qu'on salua aussitôt du titre d'Augusta. Et les prêtres célébraient des sacrifices afin de remercier les dieux d'assurer à Néron une descendance.

Les sénateurs et tous les courtisans se sont rendus à Antium.

Sénèque lui-même a fait partie du voyage dont Néron n'avait exclu que le sénateur Thrasea, auquel il reprochait son indépendance d'esprit et ses critiques. Mon maître m'a décrit la joie de Néron, cette ivresse qui l'avait saisie, ces poèmes à la gloire des dieux généreux qu'il improvisa devant les sénateurs. Ceux-ci s'étaient répandus en louanges aux divinités protectrices de Rome.

Le Sénat avait même proposé qu'on élevât des statues en or des deux Fortunes, les déesses d'Antium, qu'on fît des sacrifices et qu'on bâtit un temple à la Fécondité.

J'écoutais Sénèque en silence.

Néron avait-il le soutien des dieux ?

Sénèque avait-il oublié les humiliations subies, les menaces voilées, les crimes commis, et la certitude, qu'il avait tant de fois exprimée, que la mort s'avançait, inspiratrice d'un empereur qui aimait le sang ?

— La joie l'habitait, a murmuré Sénèque. J'ai retrouvé le jeune élève que j'avais connu quand il n'avait pas encore cédé à ses penchants.

Il a ajouté, d'une voix hésitante : Peut-être cette naissance...

Puis il s'est interrompu, me rappelant qu'il fallait se défier de l'espérance, mère de toutes les craintes.

Il a suffi de quelques mois – quatre seulement – pour que les dieux montrent qu'ils se jouaient des hommes, fussent-ils empereurs.

Claudia Augusta est morte, et le désespoir de Néron a été plus grand encore que la joie qu'il avait exprimée lors de la naissance de l'enfant.

Tous les jeux qui avaient été prévus en l'honneur de Claudia ont été remplacés, à l'initiative du Sénat, en cérémonie pour la divinisation de l'enfant décédée.

Les lamentations des sénateurs que j'entendis revêtaient le ton excessif des plus serviles flatteries. Ils demandaient pour Claudia Augusta un lit sacré, la construction d'un temple, un prêtre pour célébrer sa mémoire.

Et Néron, tête baissée, sanglotait.

Puis il s'est redressé, déclarant qu'il allait offrir à la plèbe de Rome un grand banquet en l'honneur de Claudia manifestant son amour pour la ville, pour son peuple, et démentant ainsi les bruits qui avaient couru sur son désir de se rendre à Alexandrie, en Grèce et en Orient pour prendre part aux jeux.

Il était l'empereur de Rome, soucieux du prestige de la ville et de ses devoirs envers elle.

Je l'ai observé cependant qu'il parlait.

Ce n'étaient plus la tristesse ou le désespoir qui creusaient ses traits, mais la peur, comme si la perte de Claudia était la preuve de la défiance des dieux, plus cruelle, plus inquiétante parce que donnée si vite après la naissance, celle-ci n'apparaissant plus que comme un piège tendu par les puissances célestes.

Sénèque avait raison : de l'espérance naissait la crainte.

La venue de la mort était la seule certitude que les dieux laissaient aux humains.

35

L'idée de cette mort à laquelle les dieux ont condamné tous les humains ne cessait de me hanter. J'ai voulu interroger une nouvelle fois Sénèque qui, lui, ne craignait pas la mort.

À plusieurs reprises il avait affirmé qu'il croyait en l'immortalité de l'âme. Partageait-il la foi de ces disciples du crucifié, persuadés que la résurrection leur ouvrirait les portes de l'éternité parce que Christos avait vaincu la mort et en avait du même coup délivré les hommes ?

Là-dessus, Sénèque s'est dérobé à mes questions.

Alors j'ai erré dans Rome, espérant retrouver cet homme hâve, Linus, qui m'avait interpellé au forum Boarium après que les esclaves de Pedanius Secundus eurent été torturés, crucifiés ou voués au bûcher. Je n'ai pas retrouvé sa trace.

Et pourtant on murmurait que la communauté des chrétiens faisait chaque jour de nouveaux adeptes, qu'elle se réunissait autour de ce citoyen romain, ce Juif de Tarse appelé Paul, converti à la religion de Christos. On affirmait même qu'il avait vu Sénèque et correspondait avec lui.

Mais Sénèque, auquel je faisais part de ma quête infructueuse, prêtait à peine l'oreille à mes propos.

Il se préparait à quitter Rome avec le cortège impérial.

Néron s'apprêtait en effet à partir pour Naples afin de se produire devant des milliers de spectateurs.

La population de toute la Campanie remplissait déjà les rues de cette ville grecque.

Des habitants d'Alexandrie avaient traversé la mer à l'invitation de l'empereur pour le voir et l'entendre chanter, jouer de la cithare, réciter ses poèmes, interpréter les rôles majeurs des tragédies grecques.

D'autres spectateurs avaient quitté la Grèce pour gagner Naples. Néron avait répété : « De musique cachée on ne fait point cas. Je l'ai dit déjà. Mais je dois maintenant montrer au peuple de l'Empire les talents de l'empereur. »

Devant le palais impérial, j'ai vu les centaines de litières, les courtisans, les prétoriens, les milliers de porteurs qui composaient ce cortège impérial que Sénèque allait rejoindre.

Je me suis étonné de sa décision.

Ne condamnait-il pas cette exhibition de l'empereur ? Cet abandon de Rome ? Néron allait se produire vêtu d'une tunique flottante, chaussé de cothurnes, et sur son visage porterait le masque des acteurs.

Comment Sénèque pouvait-il accepter que le maître de Rome se déguise ainsi en histrion ? Pourquoi ne pas le condamner, refuser de participer à cette mise en scène sacrilège, attentatoire à la dignité impériale ?

Sénèque m'a longuement regardé, puis m'a entraîné dans sa bibliothèque où il a déroulé un parchemin, et, lentement, il m'a lu quelques phrases dont l'auteur était un Juif d'Alexandrie, Philon, un homme sage.

« Ils ont perdu le sens, ils sont fous, ceux qui s'ingénient à manifester une franchise hors de saison, osant braver en paroles et en actes des rois et parfois des tyrans. »

Il m'a invité à méditer cette pensée qu'il partageait.

— Je vais à Naples, Serenus, et tu viens avec moi.

Lâcheté, fidélité ou obéissance, je suis monté dans la litière de Sénèque et nous sommes partis ensemble pour Naples.

Je n'ai pas regretté d'avoir assisté plusieurs jours durant au spectacle donné par un empereur qu'applaudissaient avec la force du tonnerre les milliers d'*Augustiani* et de néroniens venus de Rome avec les courtisans, les conseillers, les sénateurs, les compagnons de débauche.

Au premier rang se tenaient Tigellin, Poppée et l'autre « épouse » de Néron, ce Sporus paré comme l'impératrice, maquillé, et qui ressemblait si bien à Poppée, comme si Néron avait voulu créer avec cet homme châtré le double scandaleux de sa femme.

Je n'avais jamais vu Néron dans un tel état d'exaltation.

Il s'inclinait, esquissait une danse, seul sur la scène du théâtre. Il saluait les spectateurs regroupés selon leur origine, habitants des villes de Campanie ou d'Alexandrie, Grecs ou citoyens de Naples. Il déclamait, chantait, et rien ne semblait pouvoir l'interrompre.

Au troisième jour, le théâtre a tremblé, mais il a ignoré le frémissement de la terre et a poursuivi jusqu'au bout son tour de chant. Et personne n'a osé fuir.

Le cinquième jour, il a dîné au milieu de l'orchestre en présence de la foule qui l'acclamait. Et c'est en grec qu'il s'est adressé à elle.

— Je vais faire retentir quelque chose de bien plein dès que j'aurai un peu bu, a-t-il dit.

Peu après, il est remonté sur scène et a chanté jusqu'au matin.

Par leur seule présence, les prétoriens, les *Augustiani*, les néroniens empêchaient quiconque de quitter le théâtre.

Le septième jour, alors que le spectacle venait de se terminer et que le théâtre était vide, les gradins et les murs se sont effondrés dans un grand fracas, soulevant un nuage de poussière.

La foule s'est rassemblée autour des décombres. Était-ce un mauvais présage ? Personne n'a osé répondre à cette question ni même la poser.

Des milliers d'esclaves, encadrés par les prétoriens, avaient déjà commencé à déblayer les gravats, à installer des bancs, à reconstruire une scène, et, dès le lendemain, Néron chanta sa reconnaissance aux dieux qui avaient voulu montrer leur puissance et leur bienveillance, puisque le théâtre avait été détruit par leur volonté sans qu'un seul spectateur fût blessé. Ils avaient ainsi manifesté qu'ils plaçaient l'empereur et ces jeux sous leur protection.

« Néron est le fils divin d'Apollon ! » ont lancé les *Augustiani*.

Et la foule a répété ce cri cependant que l'empereur ôtait son masque et montrait son visage rouge de plaisir.

Il était comme un homme ivre que son entourage invite à continuer de boire tout en applaudissant à ses outrances.

Il dansait. Il déclamait. Il titubait. Il réclamait une cithare ou une lyre, et, sur quelques accords, il improvisait un poème qui suscitait des exclamations enthousiastes.

Alors il semblait perdre la tête, et, oublieux des promesses qu'il avait faites, il déclarait qu'il voulait traverser la mer Adriatique, se rendre en Achaïe, faire retentir sa voix là où les artistes grecs, au temps de la splendeur athénienne, avaient joué et concouru.

On l'approuvait.

Et le cortège nuptial s'ébranlait, quittant Rome pour Bénévent.

J'ai rencontré là l'un des êtres les plus monstrueux et les plus ignobles que j'aie jamais vus. Il se nommait Vatinius.

Il s'est avancé vers Néron et il m'a semblé voir glisser un reptile.

Le corps difforme, la tête énorme, les yeux exorbités, le cou comme absorbé par les épaules, les bras et les jambes courts et torves, comme si on avait voulu les lui briser, il ne marchait pas, mais tantôt rampait, tantôt sautillait, oscillant aussi de droite et de gauche, plus bestial qu'humain.

Je l'avais déjà aperçu à Rome au palais impérial où il était l'un des bouffons de Néron.

L'empereur et, à sa suite, les courtisans s'étaient moqués de lui. Il avait tenu le rôle qu'on lui avait ainsi assigné, puis, un jour, profitant d'un moment de silence, il avait lancé un nom, « Torquatus Silanus », qu'il avait accompagné d'un grand éclat de rire.

Néron l'avait fixé tout à coup d'un air grave, le menaçant de le faire écorcher vif s'il ne donnait pas les raisons de cet éclat de rire, car Torquatus Silanus était un homme riche, descendant de la famille de Jules César, apparenté ainsi à Néron et donc un rival possible.

Langue pendante, bave aux lèvres, Vatinius avait répondu en ricanant que Silanus se vantait d'avoir le dieu Auguste, le grand fondateur, comme trisaïeul. Que sa maison était un palais impérial et que ses affranchis y portaient les mêmes titres que ceux qui servaient Néron. Silanus disposait de secrétaires chargés de la correspondance, des requêtes, des comptes.

— Tout comme tu as les tiens, fils d'Apollon, avait ajouté Vatinius d'une voix sifflante. Il dit que lui est fils d'Auguste, et qu'il est donc ton égal.

Puis Vatinius avait reculé.

— Tu es le seul empereur, Néron, mais Silanus joue ton rôle comme au théâtre.

On avait appris peu après que les affranchis de Torquatus Silanus avaient été arrêtés, enchaînés, torturés. Ils avaient avoué que leur maître espérait succéder un jour à Néron et qu'il préparait et attendait ce moment avec impatience, conspirant avec des sénateurs.

Lorsqu'il avait appris les accusations dont il faisait l'objet, Torquatus Silanus avait devancé les tueurs. Il s'était ouvert les veines du bras, et le sang s'était écoulé lentement, remplacé peu à peu par le froid de la mort.

Néron avait voulu voir le corps. Il l'avait retourné en le poussant du pied, puis avait déclaré d'un ton enjoué que Silanus avait eu tort de ne pas attendre le verdict des juges. Certes, il aurait eu de la peine à se défendre, mais il eût pu compter sur la clémence de l'empereur.

Néron avait ensuite fait l'éloge de Vatinius, le monstre délateur, auquel il faisait don de villas et de domaines dans la région de Bénévent, là où je le retrouvai, plus repoussant encore, les yeux brillants de vanité et de puissance, s'agenouillant devant Néron comme seul un bouffon ou un esclave pouvaient le faire, offrant à l'empereur d'assister à un spectacle de gladiateurs préparé à son intention.

C'était comme si on avait présenté à Néron un verre de vin rare. Il s'était rendu à l'amphithéâtre, Vatinius courant devant lui, animal fidèle glissant et bondissant devant son maître, présentant les deux cents paires de gladiateurs qui allaient combattre. Et Néron s'était mis à renifler comme s'il cherchait déjà à respirer l'odeur du sang.

Le sang coula des torses et des gorges de ces hommes aux membres liés que Vatinius offrait à des fauves ou à d'autres hommes tout aussi carnassiers, mais plus cruels que des tigres.

Son ventre rebondi gonflant son ample tunique, Néron riait aux contorsions des proies que les griffes ou les crocs – des hommes ou des fauves – déchiraient.

Puis j'ai vu Tigellin se pencher et chuchoter quelques mots à Néron qui se leva, demandant d'un geste qu'on fît mourir tous ceux qui se battaient encore. Après quoi il se retira.

Ce n'est que quelques jours plus tard que j'ai compris les raisons pour lesquelles Néron était rentré à Rome, renonçant à traverser la mer Adriatique.

À Rome, la plèbe s'inquiétait et murmurait.

Le temps des moissons était proche.

Il fallait que l'empereur se rendît sur le forum, au temple de Vesta où, grand pontife, il avait seul le droit de pénétrer. Et la plèbe attendait qu'il fît cette visite, qu'il sacrifiât à Vesta afin d'obtenir d'elle qu'elle offrît au peuple de Rome de fructueuses récoltes. Il devait accomplir ce rite s'il voulait que le calme régnât dans les rues. Les témoins qui l'ont vu entrer puis sortir du temple de Vesta ont eu l'impression que l'homme avait changé de visage.

Ce n'était plus le Néron rayonnant, assuré, presque moqueur, qui était apparu entre les colonnes, mais un homme chancelant, tremblant d'effroi.

Il confia que, dans le temple, une main inconnue, peut-être celle de Vesta, l'avait retenu par un pan de sa toge. Une brume grise et dense avait envahi l'édifice et les spectres d'Agrippine et de Britannicus, d'Octavie et de bien d'autres l'avaient entouré.

Il avait ainsi tremblé devant toute la plèbe assemblée qui attendait son discours et s'étonnait de son long silence, de sa pâleur, des tics qui déformaient ses traits, du mouvement instinctif de ses épaules.

Enfin il s'est mis à parler, disant qu'il avait compris les inquiétudes du peuple romain. Il avait lu la tristesse sur le visage des citoyens. Il se devait de les rassurer, de ne pas accroître leurs craintes en s'éloignant de Rome. Il allait organiser plusieurs distributions de grain et de vin. Car Vesta lui avait promis d'heureuses et abondantes moissons.

Il avait à cœur d'offrir le bonheur à son peuple, de le partager avec lui.

La plèbe l'avait acclamé, remercié, et Néron avait eu tôt fait de recouvrer toute son assurance et son insouciance.

Mais la mort n'est pas versatile comme la plèbe. Elle ne s'était pas laissé séduire.

Dans les jours qui suivirent, la rumeur se répandit que Néron avait tué son épouse dans un accès de colère, alors que Poppée l'accablait de reproches. Elle était malade, enceinte d'un nouvel enfant de l'empereur, avait-elle dit, et il continuait ses débauches sans elle, s'offrant comme une femme à des éphèbes, à cet affranchi, Pythagoras, dont Néron voulait être l'épouse. Et c'était infamant qu'un empereur se laissât ainsi chevaucher comme une putain par un mâle.

Néron l'avait frappée, lui décochant de violents coups de pied dans le bas-ventre, et elle s'était bientôt effondrée, morte.

Puis il s'était répandu en lamentations, jurant qu'elle était la seule femme digne de son amour, qu'il voulait pour elle des obsèques somptueuses, qu'il prononcerait l'éloge de Poppée afin que les dieux l'accueillissent.

Ainsi fut fait.

Je l'ai vu.

Néron, entouré par les sénateurs, récita des poèmes en l'honneur de Poppée. Au fur et à mesure qu'il déclamait, que l'exaltation le gagnait, que les acclamations, malgré les circonstances funèbres, saluaient chacun de ses vers, j'ai vu sa tristesse s'effacer, sa vanité s'épanouir. À la fin de la cérémonie, il clama qu'il voulait que dans tous les lieux publics de Rome on organisât des banquets pour célébrer le souvenir de Poppée, mais aussi pour signifier que Néron était heureux de vivre au milieu de ce peuple de Rome qu'il chérissait à l'égal de sa défunte épouse.

Habile et pervers Néron !

Sénèque ne pouvait s'empêcher d'admirer son ancien élève. Il était fasciné par la duplicité de ce tyran qui savait flatter la plèbe, terroriser les puissants, s'abandonner à ses penchants, réussir même à se faire acclamer par la foule lorsqu'il s'y livrait devant elle.

— Il n'est pas seulement craint parce qu'il détient le pouvoir impérial et qu'il est ainsi, pour la plèbe, un personnage sacré, le grand pontife, fils d'Apollon, me dit Sénèque. Il est aimé, Serenus, pour ce qu'il est, pour ce qu'il ose montrer de lui. Tu as entendu les acclamations, à Naples ? Dans quelques mois, la plèbe de Rome l'accueillera en triomphe quand il entrera sur scène ou conduira un char sur la piste du cirque.

Elle le saluait déjà comme un prince bienfaiteur quand il parcourait les rues de Rome, allant d'un banquet à l'autre, s'assurant qu'on avait distribué le vin et les victuailles. Lui passait, marchant d'un pas lent, protégé par ses prétoriens, ses cavaliers germains, entouré par les *Augustiani* et les néroniens.

Je l'ai ainsi suivi jusqu'au champ de Mars.

Là, autour de l'étang d'Agrippa, Tigellin offrait un banquet en l'honneur de Néron.

Jamais je n'avais assisté au déploiement d'un tel faste, à l'organisation publique d'une telle débauche.

L'étang et le champ de Mars étaient devenus un immense lupanar où tous les vices étaient mis en scène avec extravagance.

Le festin se tenait sur un radeau tiré par d'autres bateaux. Les embarcations étaient ornées d'or et d'ivoire. Les rameurs avaient la beauté provocante des mignons qu'on avait rangés selon leur âge et leur spécialité dans l'érotisme. On disait que Tigellin les avait fait rechercher dans tout l'Empire, de l'Orient à la Bretagne, de l'Espagne aux pays du Danube, d'Arménie à la Gaule narbonnaise.

Dans des cages placées sur des ponts voletaient des oiseaux ou somnolaient des fauves venus de toutes les provinces.

Dans l'étang nageaient des animaux marins amenés depuis l'océan.

Les citharèdes accompagnaient les chants. On apercevait sur l'une des rives de l'étang des maisons éclairées comme des lupanars. Les dames de la noblesse s'y pressaient, ayant obéi avec enthousiasme aux ordres de Néron. Sur la rive opposée se promenaient des prostituées nues.

Il suffit de quelques instants pour que la débauche mêlât les corps. À la nuit tombée, on les devinait à la lueur des torches et des lampes qui éclairaient maisons et bosquets.

Les embarcations avaient été tirées sur les rives et les rameurs, nus eux aussi, s'étaient dispersés tout autour de l'étang.

Néron était entouré par plusieurs mignons que surveillaient les prétoriens de sa garde. Puis il se dirigea vers les lupanars, accueilli par les cris aigus des nobles dames, cependant que de l'autre rive les prostituées l'invitaient à se rendre auprès d'elles, lui promettant des plaisirs qu'il n'avait jamais éprouvés.

Tout devait lui sembler possible.

Je l'ai vu, quelques jours plus tard, la tête couverte du *flammeum*, les yeux baissés comme une jeune vierge, timide sous ce voile de tissu orangé que portent les jeunes épousées lors de la cérémonie nuptiale. Il marchait, aux côtés de l'affranchi Pythagoras, vers les prêtres qui allaient célébrer leur union.

Il était la jeune femme. Il apportait sa dot au mari, le lit nuptial et les torches du mariage.

Et l'on ne s'étonnait même plus qu'un empereur épousât un affranchi, donnât à voir ce mariage, s'offrît même au vu de tous à Pythagoras, comme s'il voulait que chacun vît, que chacun sût qu'il était libre de faire et de jouir comme il le désirait.

Que c'était là son privilège d'empereur.

Rien, pas même le phallus d'un affranchi, ne pouvait souiller sa dignité ni compromettre son pouvoir.

36

Dans les jours qui ont suivi ces jeux, ces festivités, ce mariage grotesque et sacrilège, j'ai cru pourtant que la dignité, la popularité et le pouvoir de Néron seraient ensevelis sous les cendres de l'incendie qui, en six jours et sept nuits, puis, après une accalmie, en trois nouveaux jours, ravagea Rome.

La rumeur accusait Néron d'avoir voulu et organisé ce crime épouvantable.

La ville, notre Rome, était saccagée : trois quartiers n'étaient plus que terre noircie ; sept autres étaient couverts de ruines ; quatre seulement avaient échappé aux flammes.

J'avais vu le feu courir, poussé par le vent, du Palatin au Velabre.

J'avais vu les boutiques s'embraser, les *insulae* et les gradins du Grand Cirque s'effondrer.

J'avais vu les flammes gravir les collines puis ravager la plaine, les vallées, et les ruelles s'étaient transformées en ruisseaux de feu.

J'avais entendu les cris d'effroi, les lamentations.

Les femmes, les enfants, les vieillards, des dizaines de milliers de citoyens et d'esclaves avaient été, comme des rameaux secs, consumés en l'espace de quelques instants.

Jamais la ville n'avait connu un tel incendie.

Des volutes de fumée noire la recouvraient. Les étages des *insulae* s'écrasaient avec fracas sur leurs locataires. La foule n'était plus qu'un troupeau que la peur rendait fou.

J'ai couru avec elle.

Le bois qui soutenait les maisons craquait dans un hurlement avant de crépiter et de devenir cendre. On ne pouvait lutter contre ces flammes qui sautaient d'une maison à l'autre et s'engouffraient dans les ruelles.

Les femmes tentaient de retrouver leurs enfants, elles criaient des noms, mais leurs cheveux et leurs tuniques s'enflammaient et leur peau grésillait. Sur l'ordre de Néron, des prétoriens avaient ouvert les jardins de l'empereur et dirigé la foule vers le champ de Mars afin qu'elle s'y réfugiât.

Certains des survivants s'enfuyaient nus, tentant de gagner les champs hors de la ville.

J'ai voulu rassembler quelques hommes pour essayer d'arrêter les flammes. Mais l'eau manquait. Toutes les devantures, les marchandises à étal, autour de nous, étaient en feu. Et ceux qui m'avaient rejoint s'éloignaient. Car des groupes d'hommes au visage noirci par la fumée menaçaient ceux qui voulaient combattre l'incendie.

J'ai vu des gens en grand nombre lancer des torches sans même chercher à se dissimuler.

Qui étaient-ils ? Des esclaves obéissant à Néron ? Certains de ces incendiaires ont crié qu'ils obéissaient en effet à des ordres. Était-il possible que ce fût l'empereur qui les donnât ?

J'ai hésité à le croire, tant l'infamie, le sacrilège, le crime eussent été immenses.

C'était Rome, notre Rome qui périssait, plus de quatre siècles après avoir été détruite par les Gaulois.

Il fallait être fou pour livrer ainsi aux flammes des milliers d'habitations, chacune de cinq ou six étages.

Il fallait être l'ennemi de Rome pour se réjouir de voir s'embraser les temples de nos divinités, celui de Jupiter et celui de Vesta, de voir palais et nobles demeures disparaître avec les joyaux, les enseignes des légions victorieuses, les prises de guerre, toute la mémoire glorieuse de l'histoire de Rome !

Et, tout cela, pourquoi ?

Au début, je n'ai entendu personne accuser directement Néron.

Il était à Antium, loin de l'incendie, et était revenu en hâte. Sa maison, qu'il disait « transitoire », avait été en partie détruite. Comment l'aurait-il désiré, même s'il la trouvait trop exiguë, alors qu'elle était immense, longue de plus de cinq mille pas, avec des portiques, des parcs, des bassins ?

Comment l'accuser d'avoir mis le feu à Rome simplement parce qu'il n'aimait ni ses rues étroites, ni sa puanteur, ni le désordre des constructions de cette ville ?

Et cependant la rumeur se répandait avec l'incendie.

On avait vu les esclaves de Néron abattre des murs de pierre qui résistaient aux flammes, mais dont il voulait depuis longtemps la destruction.

On disait que, revenu d'Antium, cet homme, qui avait semblé vouloir sauver, en les accueillant dans ses jardins et au champ de Mars, ceux qui avaient tout perdu, s'était empressé de gravir le mont Esquilin, de monter au sommet de la tour de Mécène, et, en habit de théâtre, avait chanté, joué de la lyre, récité l'un de ses poèmes qui racontait la « prise de Troie » détruite par le feu.

Et Néron s'était dit charmé par la beauté des flammes.

Mais il avait aussi fait venir d'Ostie des bateaux chargés de grain, et il avait forcé les marchands à le vendre à trois sesterces le boisseau pour que les survivants puissent ainsi se nourrir.

Qui était-il, un monstre ou un empereur généreux ?

Calmé au bout de six jours et sept nuits, le feu avait connu un nouveau départ. Et les premières flammes de ce second incendie avaient jailli en bordure des propriétés de Tigellin, l'inspirateur et l'exécuteur des crimes de Néron.

On s'était souvenu que l'empereur, lors d'une de ses fêtes, avait fait représenter sur scène un embrasement, et qu'il en avait paru tout exalté. En entendant le vers d'Euripide : « Moi mort, puissent la terre et le feu se confondre ! », il s'était exclamé : « Mais non, que ce soit de mon vivant ! »

Et n'était-ce pas lui qui, évoquant les origines troyennes de sa famille, celle de César, s'était écrié : « Heureux Priam, roi de Troie, qui a pu voir de ses yeux son empire et sa patrie périr à la fois ! »

Avait-il ainsi sacrifié la mémoire et les temples de Rome, et des dizaines de milliers de ses habitants, pour jouir d'un spectacle, accorder sa lyre, sa cithare, sa voix au grondement du brasier et aux cris de souffrance, tout en détruisant des constructions, quelles qu'elles fussent, qui gênaient ses projets, sa volonté de reconstruire Rome à sa guise, de bâtir un palais, une Maison dorée, une *Domus aurea* enfin aux dimensions de sa gloire, de son pouvoir d'empereur du genre humain ?

Il voulait une nouvelle Rome aux larges avenues en perspective, aux portiques alignés jusqu'à se perdre à l'horizon.

Et c'était donc pour cela qu'il aurait fait incendier Rome. À moins qu'il n'eût simplement utilisé les circonstances, chevauché la Fortune qui arasait les quartiers de sa ville afin qu'il pût y élever ses palais, y dessiner sa ville, Néropolis !

J'ai senti la colère monter en ville, d'abord parmi la plèbe frappée par la mort de tant de citoyens pauvres ; chacun parmi elle avait un fils, une femme, un père que les flammes voraces avaient engloutis. En même temps, ces pauvres hères avaient perdu les quelques biens qu'ils possédaient. Mais Néron avait interdit que les survivants se rendissent sur les ruines pour tenter d'y retrouver le cadavre d'un proche ou les débris d'un patrimoine. Il avait promis de faire enlever les cadavres et les décombres.

On pensa qu'il voulait par là ramasser le butin que l'incendie lui avait ainsi procuré.

On l'accusa de dépouiller ceux dont il avait provoqué la ruine ou la mort.

On assista sans ferveur aux cérémonies expiatoires qu'il fit organiser pour apaiser les dieux, supplier Vulcain, Cérès et Proserpine.

On murmura qu'il avait été abandonné des dieux qui avaient détruit la ville, ses palais, ses temples, ses trophées, à moins qu'il n'eût été lui-même l'incendiaire.

Aussi les matrones et les prêtres qui imploraient les divinités n'y pouvaient-ils rien.

Ainsi persistait, dans cette ville dont les décombres fumaient encore, la rumeur qui faisait de Néron un criminel ou un empereur dont la Fortune, ce don des dieux, s'était détournée.

37

Lorsque j'ai dit à Sénèque que l'on continuait à accuser Néron d'être l'incendiaire de Rome, il a murmuré, en levant la tête vers moi :

— Malheur à nous !

Il était assis à l'intérieur de sa bibliothèque dans une pose qui lui était familière, le buste penché en avant, les coudes appuyés sur les cuisses, les avant-bras dressés, le menton reposant sur ses poings fermés.

Il aurait dû être rassuré par le sort que les dieux lui avaient ménagé : les flammes avaient à peine roussi les cyprès en lisière de son jardin ; les brandons que le vent avait projetés sur les massifs de fleurs et les toits de la villa avaient été rapidement éteints par les esclaves. La demeure de Sénèque était l'une des rares du Palatin à n'avoir subi aucun dommage.

Et, cependant, il a répété : « Malheur à nous ! » tout en me regardant.

Il a dû percevoir mon étonnement car il a ajouté :

— Si aucune cérémonie rituelle destinée à apaiser les dieux, aucune largesse de l'empereur envers la plèbe...

Il a secoué la tête, dit plus bas :

— A-t-on jamais vu un empereur accueillir, comme Néron, des misérables dans ses jardins, faire distribuer du blé en telles quantités, en fixer le prix à trois sesterces le boisseau ? Or, si cela ne suffit pas...

Il a fait une moue qui creusait son visage déjà parcouru de rides profondes.

– ... si rien, ni les sacrifices, ni l'invocation des dieux, ni les dons ne peut étouffer l'accusation infamante et faire taire cette rumeur qui vise Néron, alors il faudra noyer ces flammes sous des flots de sang. Il faudra des accusés par centaines, des supplices raffinés qui surprendront la plèbe, la distrairont par des spectacles qu'elle n'a jamais vus, des tueries qui lui feront oublier l'incendie et la culpabilité ou l'impuissance de Néron. La plèbe aura alors le sentiment d'être vengée et honorée. Néron sera innocenté parce qu'il aura fait couler le sang des coupables, et, puisqu'il les aura désignés et que l'on aura survécu, la plèbe dira qu'il a conservé la protection des dieux, que la Fortune le couvre de ses ailes. Mais que de souffrances ! Que de sang ! Peut-être le nôtre, Serenus.

Il s'est levé et a posé la main sur mon épaule.

— Notre sang, nos vies n'y suffiraient pas. D'autres, nombreux, avant nous, vont être égorgés.

C'est ce jour-là qu'il m'a longuement parlé des disciples de Christos, de ce Juif de Tarse, Paul, de ce Pierre qui avait connu leur dieu, ce Christos naguère crucifié en Palestine par le procurateur Ponce Pilate, sous le règne de l'empereur Tibère, et qui rassemblait autour de lui les chrétiens de Rome.

— La plèbe n'aime pas les chrétiens, qui ne sacrifient pas aux dieux, espèrent et attendent le retour de leur Christos. Ils l'annoncent, Paul de Tarse me l'a dit : il reviendra au milieu d'un feu flamboyant.

Il a répété ces derniers mots.

— N'est-ce pas assez pour les accuser ? Nos mages, ceux qui ont l'oreille de Néron, Simon le Magicien et Balbilus, les dénoncent comme des ennemis de l'empereur, des jeteurs de sorts, des faiseurs de miracles, des impies. Et les Juifs, dont ils se sont séparés, les jalousent, les combattent exhortent la justice impériale à les châtier. N'oublie pas que Poppée écoutait les Juifs, qu'elle s'était peut-être convertie, que les Juifs ont leurs entrées au palais de Néron. Les chrétiens n'ont que des ennemis ! Quels parfaits coupables ils font ! On ne peut pas les aimer ! Ils sont si sûrs dans leur foi qu'ils en paraissent arrogants. Ils prêchent le renoncement aux jouissances, à la vie. Ils attendent la mort avec impatience parce qu'elle les délivrera de leur chair et qu'ils seront ressuscités.

Il m'a serré l'épaule et j'ai senti ses doigts osseux qui se crispaient.

— Je crois à l'immortalité de l'âme, Serenus, mais pas à cette superstition d'esclaves et de femmes : la résurrection. Parfois, j'en viens à penser que le vrai et le seul crime des chrétiens, c'est la haine de la vie.

Il a desserré les doigts et murmuré :

— Beaucoup d'entre eux vont la perdre. Néron et Tigellin ont sans doute déjà compris qu'il faut jeter ces chrétiens en pâture à la plèbe. Ils vont les accuser d'avoir détruit Rome par ce « feu flamboyant », parce qu'elle est pour eux la ville de la jouissance, la capitale de la chair !

Il a ajouté, après un silence :

— Ils doivent remercier leur dieu pour l'incendie, y voir un juste châtiment, l'annonce du retour de leur Christos sur terre, un embrasement du monde imparfait, cette apocalypse que les Juifs – et Paul de Tarse, comme eux – attendent. Ils vont la vivre, crois-moi ! Et elle dépassera en horreur tout ce qu'ils imaginent. Toi-même, Serenus, qui n'es pas de leur secte, qui as déjà vu tant de crimes, en seras surpris. Et peut-être moi aussi.

J'ai su que mon maître Sénèque avait deviné l'avenir quand j'ai entendu sur le forum, devant les tavernes, au champ de Mars où se trouvait encore la foule des rescapés de l'incendie, les hommes de Néron, ses espions et ses tueurs dire que les adeptes de la secte de Christos, que les croyants de cette exécrable superstition, que ces hommes et ces femmes qui avaient des mœurs criminelles, n'avaient pas participé aux cérémonies expiatoires à la gloire des dieux de Rome. Ils regrettaient que l'incendie, ce « feu flamboyant » qu'ils attendaient, n'eût pas entièrement détruit Rome, la ville infâme.

Ils le proclamaient. Ils appelaient la foudre et les malédictions sur elle. Et c'est pourquoi l'empereur Claude, il y avait près de quatre lustres, les avait châtiés. Et les Juifs eux-mêmes voulaient qu'on les exterminât, car les chrétiens avaient la haine du genre humain.

J'ai vu la plèbe s'embraser comme un champ d'herbes sèches. Ce n'était plus l'incendie des bâtiments et des temples. Mais les flammes de la vengeance dévoraient les âmes.

J'ai vu passer, enchaînés, entourés par des prétoriens, les premiers chrétiens arrêtés.

Et j'ai entendu les cris : « Les chrétiens aux lions ! Les chrétiens sur la croix ! »

Et j'ai vu de la foule bondir des hommes qui brandissaient des bâtons ferrés et qui frappaient sur la nuque, le visage, les épaules des prisonniers.

Puis les arrestations se sont multipliées, car les premiers emprisonnés avaient été torturés et avaient livré les lieux où ils se réunissaient autour de Paul de Tarse et de Pierre, qui avaient connu Christos, et de ce Linus, l'homme hâve qui m'avait naguère apostrophé !

À sa démarche, à sa silhouette, je l'ai reconnu quand il est entré dans l'arène.

Car j'étais parmi la plèbe qui hurlait, qui acclamait Néron lorsqu'il apparaissait dans sa loge et demandait d'un geste qu'on fît entrer les coupables. Parmi eux, tous revêtus de peaux de bêtes, il y avait ce Linus.

C'était là le spectacle imaginé pour surprendre et satisfaire cette foule, lui faire rendre grâces à

Néron de la venger par ces jeux inédits : des hommes et des femmes tenant leurs enfants, tous enveloppés dans des peaux d'ours ou de fauves teintées de sang afin que les chiens sauvages lâchés dans l'arène soient attirés, leur sautent à la gorge, leur arrachent ces déguisements bestiaux avant de les mettre en pièces.

Et j'ai vu ces chrétiens nus, ces femmes qui tentaient de protéger leurs nouveau-nés, que les chiens lacéraient.

Puis vint un autre jour où on les cloua sur la croix. Et l'un d'eux, ce Pierre, compagnon de leur Dieu, ce Christos, fut crucifié la tête en bas, à sa demande, dit-on, en signe d'humilité pour ne pas paraître l'égal de son Dieu.

Je regardais, incapable de bouger. Chaque spectacle marquait un nouveau degré dans le raffinement des supplices.

Il y eut un soir, au moment où le jour baissait, où l'on mit le feu à ces crucifiés qui avaient été préalablement enduits de poix, afin que les flammes qui dévoraient leurs corps éclairent les jardins de Néron où la plèbe avait été admise.

Et l'empereur, en costume d'aurige, tenant fermement les rênes de ses quatre chevaux, entouré par ses *Augustiani* et ses néroniens, par les prétoriens germains de sa cavalerie, parcourait au pas ses jardins, souriant, son visage bouffi, sa peau luisante de sueur, éclairé par les lueurs des corps crucifiés que les flammes nourries de chair et de poix faisaient grésiller.

J'ai senti cette odeur de bûcher.

Ces flambeaux vivants illuminaient les jardins de Néron au centre desquels se dressait un obélisque d'Héliopolis transporté jusqu'au cœur de cette ville, de cet Empire dont je me suis alors demandé s'il n'était pas devenu plus cruel que le royaume le plus barbare d'Asie.

Les jours suivants, j'ai vu encore pire.

Dans l'arène, des femmes nues étaient pénétrées par des phallus géants enflammés que tenaient à deux mains des esclaves comme s'il s'agissait du leur. D'autres étaient livrées, telles des génisses, à des taureaux furieux au phallus écarlate. Certaines étaient attachées nues aux cornes d'un taureau ; l'on murmurait que Néron avait voulu ce supplice-là pour rappeler le sort de Dircé, la femme du régent de Thèbes, Lycos.

Car Néron, c'était cela : le raffinement dans les supplices et le goût de la Grèce, de ses dieux, de ses légendes, de ses jeux, de son théâtre. La cruauté se mariant à l'art.

Je l'ai observé. Il jouissait de ce qui n'était pour lui que spectacle, mise en scène, évocation du destin des divinités et des souverains grecs.

Rome avait brûlé comme Troie. Il avait éprouvé ce qu'avait ressenti Priam.

Mais il était plus grand que tous, car Rome avait vaincu la Grèce et elle associait la force à la philosophie, les légions romaines aux jeux et au théâtre.

Et lui, Néron, réunissait tout cela dans sa propre personne : acteur, chef de guerre, grand pontife, fils de dieu, poète, aurige, empereur du genre humain.

Lors de la dernière soirée de supplices, alors que dans l'arène tout ce que j'avais vu au cours des jours précédents était réuni pour une sorte de parade finale, où les flambeaux vivants comme dans les jardins de Néron éclairaient le spectacle, où les chiens se repaissaient des chairs, où les femmes étaient labourées par les phallus, traînées nues sur la piste par des taureaux qui secouaient leurs cornes afin de se débarrasser des corps qui leur étaient arrimés, il m'a semblé que la plèbe ne manifestait plus sa haine ni son enthousiasme. Elle exprimait par ses longs silences son hébétude, une sorte de dégoût, peut-être même de pitié, comme si elle comprenait que Néron s'était joué d'elle, que ces chrétiens qui périssaient ne mouraient pas pour l'intérêt de tous, mais pour satisfaire la cruauté d'un seul.

Une voix près de moi a chuchoté :

— Je sais ce que je risque en te parlant. Le nom seul de chrétien est un arrêt de mort. Mais le procurateur romain a crucifié notre Christos, et Christos est ressuscité. L'empereur Néron a crucifié Pierre, décapité Paul, supplicié des centaines d'entre nous, mais nous ressusciterons, et je te le dis : Néron est la bête qui hante la fin des temps. Lui brûlera dans les Enfers, pour son éternelle souffrance. Il est le Mal. Il est l'Antéchrist !

Je ne me suis pas retourné.

Je n'ai pas voulu voir le visage de celui qui m'avait parlé.

38

Je n'ai jamais oublié ces paroles prononcées par l'inconnu.

Je les répétais chaque jour à Sénèque, dont l'indulgence ou l'indifférence me choquaient. Rien ne paraissait le surprendre dans les supplices infligés aux chrétiens. Lorsque je lui décrivais les corps crucifiés, enduits de poix, d'huile ou de résine afin qu'ils s'embrasent, il m'interrompait.

Il s'agissait, disait-il, du châtiment infligé depuis toujours aux incendiaires. La seule nouveauté consistait à avoir utilisé ces brûlés vifs comme torches, atroces flambeaux pour éclairer des jeux cruels.

Mais – il haussait d'un prompt mouvement l'épaule gauche, tout en faisant la moue – c'était là le fruit du goût pour les arts – oui, l'on pouvait employer ce mot – de Néron. Il n'était pas plus cruel que les autres tyrans ou que n'importe quel homme ayant possédé un pouvoir équivalent au sien, mais il avait la volonté d'inventer, de créer.

Je m'indignais.

— Rome est devenue le royaume de la Bête, la ville du Mal, le champ de carnage de l'Antéchrist !

Sénèque haussait les sourcils, tendait la main vers moi pour m'inciter à recouvrer la mesure, à ne pas me laisser emporter par la passion des adeptes de Christos.

Néron, après tout, ne faisait que suivre l'opinion de la plèbe et des prêtres juifs qui haïssaient les chrétiens. Les accusations que l'on portait contre eux, étais-je sûr qu'elles n'étaient pas justifiées ? Ils étaient pires que les Juifs dans leur mépris de Rome. Les Juifs étaient plus habiles, sachant influencer les proches de Néron, s'introduire dans le palais, distraire l'empereur par les pitreries de leurs mimes.

Les chrétiens étaient gens de secte. Pourquoi n'auraient-ils pas voulu détruire Rome par un feu purificateur ?

Je n'aimais pas, chez Sénèque, cette manière de retourner les faits, les preuves, les rumeurs comme on examine l'envers d'une tunique pour s'assurer qu'elle est propre.

Nous parlions ainsi, Sénèque et moi, assis dans la partie la plus haute de son jardin. Nous pouvions apercevoir la presque totalité de la ville.

Ce n'étaient partout que chantiers.

Des foules d'esclaves achevaient de déblayer les décombres de l'incendie, d'autres commençaient déjà à décharger les blocs venus de la région du lac d'Albe. On assurait que cette pierre poreuse résistait au feu, puisqu'elle avait surgi des entrailles de la Terre lors des éruptions volcaniques. Et

Néron avait exigé qu'on l'utilisât à la place du bois pour le soubassement des maisons.

Il voulait aussi que les rues fussent plus larges, les immeubles moins hauts, séparés par des cours intérieures, interdisant les murs mitoyens. Il avait créé un corps de surveillants afin qu'ils veillassent sur les fontaines de la ville pour que l'eau n'en fût pas détournée par les particuliers, qu'elle coulât pour tous et pût être utilisée en cas d'incendie. Il imposait des portiques au rez-de-chaussée des immeubles afin qu'on pût combattre les flammes plus facilement et qu'elles se heurtassent à la pierre.

— Tout cela, disait Sénèque en montrant de son bras tendu les constructions qui commençaient à s'élever – celle d'un grand marché, d'un grand cirque –, est-ce d'un homme qui a mis le feu à la ville ?

Il m'interdisait d'un geste et d'un regard de réfuter sa remarque qui commençait d'être partagée par tous ceux qui voulaient plaire à Néron ou à son entourage.

— Je sais, je sais, reprenait-il, tu me rétorqueras que Néron veut la gloire d'avoir fondé une nouvelle ville sur le chaos de l'ancienne. Il veut, je crois, une ville qui porte son nom, comme en Orient il y a Alexandrie. Il y aura donc *Néropolis*. Il veut être le nouveau Romulus et le nouveau César, le nouvel Alexandre. Pourquoi pas ? Cela ne prouve pas qu'il ait décidé de mettre le feu à Rome, mais simplement qu'il utilise cet incendie pour atteindre son objectif. Est-il pour cela la Bête, le Mal, l'Antéchrist, comme disent ces chrétiens que tu écoutes ?

Je me levais, montrais autour de la villa de Sénèque, sur la colline du Palatin, ces murs, ces portiques que les esclaves construisaient et qui esquissaient le nouveau palais de Néron, cette *Domus aurea*, cette Maison dorée qui s'étendrait au cœur de la ville ; l'empereur s'était déjà emparé du site des villas et jardins que les flammes avaient saccagés.

Nous avions plusieurs fois aperçu le cortège de Néron qui parcourait cet espace au nord du Palatin, au sommet de la colline de la Velia. Il avait suffi de quelques semaines pour que se dresse la triple colonnade de l'entrée, décorée d'or et de pierres précieuses.

On devinait que les bâtiments seraient immenses, que des mécanismes permettraient aux plafonds de certaines pièces de tourner pour rappeler la succession des saisons et le mouvement du monde. Certains plafonds seraient recouverts de tablettes en ivoire mobiles et percées de trous afin de permettre de répandre sur les convives des parfums et des fleurs.

Et entre les constructions, entre les temples de Jupiter et de la Fortune qu'on commençait à rebâtir, s'étendraient des bois, des lacs, des pâturages, toute une nature qui rappellerait, en plein cœur de la ville, la quiétude des champs et des forêts.

— Je vais enfin être logé comme un homme, avait déclaré à plusieurs reprises Néron en minaudant, et on n'avait pas su s'il se moquait ou s'il exprimait réellement son sentiment.

Mais il voulait un portique de plus de mille pas à l'entrée duquel se dresserait sa statue colossale dont la hauteur serait celle de vingt hommes juchés sur les épaules les uns des autres. Et j'avais vu cette pyramide de corps quand, en effet, on avait porté, soulevé, installé, poli cette statue de bronze qui n'était pas de celles qui représentent et honorent un empereur, mais un dieu.

— Le dieu du Mal, la statue de la Bête, de l'Antéchrist ! ai-je répété.

Ces mots suscitaient à chaque fois l'ironie ou la colère de Sénèque.

— Néron est fils des dieux, fils d'Apollon depuis le jour de sa naissance dans cette famille liée aux dieux. Que sais-je de ce Christos que la superstition dit ressuscité, mais qui n'est sans doute que l'un de ces magiciens, aussi nombreux en Judée et dans tout l'Orient que les sauterelles. Néron est empereur romain. Il veut la gloire avec plus d'impatience et plus d'invention que ceux qui l'ont précédé. Il voudrait être un monarque, l'un de ces rois d'Orient, de ces despotes qui se conduisent en dieux vivants.

Il baissait la voix.

— Ce n'est pas ce que j'ai souhaité. Je lui ai enseigné la clémence, l'équilibre, le respect de nos lois et du Sénat. Mais Néron est-il le premier à s'engager dans la voie de la tyrannie ? À régner par la proscription et l'assassinat ?

Sénèque écartait les bras dans un geste habituel qui voulait exprimer sa fatigue, son impuissance et son ennui.

— La tyrannie est le vice, la perversion naturelle de l'Empire, murmurait-il. Néron y ajoute seulement son génie, sa folie. Il faut garder la mesure pour juger de sa démesure. N'écoute pas les propos des superstitieux qui croient à la résurrection d'un devin juif ! Néron Antéchrist ! Comme si l'empereur du genre humain pouvait être comparé à un Juif crucifié ! Là est la vraie folie !

Cette folie, je la sentais s'emparer de moi malgré les mises en garde de Sénèque.

J'étais plus ému par le supplice des chrétiens, celui d'une de ces femmes que l'on grimait en Danaïde ou en Dircé et qu'on livrait aux divinités souterraines, aux satyres, aux monstres des enfers, par les cérémonies et sacrifices accomplis en l'honneur de Néron, fils d'Apollon. Et je détournais la tête pour ne pas voir cette statue gigantesque qui, comme me l'avait murmuré le poète Martial, « garde l'entrée haïe de la maison d'un roi cruel ».

Il me semblait d'ailleurs que mon maître Sénèque lui-même se départit peu à peu de son indifférence et cédait au mépris en même temps qu'au désespoir.

Comment aurait-il pu ne pas condamner Néron quand nous apprenions que, pour réunir l'argent nécessaire à la construction de cette *Domus aurea*, il ruinait l'Italie, les villes, les provinces ?

Ses pillards entraient dans les temples de Rome et s'emparaient de l'or qu'à l'occasion des triomphes, ou pour acquitter des vœux, tous les âges du peuple romain avaient consacré après des succès ou dans l'angoisse.

Ses envoyés en Grèce et en Asie enlevaient dans les temples non seulement les offrandes mais aussi les statues des divinités afin de les envoyer à Rome.

C'étaient là les actes sacrilèges d'un empereur du Mal, d'une Bête, d'un homme qui se proclamait héritier et chantre de la Grèce, mais qui la détroussait comme fait un brigand.

À chaque fois que je lui rapportais ces méfaits, Sénèque cachait son visage dans ses mains ouvertes, les doigts appuyés à son front formant comme une visière, les pouces comprimant ses pommettes.

Il répétait : « Sacrilège, sacrilège ! » Et il aspirait à se retirer dans l'une de ses propriétés de Campanie, la plus éloignée de Rome, pour ne plus apprendre ce qu'il ne pouvait empêcher.

Mais il lui fallait obtenir l'autorisation de Néron.

Sénèque m'a lu la lettre qu'il adressait à l'empereur, et j'ai baissé la tête de honte, car il y prétendait que la maladie, la paralysie de ses membres par des rhumatismes exigeaient qu'il vécût loin de Rome, dans le silence et l'isolement de son domaine.

J'ai vu Sénèque attendre la réponse de Néron.

Puis, un jour, au crépuscule, un prétorien se présenta. L'empereur exigeait de Sénèque qu'il demeurât à Rome : il pouvait avoir à le consulter.

— Comment va-t-il me tuer ? murmura mon maître.

Il s'enferma dans sa chambre, ne se nourrissant plus que de fruits crus qu'il allait lui-même cueillir sur l'arbre, craignant que l'on ne pût inoculer du poison dans la pulpe d'un fruit.

Il se désaltérait à l'une des sources de son jardin, chaque jour différente.

— Je veux choisir le moment et la façon de mourir, disait-il. Je ne veux pas que Néron en décide pour moi. Je veux guider la Mort d'une main ferme jusqu'à moi.

Il avait prononcé ces mots en présence de Cleonicus, un serviteur qui vivait à ses côtés depuis plusieurs lustres. Sénèque l'avait affranchi, satisfait de son dévouement, de son intelligence à le servir.

Après l'avoir écouté, Cleonicus était tombé à genoux, avait saisi la main de son maître et lui avait confié qu'il avait reçu l'ordre de Néron de préparer du poison et de tuer ainsi Sénèque.

— Fuis, quitte Rome, quitte l'Italie ! lui dit ce dernier en le relevant. Va en Espagne, ma famille t'accueillera. Change de nom.

Mais Cleonicus hésita à suivre ces conseils. Il laissa passer plusieurs jours et on le retrouva égorgé devant la statue d'Apollon où Sénèque et moi avions l'habitude de deviser.

Telle était Rome, désormais. Tel était l'Empire.

Dans la ville de Préneste, des gladiateurs avaient tenté de s'enfuir et la plèbe murmurait qu'allait commencer une nouvelle guerre servile comme celle qui avait été jadis conduite par Spartacus.

Malgré l'effroi que suscitait ce souvenir, je décelais comme le tremblement hésitant d'un espoir. Car la plèbe tout à la fois était avide de changements et les redoutait.

Ces jours-là, alors que l'année de l'incendie s'achevait, on aperçut dans le ciel de Rome une comète.

Sur le forum et le champ de Mars, la foule avait les yeux levés, les bras tendus.

Debout sur les bornes, des astrologues prétendaient que le passage d'une comète annonçait toujours que le sang allait couler.

Autour de moi on s'interrogeait : qui allait mourir ? Quel sang les dieux allaient-ils répandre ? Celui de Néron ou celui des ennemis qu'il se choisirait ?

La rumeur que se préparait une conspiration contre l'empereur, je la sentis gonfler, nourrie de tous les présages qui se multipliaient.

On signalait la naissance de nombreux embryons d'hommes ou d'animaux à deux têtes.

Le long de la via Appia, on avait découvert un veau qui avait une tête sur la cuisse.

Que voulaient dire les dieux en modelant ces monstres ?

Certains, parmi la plèbe, chuchotaient que le Dieu des chrétiens annonçait ainsi sa prochaine vengeance après les supplices infligés à ses fidèles.

Mais les devins consultés assurèrent que cela signifiait que bientôt le genre humain allait avoir une autre tête.

Or l'empereur du genre humain, pour l'heure, se nommait Néron.

NEUVIÈME PARTIE

39

Je n'ai pas cru les devins.

La tête de Néron me paraissait aussi solidement vissée sur ses épaules qu'une verrue sur la peau.

Je ne le quittais pas des yeux quand il s'avançait sur la scène de l'amphithéâtre, entouré par les préfets du prétoire, Tigellin et Faenius Rufus, qui portaient sa lyre. Il était suivi des tribuns militaires et de ses amis les plus intimes, ses délateurs, ses affranchis, ses compagnons de débauche et de crimes.

Les spectateurs se levaient dès qu'il apparaissait et commençaient à scander, répétant qu'ils désiraient entendre la « voix céleste de leur empereur ».

C'était à l'ouverture des jeux néroniens dont il avait avancé la date, tant il avait hâte d'être applaudi, sacré pour ses talents d'acteur, de chanteur et de citharède.

Il baissait la tête comme si ces acclamations l'avaient intimidé et gêné.

— Ta voix céleste, Néron, nous la voulons ! criait-on.

Il minaudait, répondait qu'il réaliserait leur désir dans ses jardins.

Je voyais Tigellin se tourner vers les prétoriens et ceux-ci imploraient aussitôt l'empereur de chanter, de jouer « tout de suite », dans l'amphithéâtre, pour le peuple de Rome, afin que la voix céleste s'élevât enfin. Néron faisait mine d'hésiter puis s'inclinait, cédait.

Oui, on allait l'entendre, puisque le peuple de Rome le voulait, mais il ne chanterait, il ne jouerait qu'à son tour, après les autres citharèdes, car il n'acceptait aucune faveur, demandant seulement qu'on le jugeât pour son art.

Les *Augustiani* criaient, la plèbe se joignait à eux.

Alors la vanité empourprait son visage et il se mettait à chanter Oreste meurtrier de sa mère, Œdipe devenu aveugle, Hercule emporté par la fureur. Il se laissait couvrir de chaînes, parer comme pour le sacrifice afin de tenir son rôle, tel un acteur de métier.

Et l'on murmurait qu'il avait même songé à se louer pour des spectacles privés, lui, l'empereur du genre humain, et à se faire payer un million de sesterces par le préteur qui lui avait fait cette proposition !

Au fur et à mesure qu'il chantait, l'ivresse le gagnait. La foule continuait de l'applaudir, parce qu'on savait que celui qui manifesterait de l'ennui serait battu à mort par les hommes de Tigellin.

Cependant, je lisais sur les visages de nombreux sénateurs, chevaliers, prétoriens le mépris et la haine.

Ceux-là n'acceptaient pas, en cette onzième année de règne, que cet empereur de vingt-huit ans osât se comporter en histrion à Rome même, à quelques centaines de pas du forum et du Sénat, du temple d'Auguste, des statues de César, des trophées pris aux peuples vaincus.

À Naples, dans cette ville grecque, c'était déjà indigne ; à Rome, cela devenait sacrilège !

Il fallait que la tête de Néron, comme les présages l'annonçaient, fût tranchée et qu'un autre empereur lui succédât.

Il fallait qu'il respectât les traditions de Rome, ses dieux, ses lois, son Sénat.

Il fallait qu'il renonçât à faire de la plus grande ville du monde une cité d'Orient, une autre Alexandrie, et qu'il cessât d'apparaître sous les traits d'un roi d'Asie, d'un pharaon, fils du Soleil, empereur-Horus.

Rome avait réussi, il y avait cinq lustres, à se débarrasser d'un empereur fou, Caligula. Pourquoi une nouvelle conspiration ne viendrait-elle pas à bout du pouvoir de Néron ?

Or Néron, à entendre ceux qui le haïssaient et le méprisaient, était pire que Caligula.

Il avait mis le feu à Rome ou laissé l'incendie se répandre pour pouvoir bâtir cette Maison dorée construite sur les terrains et les ruines de villas qui ne lui appartenaient pas.

Il flattait la plèbe, mais il proscrivait, assassinait tous ceux qui, par leurs ancêtres, risquaient d'apparaître ses rivaux.

Il diminuait la teneur en or et en argent des monnaies.

Il enfonçait ses mains de femme dans les coffres de l'État et se servait des impôts pour payer ses putains et ses banquets de débauche.

Et, par le poison ou le glaive, sans qu'on pût parfois comprendre ses motivations, il tuait.

Peut-être voulait-il simplement s'emparer des biens de ses victimes ou écoutait-il l'un de ses délateurs qui lui avait jeté un nom en pâture, prétendant que cet homme-là, un proche pourtant, conspirait contre lui, et Néron ordonnait aussitôt qu'on mît à mort cet ami accusé sans preuve.

Car je découvrais aussi, en observant ses rictus, sa bouche qui se tordait, ses paupières qui se plissaient, que la peur rongeait Néron tel un ver caché dans la vanité et la certitude d'être dieu.

Il n'était rassuré qu'en ordonnant la mort de tous ceux qui pouvaient représenter pour lui une menace.

Lui aussi se souvenait de Caligula, de la manière dont les conspirateurs s'étaient jetés sur l'empereur et l'avaient achevé en lui portant trente coups de poignard, cependant que d'autres enfonçaient leur glaive dans les parties qu'on dit honteuses.

Néron tuait pour chasser sa hantise de connaître le sort de Caligula, pour repousser cette peur qui faisait brusquement pâlir son visage, même lorsqu'il était en scène et qu'il voyait un homme s'avancer vers lui.

Cet effroi, cette panique qu'il ne parvenait pas à maîtriser et qui, comme un brutal et inattendu accès de fièvre, le terrassait, augmentait le mépris – et l'espoir – de ceux qui rêvaient d'en finir avec lui.

J'ai connu la plupart d'entre eux.

Certains étaient des hommes courageux et désintéressés qui ne pensaient qu'à la gloire de Rome.

Le tribun d'une cohorte prétorienne, Subirus Flavus, et le centurion Sulpicius Asper étaient de ceux-là.

Ils avaient songé à tuer Néron alors qu'il était seul en scène, afin de profiter de ces instants où les prétoriens de Tigellin ne pouvaient l'entourer et se tenaient à plusieurs pas de lui.

Mais ils y renoncèrent parce qu'ils voulaient aussi sauver leur propre vie.

Je me souviens qu'après avoir écouté ce récit Sénèque a baissé la nuque comme s'il était déjà devant le bourreau, attendant que le glaive s'abattît.

— Le désir d'immunité nuit toujours aux grandes entreprises, a-t-il murmuré. Celui qui n'ose pas offrir sa vie en sacrifice, comment peut-il penser réussir à atteindre un but presque inaccessible ? Quel dieu favoriserait un homme qui ne voudrait pas payer le prix de son succès ?

J'ai compris à cette réflexion de Sénèque que, s'il connaissait l'existence de la conspiration, il n'en faisait pas partie, peut-être parce qu'il jugeait sévèrement les hommes qui l'avaient ourdie.

Il n'aimait pas ce Calpurnius Pison dont on disait que, suivant les plans des conjurés, il devait succéder à Néron.

C'était un ancien consul qui avait été exilé par Caligula. Doué d'une éloquence grasse qui plaisait, lui aussi, comme Néron, recherchait les applaudissements des foules de théâtre et avait plusieurs fois chanté et déclamé comme un histrion.

Fallait-il remplacer Néron par un tel homme que tant de traits rapprochaient de lui ?

On le disait plus généreux, moins cruel, mais tout aussi amoureux des plaisirs : une sorte de Néron clément et mesuré qui aurait marié les mœurs nouvelles avec le respect des traditions.

Je sais qu'il avait tenté, par l'intermédiaire d'un chevalier de ses proches, Natalis, de rencontrer Sénèque, mais celui-ci avait refusé.

— C'est une outre rebondie et le vin qu'elle contient n'est pas un grand cru, m'avait-il dit. C'est un homme qui hésite. Un ambitieux dont la main tremble. Comment peut-il tuer un empereur s'il lâche le poignard au moment de frapper ?

Je savais que Pison avait refusé que l'on assassinât Néron à Baies, dans sa villa même, où l'empereur aimait à se rendre pour jouir des plaisirs d'une demeure champêtre et luxueuse que peuplaient les silhouettes, les soupirs, le glissement des pas des jeunes esclaves.

Pison avait avancé comme prétexte qu'il ne voulait pas offenser les dieux de l'hospitalité et qu'il fallait tuer Néron lorsqu'il se produirait à nouveau sur scène, le 19 avril.

— Pourquoi veux-tu que Néron ne sache pas ce que nous savons et que tout Rome murmure : que l'on s'apprête à l'égorger ? avait ajouté Sénèque.

Il avait accusé Pison d'avoir refusé d'agir pour tenter de se soustraire aux conséquences de ses actes, craignant aussi qu'une fois le crime accompli chez lui d'autres prétendants ne vinssent à s'emparer du pouvoir.

— Au moment de frapper un tyran, avait repris Sénèque, il faut que les mains des assassins soient aussi unies que les doigts d'une seule. C'est après qu'on se sépare, qu'on se déchire, qu'on s'entretue. Mais il s'agit alors de se partager les dépouilles du prince. Si l'on s'épie, si l'on se suspecte avant même de le tuer, comment peut-on espérer y parvenir ?

Sénèque m'ouvrait les yeux.

Cette conspiration n'était redoutable qu'en apparence.

J'avais cru à sa réussite parce qu'elle rassemblait des hommes issus de tous les milieux. Lateranus était un ancien consul. Natalis, je l'ai dit, était chevalier, Flavus et Asper, officiers de la garde prétorienne. Et l'on murmurait que Faenius Rufus, l'autre préfet du prétoire, auquel Tigellin avait peu à peu retiré la réalité du pouvoir, avait rejoint les conjurés.

Parmi eux se trouvaient aussi des écrivains, des philosophes. Lucain, le neveu de Sénèque, que Néron avait ridiculisé, écarté de son cercle par jalousie d'auteur, les avait ralliés.

— Voilà qui me rend encore plus suspect, avait murmuré Sénèque.

Il s'était tourné vers moi, la bouche cernée par deux rides profondes qui conféraient à son visage une expression d'amertume et de désespoir.

— Éloigne-toi de moi, Serenus, éloigne-toi d'eux. Leur navire sera éventré avant même d'avoir pu quitter le port pour rencontrer l'ennemi. Je ne sais comment ils seront découverts, quel délateur les livrera, mais la pointe de leur poignard n'effleurera même pas la toge de Néron !

J'ai écouté Sénèque. J'ai quitté Rome pour ma villa de Capoue. Plus tard, j'ai reconstitué les différents moments du naufrage.

Il y eut d'abord le temps de l'impatience.

On se préparait à tuer Néron, on ne parlait que de cela, et les conspirateurs tergiversaient.

Une femme, Epicharis, mariée au frère cadet de Sénèque, Mela, s'emporta, sûre qu'elle pourrait forcer le destin.

Elle commença à parler, cherchant des appuis, écoutée avec complaisance par le commandant d'une trirème de la flotte de Misène qui s'en fut aussitôt la dénoncer à Néron.

On arrêta Epicharis. Elle confondit son délateur.

Néron, le menton appuyé sur son poing, l'émeraude enfoncée dans son orbite gauche, l'observa, balança, décida enfin, avant de la livrer aux bourreaux, d'attendre, de la garder en prison et de laisser ainsi, si la conjuration était bien réelle, les complices se découvrir puisqu'ils allaient craindre qu'Epicharis ne les livrât.

Lorsque j'appris l'arrestation d'Epicharis, épouse de Mela, je fus sûr que Sénèque, compromis une nouvelle fois, n'échapperait pas aux tueurs de Néron.

Et j'ai espéré que les conspirateurs réussissent.

Mais celui qui avait décidé de porter le premier coup, le sénateur Scaevinus, n'était qu'un bavard aussi téméraire qu'imprudent. Il faisait aiguiser son poignard, dérobé dans le temple de la Fortune, par l'un de ses affranchis, Milichus. Il ordonnait qu'on préparât des bandes pour étancher le sang qui coulerait des blessures que lui infligeraient les prétoriens. Il banquetait, répétant que c'étaient peut-être les derniers mets qu'il s'offrait. Il libérait certains de ses esclaves et rédigeait son testament. Il rencontrait un autre conjuré, Natalis, et tous deux parlaient longuement, comme des conspirateurs de théâtre, sous les yeux de Milichus, qui, comme tous les affranchis, avait conservé l'âme calculatrice et veule d'un esclave.

Et qui livra son maître à l'affranchi de Néron, Epaphrodite.

Scaevinus, arrêté, nia avec superbe.

— Quelle conspiration ? hurla-t-il. C'est là calomnie d'un délateur, Milichus, un affranchi qui veut s'emparer de mes biens !

On dit que Néron a hésité.

Il a dévisagé longuement Scaevinus et l'a fait emprisonner sans lui faire subir la torture.

Puis il s'est approché de Natalis.

Celui-ci tremblait. Il était l'ami de Pison.

Peut-être Néron s'est-il alors souvenu de son oracle Balbilus qui lui avait conseillé, lors du passage d'une comète, de frapper des personnages illustres afin de détourner sur eux la fureur des dieux et les effluves maléfiques de la comète. Une comète traversait le ciel de Rome et Pison était illustre.

On chargea Natalis d'une triple rangée de chaînes.

Les bourreaux s'approchèrent avec leurs pinces, leurs tenailles, leurs épieux rougis au feu et leurs fouets aux lanières de cuir alourdies de boules de métal.

Et Natalis, avant même qu'on l'eût touché, commença à parler.

On était dans la nuit du 17 au 18 avril. Les conjurés avaient décidé de tuer l'empereur le 19.

Comme l'avait prédit Sénèque, Néron frapperait avant eux.

40

Qui pouvait espérer la clémence de Néron ?

La peur lui déformait le visage. Elle devenait rage et cruauté. Il se tordait les mains, faisait craquer ses phalanges, penché sur Natalis et Scaevinus, l'un et l'autre agenouillés, écrasés par la triple rangée de chaînes qui entravaient leurs membres, faisaient ployer leur nuque, courbaient leur échine.

Torse nu, les bourreaux rôdaient autour d'eux, attendant un geste pour lacérer les deux prisonniers.

Mais ils parlaient, livrant les noms qu'il connaissait. Natalis, sachant la jalousie haineuse qui animait Néron, lâcha le nom de Sénèque et celui de Lucain. À quoi Scaevinus ajouta d'autres noms.

Néron gardait la tête enfoncée dans ses épaules, jetant autour de lui des regards méfiants comme s'il craignait que l'un des préteurs de sa garde ne bondît sur lui, le glaive levé.

Il quittait à reculons les souterrains où l'on avait enfermé Natalis et Scaevinus. Il traversait les salles de sa Maison dorée en rasant les cloisons.

Il s'arrêtait tout à coup, s'adossait à une statue de César, puis s'en écartait d'un bond comme s'il se souvenait que César était mort poignardé au pied de la statue de Pompée.

Il s'enfermait dans l'une des pièces, y convoquait Tigellin, ses affranchis, ses proches, disait qu'il fallait que les prisonniers livrassent les noms de tous leurs complices sans exception.

Il fixait tour à tour ses délateurs, ses affranchis, Tigellin, les tribuns de ses cohortes, et ajoutait :

— Ils ont *partout* des complices !

Il tapait violemment du talon sur les dalles.

— Qu'on les arrête, qu'on les torture, qu'on les écrase ! hurlait-il, le visage couvert de sueur.

Brusquement il souriait, tout son corps se détendait. Il respirait comme lorsqu'on reprend souffle après une course.

— J'oubliais Epicharis, l'épouse de Mela...

Il se frottait les mains.

— Elle a le corps tendre des femmes. Il va plaire aux bourreaux. Elle s'est moquée de moi quand je l'ai interrogée. Maintenant, elle va vomir tout ce qu'elle sait. Qu'on la déchire morceau après morceau, qu'on ne lui laisse que la langue pour qu'elle puisse encore parler !

Je ne veux pas accabler les lâches, ceux qui livrèrent leurs parents quand ils entendirent approcher les bourreaux. Lucain fut l'un d'eux. Il dénonça sa mère, Acilia.

Tant d'autres qui avaient juré qu'ils étaient prêts à mourir pour faire succomber Néron s'avilissaient en livrant les noms de leurs plus proches amis dont beaucoup ignoraient tout de la conspiration, mais, en les dénonçant, ces lâches espéraient gagner le pardon, la clémence de Néron, un peu de cette vie qui, tout à coup, leur paraissait le plus précieux des biens.

Je veux oublier ces chevaliers, ces sénateurs, ces consuls, pour ne me souvenir que d'Epicharis, une femme, une affranchie sur laquelle les bourreaux s'acharnèrent, arrachant sa peau en étroites lanières, retournant et tailladant ses lèvres, brisant ses dents, puis ses genoux, ses bras, lui brûlant les seins et le sexe.

Mais, quand la nuit de ce premier jour de torture tomba, Epicharis n'avait pas livré un seul nom. Les bourreaux la jetèrent sur le sol de sa cellule, tas de chair meurtrie, âme fière et noble.

Le lendemain, elle avait à peine bougé, car tous ses membres étaient disloqués et les bourreaux durent la charger sur une chaise afin de la conduire à de nouveaux supplices.

Comment fit-elle, Epicharis, pour accrocher la bande de tissu qui soutenait ses seins brûlés aux montants de la chaise, et, pesant de tout le poids de son corps, utiliser ce tissu comme un lacet pour s'étrangler ?

Néron hurla que les bourreaux l'avaient trahi, qu'ils étaient complices de la morte, qu'ils l'avaient eux-mêmes étouffée afin qu'elle ne parlât pas.

Et les bourreaux furent à leur tour enchaînés en attendant d'être poussés dans l'arène, livrés aux fauves.

La plèbe espérait qu'on lui offrirait des coupables, quels qu'ils fussent.

On se souvenait du grand carnage de chrétiens qui avait suivi l'incendie de Rome. On ne se satisfaisait plus des chants, des déclamations, des accords des cithares et des lyres. On voulait des corps jetés en pâture aux lions, des chairs qui grésillent, enflammées sur les croix, des combats de gladiateurs.

C'était ainsi, en de grands jeux offerts par les vainqueurs, que se terminaient le plus souvent les luttes que se livraient dans les palais et les villas les grands de Rome. Et le plus humble, le moins averti des citoyens, le plus méprisé des esclaves savait que l'une de ces guerres était en cours.

Sur le plateau de l'Esquilin, là où on les châtiait, les torturait, les exécutait, les ensevelissait, les esclaves avaient vu des nobles agenouillés attendant que le glaive s'abattît sur leur nuque.

Ils avaient reconnu parmi ces condamnés l'ancien consul Lateranus qui, s'étant avancé d'un pas résolu jusqu'au lieu de supplice, avait regardé sans proférer un mot le tribun Statius qui allait lui trancher la tête.

Ce tribun avait lui aussi fait partie de la conspiration, mais, comme le préfet du prétoire, Faenius Rufus, il était d'autant plus implacable dans la répression qu'il craignait à chaque instant que quelqu'un ne le dénonçât.

Alors ces hommes tuaient avec une sorte de frénésie.

On les voyait, à la tête des troupes que Tigellin avaient fait disposer sur toutes les murailles de la ville et jusque dans les rues, s'affairer, donner rageusement des ordres pour qu'on fouillât les maisons, qu'on arrêtât tous les suspects.

Il suffisait d'un regard, d'un mot, d'un nom jeté par un délateur pour se retrouver couvert de chaînes, conduit dans les cachots ou sur l'Esquilin, voué à la torture ou à la mort immédiate.

Et chaque fois la plupart de ces prisonniers livraient de nouveaux noms, et les troupes conduites par Faenius Rufus arrêtaient, enchaînaient, rassemblaient de longues colonnes de prisonniers que l'on faisait entrer dans les jardins impériaux où on les interrogeait, les condamnant le plus souvent aux supplices et à la mort.

Faenius Rufus tremblait que quelqu'un ne le désignât et, pour écarter les soupçons, il se montrait aussi cruel que Néron et Tigellin.

Mais qui pouvait échapper à Néron dans cette ville prisonnière où lâcheté, délation, cruauté, avidité et ambition se liguaient pour servir le prince vainqueur ?

Rentré de Capoue, j'ai rendu visite à Sénèque, qui attendait la venue des prétoriens qui se saisiraient de lui ou lui intimeraient l'ordre de mourir.

Il s'étonna que je n'eusse pas encore été arrêté et m'incita vivement à regagner Capoue, à m'y faire oublier, à répondre à toutes les sollicitations de Néron.

— On ne peut soigner et guérir l'âme d'un tyran qu'en le tuant, disait Platon. N'oublie jamais cela. Et puisque Néron survit, tu ne peux vaincre sa maladie. Il te faut ou mourir ou le servir. Ou fuir loin de lui.

Il me serra le poignet.

— Je ne veux pas que tu meures, Serenus. Un homme sage ne va jamais au-devant la mort. Il l'accepte, il ne la recherche pas.

Je l'approuvais sans vouloir m'éloigner, désireux de vivre avec lui et son épouse Paulina ce qui, sans doute, serait les derniers jours de sa vie. Il acceptait son destin avec sérénité et même une sorte d'allégresse voilée.

— J'ai tant vécu, murmurait-il. Et les regrets ne sont pas dignes d'un sage qui, toute sa vie, a fait ce qu'il a cru devoir faire. Je crains seulement d'être associé plus tard à cette conspiration d'hommes médiocres. Je veux que tu survives pour témoigner de ce qui fut : que Sénèque se tint à l'écart des projets de Calpurnius Pison.

Cet homme qui avait voulu succéder à Néron n'avait été qu'un velléitaire aux hésitations masquées par la prestance, une belle voix et la richesse.

Mais, quand Natalis et Scaevinus furent arrêtés, il n'osa pas risquer le tout pour le tout, se présenter devant les soldats, tenter de les entraîner en jouant ainsi sa vie qui, de toute manière, était perdue, puisque la conspiration était éventée. Et peut-être que, avec l'aide du tribun Flavus, du centurion Asper, d'autres officiers qui détestaient Tigellin, ils auraient contraint le préfet Faenius Rufus à se démasquer comme l'un des leurs. Et la partie eût pu alors être gagnée.

Pison n'avait pas osé.

Il s'enferma dans sa villa.

Il attendit qu'un peloton de prétoriens que Néron avait choisis parmi les nouvelles recrues – car il craignait les vieux soldats, peut-être gagnés à la conspiration – vienne lui annoncer qu'il devait mourir.

Il ajouta quelques phrases à son testament, des flatteries honteuses à l'adresse de Néron afin que sa femme, qui ne valait que par la beauté de son corps, ne fût pas inquiétée.

Puis il s'ouvrit les veines.

L'heure de mon maître Sénèque était maintenant venue.

41

Je n'ai pas tenu la main de mon maître Sénèque au moment où le sang, en s'écoulant de ses plaies, emportait sa vie.

C'est mon remords et ma souffrance.

Je ne l'ai pas aidé à franchir le passage.

Je ne sais pas si son dernier regard était empli d'espoir ou de terreur.

Ou simplement vide.

Les témoins de son agonie, qui fut longue, m'ont décrit chacun de ses gestes, m'ont rapporté les mots qu'il a prononcés.

Ils m'ont parlé de son courage, de sa sérénité, de son ironie, même, et, en baissant la voix, de son *émotion*.

Que cachait ce mot ?

Je n'ai comme recours, pour répondre, que lire et relire la dernière lettre que j'ai reçue de lui.

Sans doute, quand le courrier de Rome me l'a remise, Sénèque avait-il déjà succombé.

Voici ce qu'il m'écrivait.

La mort va venir, cher Serenus. Je ne la crains pas.

C'est un bienfait des dieux que de pouvoir choisir la manière dont elle se glissera en moi et le moment où je l'inviterai à faire sa besogne.

Je crois que Néron se montrera sur ce point généreux.

Ma mort lui sera si agréable qu'il consentira, j'en suis sûr, à ce que je marche seul vers elle.

Mais elle viendra.

Il a tué sa mère, son frère, sa sœur-épouse. Il ne lui reste plus que d'ajouter à ces meurtres celui de l'homme qui l'a élevé et instruit.

Comment pourrait-il renoncer à cette jouissance et à la liberté qu'il aura ainsi conquise de vivre sans témoin de son enfance ?

Je t'écris de ma propriété de la via Appia, à quatre milles de Rome. Néron m'a autorisé à m'y retirer. Ma mort sera ainsi plus discrète. Il l'annoncera à sa guise, et il pourra même s'en lamenter en prétextant que la maladie m'a étouffé.

Il aime à composer ces rôles, à masquer sous les pleurs de l'acteur la grimace cruelle du tueur.

Je quitte la vie sans regrets.

J'ai vu aujourd'hui, à midi, dans une arène presque vide, située dans la ville de Parus, non loin de mon domaine, des hommes nus contraints de s'entr'égorger.

Les quelques spectateurs hurlaient de joie comme s'ils découvraient que ces homicides, sans la bouffonnerie des casques, des armures, des lances, des filets, des tridents, les excitaient davantage.

Imagine, cher Serenus, ces poitrines nues et offertes, ce sang qui jaillit.

Comme toi, je connais tout cela.

Mais, ce matin, peut-être parce que je chemine aux côtés de la mort, j'ai été plus que jamais frappé par ces jeux cruels qui ne laissent pas de survivants.

Celui qui a vaincu les fauves doit rester dans l'arène pour y combattre à nouveau. La mort seule triomphe, par les crocs ou par les poings, le feu ou le fer des soldats chargés d'achever ceux des combattants dont elle s'est un temps détournée.

Comment veux-tu que je regrette la mienne qui s'approche ?

L'Orient et la tyrannie gouvernent Rome.

Ce que j'espérais pour elle, l'équilibre et la clémence, ne s'est pas réalisé.

J'ai donc fait préparer les lames qui ouvriront ma peau et mes veines, et les flacons de poison pour que la besogne s'accomplisse plus vite.

Mais ne te laisse pas tenter par la mort, Serenus.

Tu dois vivre autant que tu le peux. Autant que les dieux te le permettent. Revendique ta propriété sur toi-même, et ainsi le temps qui jusqu'ici t'échappait ou qu'on t'enlevait, recueille-le, préserve-le !

Sache que tout ce que nous laissons derrière nous de notre existence appartient à la mort, hormis notre pensée. Et que ce que nous avons pu écrire sur nos tablettes ou nos papyrus renaît sitôt qu'un lecteur le lit.

Songes-y, Serenus : la connaissance est toujours naissance.

Je te donne le baiser de l'amitié.

Lorsque j'ai lu cette dernière phrase, j'ai ressenti le besoin de serrer contre moi le corps de celui qui m'avait tant appris.

Mais quand je me suis présenté, deux jours plus tard, à l'entrée de sa demeure, j'ai appris que le cadavre de Sénèque avait été incinéré sans aucune cérémonie funèbre, comme il l'avait ordonné dans son testament rédigé au temps où, encore riche et puissant, il pensait à ses derniers instants.

J'ai eu l'impression que tout, autour de moi, disparaissait. J'ai vacillé, tendu les bras comme pour me raccrocher à l'épaule de mon maître, mais mes mains ont en vain battu l'air.

Je n'avais ni corps vivant sur qui m'appuyer, ni cadavre pour faire mon deuil, ni tombeau pour me recueillir.

Il ne me restait que mes souvenirs et la dernière lettre de mon maître.

C'est alors que j'ai décidé de rassembler les témoignages de ceux qui avaient assisté à sa mort.

Tout a commencé avec l'arrivée de Gavius Silvanus, tribun d'une cohorte prétorienne.

Il a fait irruption dans la demeure de Sénèque qui dînait avec son épouse Pompeia Paulina et deux de ses jeunes amis, Barinus et Petrus, qui lui servaient de secrétaires et dont il m'était arrivé d'être jaloux.

Le tribun, la main sur le pommeau de son glaive, a lancé des ordres aux soldats qui le suivaient. Ces hommes devaient cerner la villa et empêcher quiconque d'y entrer ou d'en sortir.

Puis il s'est tourné vers Sénèque et, avec une déférence rugueuse, lui a transmis les questions auxquelles Néron voulait une réponse.

Sénèque a souri.

L'empereur s'imaginait-il que mon maître allait confirmer les aveux passés par les conspirateurs Natalis, Scaevinus, et tous ceux qui, pour échapper à la torture, livraient les noms qu'il souhaitait entendre afin d'y trouver prétexte à tuer ceux qu'il avait déjà décidé de supprimer ?

Sénèque a donc répondu qu'il n'était point assez fou pour risquer sa vie afin qu'un Pison pût accéder à la dignité impériale, alors que ce même homme aimait à déclamer sur scène en costume de tragédien !

Le tribun a tressailli à l'idée qu'il devrait rapporter cette réponse-là à Néron.

Mais on assure qu'il s'est acquitté de sa tâche en se contentant de dire que Sénèque avait nié toute participation à la conspiration de Pison. Tigellin et Néron se sont regardés puis ont commandé à Gavius Silvanus de retourner auprès de Sénèque et de lui transmettre l'ordre de se donner la mort.

Et, s'il s'y refusait, qu'on le tuât.

Avant d'obtempérer, Gavius Silvanus a consulté le préfet du prétoire, son chef, Faenius Rufus. Devait-il transmettre l'ordre de Néron ? Tous deux, comme d'autres prétoriens, le tribun Flavus et le centurion Asper, avaient fait partie de la conspiration. Mais ils n'avaient pas été découverts.

Il fallait donc d'autant plus exécuter les ordres de Néron.

Lâcheté de tous !

Gavius Silvanus n'osa pas affronter le regard de Sénèque, et c'est un centurion qui pénétra dans la chambre de mon maître pour lui annoncer qu'il devait se tuer, tout en lui refusant le droit de compléter son testament.

Sénèque s'est alors avancé vers ses amis et son épouse.

— Je ne peux vous témoigner ma reconnaissance, on m'en empêche, a-t-il dit. Je vous laisse donc l'image de ma vie, de mon amitié fidèle et de mes vertus.

Paulina, Barinus et Petrus pleuraient.

Il les a réprimandés d'abord avec force, puis d'une voix plus douce. Était-ce là, leur a-t-il remontré, être fidèle à la philosophie qu'il leur avait enseignée, aux arguments qu'ils avaient médités ensemble et qui tous concluaient qu'il fallait accepter avec sagesse les menaces de la Fortune ? Et comment auraient-ils pu croire que Néron n'exercerait pas sa cruauté, lui qu'aucun lien de parenté n'avait retenu de tuer ?

Allons, il fallait rester serein.

Mais c'est à cet instant, en prenant son épouse Paulina dans ses bras, que mon maître a montré ce que Barinus et Petrus appellent son *émotion*. Il faisait ses adieux à Paulina quand celle-ci a réclamé le droit de mourir avec lui, sanglotant, s'accrochant à ses épaules, demandant qu'on la frappât. Les témoins, Petrus et Barinus, mais aussi des esclaves, m'ont permis de reconstituer les paroles de Sénèque quand il a cédé à Paulina et lui dit :

— Je t'avais montré ce que la vie peut avoir de douceur ; toi, tu préfères la gloire de mourir. Je ne te priverai pas de donner un tel exemple. Que la fermeté dont témoigne une fin aussi courageuse soit pareille de ta part et de la mienne, mais qu'il y ait plus d'éclat dans ton départ à toi de cette vie !

Après quoi, d'un même coup, il s'est ouvert les veines du bras.

De son corps âgé et affaibli par la fragilité de son régime le sang s'écoule lentement. Sénèque se penche. La main tient fermement le poignard effilé. Il enfonce la pointe de la lame dans ses jambes et ses jarrets. Il cherche lentement les veines. Il se mord les lèvres pour ne pas crier. Son visage pâlit, se crispe.

Il voit Paulina dont le sang par saccades jaillit des bras entaillés.

Sénèque craint que leurs souffrances ne soient à l'un et à l'autre insupportables, aussi ordonne-t-il qu'on le porte dans une chambre et qu'on l'y laisse avec Petrus et Barinus auxquels il dictera ses dernières pensées.

Je ne les connais pas.

Mais sans doute a-t-il repris ce qu'il m'écrivait dans sa lettre.

Pendant ce temps, les soldats, les affranchis s'affairent autour de Paulina.

Gavius Silvanus a reçu l'ordre de Néron de la sauver, car cette mort inutile peut entacher la gloire de l'empereur, son triomphe sur la conspiration, et conférer à Sénèque un peu plus de prestige encore. On bande les bras de Paulina. On la force à boire des élixirs de vie.

Mais son visage et son corps restent blêmes.

Et quand je l'ai vue, immobile, allongée, les yeux fixes, il m'a semblé que, restée vivante, l'élan vital l'avait quittée.

Paulina n'a donc pas assisté aux derniers instants de Sénèque.

L'agonie de celui-ci est lente. Il semble que la mort retarde à plaisir sa victoire.

Alors, levant lentement le bras, il demande que son médecin lui administre le poison prévu depuis longtemps, celui qui, autrefois, servait à faire mourir les hommes qu'un jugement des tribunaux athéniens avait condamnés.

Sénèque boit à son tour la ciguë.

Mais le corps résiste. Il faut donc en finir.

Il demande qu'on le plonge dans un bain chaud. Après quoi, on le transporte dans une cuve où, enfin, enveloppé par la chaleur brûlante, il meurt.

Adieu, mon maître de pensée et de vie.

Adieu, Sénèque.

Je suis retourné dans sa villa romaine dont on murmurait que Néron allait se saisir.

J'ai parcouru l'allée que nous avions tant de fois arpentée.

Je me suis arrêté devant la statue d'Apollon et je me suis souvenu de nos conversations.

On murmure dans Rome qu'au sein de la conspiration de Pison des prétoriens comme le tribun Sibrius Flavus et le centurion Asper s'apprêtaient, une fois Néron assassiné, à tuer aussi Pison et à remettre l'Empire à Sénèque, qui n'avait eu aucune part dans les crimes de Néron et que sa sagesse, son souci de l'équilibre et de la clémence, son respect des traditions et des institutions rendaient digne d'occuper le rang suprême.

Je n'ai jamais perçu trace chez Sénèque de cette ambition-là.

Néron régnait. Sénèque tentait de le conseiller, de l'empêcher de céder à ses mauvais penchants. Mais il connaissait la nature sauvage et perverse du jeune empereur.

Et Néron règne toujours sans que plus rien ni personne ne s'oppose à sa démence et à sa tyrannie.

42

Néron le tyran m'a épargné.

Il savait pourtant – et ses délateurs devaient le lui rappeler – que j'avais été l'élève et l'ami de Sénèque.

Et je ne l'avais pas, comme tant de grands Romains, supplié de me laisser en vie.

Je ne l'avais pas remercié d'avoir tué mes proches, comme tant de ces riches citoyens le faisaient.

L'hécatombe avait été si grande que la ville était parcourue en tous sens par les cortèges funèbres. Mais les maisons des victimes des prétoriens de Néron étaient ornées de lauriers comme pour un jour de triomphe. On faisait mine de s'enorgueillir d'avoir subi, dans la chair de ses parents ou de ses amis, le châtiment de l'empereur.

Et j'ai vu ces hommes terrorisés se précipiter pour embrasser la main de Néron comme s'il s'était agi de celle d'un dieu.

Au Sénat, un consul proposa même qu'on élevât un temple au dieu Néron. C'est l'empereur lui-même qui refusa, sachant que les honneurs divins n'étaient attribués qu'à un prince mort : il craignait qu'un temple qui lui serait dédié ne fût le présage de sa disparition prochaine.

Mais il accepta qu'on nommât le mois d'avril « mois de Néron », et il consacra à Jupiter vengeur le poignard que Scaevinus avait voulu utiliser pour le tuer.

Il écouta avec un sourire méprisant les déclarations de soumission de tous les sénateurs auxquels il venait d'annoncer que la conspiration était écrasée et qu'il n'avait tué que pour se défendre et protéger l'Empire.

Et quand le sénateur Junius Gallio, frère aîné de Sénèque, se leva et, en larmes, lui demanda de lui laisser la vie sauve, allant honteusement jusqu'à dénoncer les ambitions de son cadet, Néron l'ignora, quittant le Sénat alors que ce lâche pleurnichait encore, ternissant la gloire et de son frère et de sa famille.

Je m'étonnais donc d'être en vie.

Et lorsque j'ai vu s'avancer dans le vestibule de ma villa de Capoue le tribun Varin, qui commandait une cohorte des Germains de la garde prétorienne de Néron, j'ai pensé que la mort venait d'entrer dans ma demeure avec ce soldat casqué qui marchait d'un pas lent, la main serrée sur le pommeau de son glaive.

Mes stylets pour m'ouvrir les veines et les flacons de poison étaient prêts. Mon régisseur, le vieil affranchi Nolis, ma maîtresse, Sala, une affranchie elle aussi, mon chirurgien grec Cinyras se tenaient à mes côtés, le visage creusé par l'effroi et le désespoir.

Varin m'a remis un message de Néron.

L'empereur s'inquiétait de ma santé. Quelle autre raison que la maladie m'aurait-elle poussé à quitter Rome où je pouvais compter sur l'amitié qu'il vouait à ceux qui l'avaient bien servi ?

Et Néron pensait que j'étais de ceux-là.

Il me demandait donc de rentrer dès que je le pourrais. Et il souhaitait que cela fût le plus tôt possible.

Je me suis souvenu des paroles de Sénèque. Quand on ne peut tuer un tyran, il faut le servir ou s'enfuir.

J'ai donc regagné Rome, persuadé qu'un dieu veillait sur moi, retenait le glaive du tyran.

Ce ne pouvait être l'un de ces dieux auxquels Néron offrait presque chaque jour des sacrifices.

J'ai pensé à ce Christos, ce dieu dont les disciples avaient été persécutés. Peut-être me protégeait-il parce que j'avais été ému et révolté par les supplices que le tyran avait infligés à ses fidèles ?

J'ai prié Christos sans connaître les mots qu'il fallait lui adresser ni les offrandes qu'il fallait lui apporter.

Puis je suis parti pour Rome.

Je mesurai dès mon arrivée la grâce qui m'était faite car la cruauté de Néron frappait à grands coups de glaive.

Les enfants des condamnés étaient tués comme leurs parents. On les chassait de Rome. Puis on les égorgeait ou on les laissait mourir de faim, souvent on les empoisonnait avec leurs esclaves et leurs pédagogues.

Je découvris une ville agenouillée où alternaient funérailles des victimes et actions de grâces adressées aux dieux pour les remercier d'avoir sauvé Néron.

Il traversait le forum, le champ de Mars, entouré de ses prétoriens germains. Il entrait au Sénat, voulait qu'on élevât une statue à Tigellin et à l'un de ses conseillers, Nerva, l'un de ses flagorneurs et pires délateurs.

Il récompensait Natalis dont les aveux avaient permis de démasquer la conspiration et qui lui avait désigné Sénèque comme le véritable inspirateur de Pison.

Il couvrait de biens Milichus, le dénonciateur auquel il accola le nom de « Sauveur ».

Mais il continuait de faire exécuter ceux qui avaient jusqu'alors réussi à échapper à ses délateurs et à ses exécuteurs.

Ainsi du préfet du prétoire Faenius Rufus qui avait tenté, en devenant lui-même un délateur et un bourreau, de dissimuler qu'il avait été l'un des complices de Pison. Accusé par d'autres condamnés, dont Scaevinus, et divers prétoriens, Rufus bredouilla, le corps couvert de sueur, lançant des regards de bête traquée.

D'un geste, Néron ordonna qu'on le couvrît de chaînes. Rufus mourut en lâche, après avoir, dans son testament, supplié Néron de lui pardonner. Et, jusqu'à ce que le glaive lui tranchât la nuque, il se lamenta.

Le centurion Asper fut plus courageux.

Il fit face à Néron, qui l'interrogeait.

— Je ne pouvais te porter secours qu'en te tuant, puisque tu es souillé de toutes les hontes, lui répliqua Asper.

Néron recula, tremblant, cependant qu'on entraînait Asper vers les supplices et la mort.

Le tribun Sibrius Flavus accusa lui aussi Néron qui, penché sur lui, le questionnait, lui demandant pour quelles raisons il avait oublié le serment qui liait le soldat qu'il était à son imperator.

— Je te haïssais, répondit Flavus. Et nul soldat ne te fut jamais plus fidèle, aussi longtemps que tu as mérité d'être aimé. J'ai commencé à te haïr après que tu t'es révélé meurtrier de ta mère, de ton frère et de ton épouse, et puis cocher, histrion et incendiaire.

Flavus s'était exprimé d'une voix énergique, et c'est Néron qui baissa les yeux et s'enfuit, fouetté par ces accusations que jamais personne n'avait osé porter contre lui.

Honneur au tribun Sibrius Flavus qui, au bord de la tombe que son exécuteur, un autre tribun, Veianus Niger, avait fait creuser, et alors qu'on l'invitait à tendre courageusement la nuque, déclara :

— Puisses-tu seulement, Niger, toi aussi frapper courageusement.

Et le bras de Niger trembla si bien qu'il dut s'y reprendre à deux fois pour trancher la tête de Flavus, ce dont il se vanta auprès de Néron en disant qu'il avait tué Flavus une fois et demie.

Car la cruauté du tyran était contagieuse comme la peste.

Néron flattait les lâches et les corrompus. Il espérait acheter les âmes, faisant distribuer à chaque prétorien deux mille sesterces et du blé gratuit.

Les courageux étaient voués à la mort ou au silence.

J'ai choisi de me taire et j'en ai éprouvé de la honte, apprenant que Lucain, le neveu de Sénèque, était mort en récitant l'un de ses poèmes évoquant l'agonie d'un soldat blessé qui se noie.

« Écartelé, il est fendu en deux et son sang ne jaillit pas d'un seul jet, comme d'une blessure, lentement il tombe, des veines partout rompues, et les soubresauts de son âme qui parcourent les parties disloquées de son corps sont interrompus par les eaux. »

Honneur à Lucain.

Et salut au tribun Gavius Silvanus qui avait porté à Sénèque l'ordre de mourir.

Tigellin avait découvert peu après que Silvanus comme le préfet Rufus, comme le centurion Asper ou le tribun Flavus avaient fait partie de la conspiration.

Pourtant Néron, la bouche boudeuse, avait murmuré qu'il ne voulait pas qu'on tuât Gavius Silvanus. Il se refusait même à l'interroger. Après tout, Silvanus avait exécuté les ordres, et Sénèque était mort.

Qu'on oublie le tribun Gavius Silvanus, qu'on le laisse vivre !

Mais Silvanus avait empoigné son glaive à deux mains et l'avait planté dans sa poitrine à hauteur du cœur.

43

J'étais à quelques pas de Néron quand Tigellin lui a annoncé, comme on fait d'une victoire, le suicide de Gavius Silvanus.

Mais sa voix s'est brisée dès qu'il a vu Néron se voûter, fermer à demi les yeux, baisser la tête comme s'il avait voulu dérober son regard et son visage à tous ceux qui, dans cette arrière-scène du théâtre, l'entouraient.

Il y avait là, sous la surveillance des prétoriens, les proches de Néron, les affranchis, les courtisans, les *Augustiani* et tous ceux qui, comme moi, n'avaient pas osé se dérober à une invitation aux jeux néroniens.

Depuis le milieu du jour, serrés dans les gradins, nous avions acclamé l'empereur qui avait récité, chanté, esquissé des pas de danse, son corps flétri serré dans une tunique qui soulignait ses jambes grêles, son ventre rebondi et ses épaules étroites.

Comme les autres, j'avais manifesté mon allégresse et mon admiration.

Je savais que les délateurs mêlés à la foule observaient le comportement de chaque spectateur.

Il suffisait que l'on ne criât pas son enthousiasme, qu'on affichât un air sombre, ou simplement qu'on bâillât d'ennui pour que des soldats disposés sur les gradins viennent vous saisir, vous jeter hors du théâtre, vous battre et souvent vous tuer.

J'étais donc resté debout pour acclamer sans relâche Néron, l'empereur-Soleil. Et je mesurais la surprise des délégations venues des provinces de l'Empire, la honte et le mépris qui les saisissaient quand elles voyaient le maître de Rome essuyer comme un acteur la sueur qui lui inondait le visage avec un pan de son vêtement, fléchir le genou et saluer respectueusement le public d'un geste de la main, lui, l'empereur du genre humain ! Et il paraissait tout joyeux et étonné quand les juges lui décernaient les couronnes de l'éloquence, du chant et de la poésie.

La plèbe applaudissait plus fort encore.

Quand enfin l'empereur se retirait la foule se précipitait vers les sorties, trop étroites pour l'écouler, et on s'écrasait, on se piétinait, on courait tant on avait hâte, après ces heures passées sur les gradins, de se retrouver enfin à l'air libre.

L'âme du tribun Gavius Silvanus avait choisi d'être libre.

Et c'était cela que Néron ne supportait pas.

Après avoir écouté Tigellin, d'un geste il avait rejeté les couronnes de laurier qu'on venait de lui remettre sur scène. Il semblait ne plus entendre les acclamations qui, étouffant les bruits de la foule, les cris, emplissaient encore l'amphithéâtre. Il restait tête baissée, et Tigellin en face de lui, bras ballants, bouche entrouverte, demeurait immobile, terrorisé.

D'un mouvement presque imperceptible, Tigellin avait demandé aux *Augustiani* d'applaudir à leur tour, et, dans cette arrière-scène éclairée par des torches, les battements de mains avaient résonné si fort que la terre avait paru trembler.

Néron s'était peu à peu redressé, regardant autour de lui, ses yeux s'arrêtant sur chaque visage.

Je m'étais reculé afin de rester dans la pénombre, sûr que quelqu'un, cette nuit, devait être tué, sacrifié pour que Néron sentît à nouveau qu'il était le maître de tout et de tous, tel un dieu, et que personne ne pouvait échapper à sa volonté.

Il fallait qu'il oubliât, grâce au sang versé, l'âme devenue libre du tribun Gavius Silvanus.

Et moi j'ai remercié ce dieu inconnu qui avait lui aussi préféré la mort sur la croix à la soumission, au reniement, ce dieu qui m'avait protégé et qui veillait encore sur moi puisque le regard de Néron m'avait ignoré, que je pouvais quitter le théâtre, que les prétoriens que je voyais courir derrière l'un de leurs tribuns ne se dirigeaient pas vers ma demeure, mais vers le forum.

Là, dans une vaste villa qui dominait le cœur de Rome, vivait le consul Vestinus.

C'était un homme impulsif et vertueux que Pison avait refusé d'associer à sa conspiration, craignant un rival plus talentueux et plus courageux que lui.

Vestinus n'avait jamais craint Néron.

Il avait été son compagnon d'enfance. Chacun connaissait les défauts de l'autre. Vestinus n'ignorait rien de la lâcheté et de la couardise de Néron, non plus que de sa cruauté. Néron avait eu à souffrir de la violence de Vestinus, de sa volonté d'obtenir à tout prix ce qu'il désirait. Il avait donc haï ce noble intelligent, rigoureux et riche.

Dans sa maison, au-dessus du forum, Vestinus avait à son service une foule d'esclaves, tous beaux, tous du même âge, et, lorsque Néron s'y rendait, il avait l'impression qu'il n'était pas l'empereur, que Vestinus lui échappait comme Gavius Silvanus venait de le faire.

Et puis Vestinus venait de le défier en épousant Statilia Messalina, une femme aux hanches larges, au port orgueilleux, à la démarche souveraine, dont Néron était l'un des amants et qu'il avait même songé à prendre pour épouse.

Mais Vestinus l'avait devancé.

Alors, cette nuit-là, sous la conduite du tribun Gerellanus, les prétoriens ont fait irruption, glaive à la main, dans la maison du consul Vestinus.

Celui-ci dînait, entouré de convives que l'effroi saisit en voyant les soldats l'arrêter et l'enfermer dans sa chambre.

Le tribun Gerellanus leur expliqua qu'un chirurgien l'y attendait, qu'il avait reçu l'ordre de

Néron d'ouvrir les veines de Vestinus, et, comme le corps du consul était celui d'un homme encore jeune et vigoureux, il faudrait le plonger dans l'eau brûlante d'une étuve afin que la mort s'emparât de lui.

Des prétoriens cernaient la salle où les convives tremblaient, ne sachant rien de ce que l'empereur avait décidé pour eux-mêmes.

Ils cherchaient à entendre ce qui se passait dans les pièces voisines où Vestinus agonisait.

Mais c'était le silence. Il subissait le supplice sans se lamenter ni parler.

Alors les invités baissèrent la tête, persuadés que Néron avait décidé de les tuer.

Leur nuit fut une longue agonie.

Enfin, au matin, les prétoriens quittèrent la maison, y laissant le corps exsangue et encore chaud du consul Vestinus.

Les convives s'enfuirent, rendant grâces aux dieux, l'effroi les glaçant encore, tandis que l'aube se levait sur Rome.

Chaque nouveau jour apportait son lot de crimes ou d'actes inattendus, comme si Néron s'employait à prouver à tout instant qu'il était, lui, le seul être libre, à l'instar d'un dieu, et que tous devaient s'incliner et accepter son bon vouloir.

Il contraignit ainsi au suicide le frère aîné de Sénèque, Junius Gallio, cet être à l'âme servile qui s'était avili pour tenter de sauver sa peau.

Il prêtait foi à toutes les dénonciations, récompensant les délateurs qui lui permettaient de trouver des prétextes pour tuer et s'emparer du patrimoine de ceux que la mort emportait.

On trouva ainsi, morts dans leur maison vide, parce qu'ils avaient donné tous leurs biens à leurs esclaves en les affranchissant, les parents de ce Rubellius Plautus dont Néron avait déjà suscité le trépas. Plautus avait espéré que son épouse échapperait à la vindicte de Néron. Mais comment l'empereur aurait-il pu laisser vivre des témoins de ses crimes ?

Et ce d'autant moins que la malheureuse épouse, Politia, veuve ensevelie dans un deuil sans trêve, hurlait au passage de Néron, réclamant justice, fustigeant les affranchis qui incitaient l'empereur à frapper les parents innocents de Rubellius Plautus.

Ce n'étaient pas la vérité ou la justice qui importaient à Néron, mais la jouissance, le plaisir, l'inattendu, cette sensation de tout pouvoir sur tout et sur tous.

Il puisait dans les coffres de l'État, dans ceux des temples, pour verser à la ville de Lugdunum, détruite par un incendie, les quatre millions de sesterces nécessaires à sa reconstruction.

Il faisait affréter des trirèmes pour gagner l'Afrique où le chevalier Bassus prétendait avoir rêvé à l'immense trésor de la Phénicienne Didon, fondatrice de Carthage. Des milliers de lingots d'or étaient enfouis sous quelques mètres de terre en un lieu que, dans son rêve, Bassus avait situé avec précision. Il aurait suffi, pour remplir les caisses de Rome et faire régner le luxe dans tout l'Empire, que quelques milliers d'esclaves creusent le sol.

Néron le crut. Tout Rome applaudit. Écrivains, poètes, chanteurs célébrèrent la Fortune qui, une fois encore, dispensait à Néron ses bienfaits.

Puis Bassus se tua.

Il n'y avait point de trésor, les dieux s'étaient moqués de lui.

Mais personne n'osa murmurer contre Néron.

On osait à peine lever la tête pour regarder le ciel qui se couvrait de nuées, qu'envahissaient des vents d'orage, des tempêtes porteuses d'épidémies.

Les villas étaient détruites, les arbres arrachés, les moissons saccagées dans toute la Campanie.

À Rome les maisons s'emplissaient de cadavres, les rues de cortèges funèbres. Personne, ni les chevaliers, ni les sénateurs, ni les citoyens de la plèbe, ni les esclaves, n'échappait à la maladie.

On dressait des bûchers pour brûler les morts.

Et souvent les prétoriens y jetaient des vivants dont le corps, à ce qu'il leur semblait, était déjà atteint par l'épidémie.

Je survivais.

Cette année souillée par tant de crimes s'achevait ainsi par la révolte des éléments qui venaient, comme un tonnerre, rappeler que le monde avait une âme et qu'elle pouvait elle aussi, comme celle de Gavius Silvanus, s'affirmer libre.

Et je remerciais pour cela le dieu dont Néron avait persécuté les croyants.

DIXIÈME PARTIE

44

Je voulais croire à Christos, le dieu nouveau.

Mais j'ai souvent douté de son pouvoir.

Je l'invoquais, puis je regardais Néron, assis dans sa loge au centre de l'amphithéâtre. Son visage empâté était maintenant recouvert d'une fine barbe, comme s'il avait voulu rappeler qu'il descendait des Ahenobarbi, qu'il avait lui aussi une « barbe d'airain » et qu'en sa personne toutes les branches des familles qui avaient régné depuis Auguste et César se réunissaient.

Il était le tronc puissant de l'Empire.

Il se lève.

Il porte souvent une tunique de théâtre, ou bien la casaque verte de l'écurie qu'il revêt lors des courses de chars. Et le cirque ou l'amphithéâtre sont drapés d'étoffes de cette couleur.

La foule l'acclame, obéissante. Elle est plus servile que le plus veule des esclaves. Elle attend que Néron donne le signal du départ de la course de chars, ou de l'entrée des bêtes fauves ou des gladiateurs dans l'arène.

Elle est reconnaissante. Elle ne se soucie pas de la mort qui menace les âmes libres.

Néron la gave de fêtes, de concours, de jeux, de spectacles, de distributions de sesterces et de grain.

Il se dresse sur la pointe des pieds. Son corps est gonflé, ruisselant de vanité, comme si tout le sang de ses victimes, qui a tant coulé au cours de cette année souillée de crimes, l'avait repu, épanoui.

Que fais-tu, Christos ?

Es-tu moins puissant que ces dieux de Rome ou d'Orient devant lesquels Néron dépose ses offrandes, accomplit les sacrifices ?

Je l'observe.

Un jeu de miroirs renvoie vers lui, sur son visage, l'éclat vermeil du soleil à son crépuscule.

Il est dieu. La foule crie que Jupiter l'a protégé et choisi pour qu'il défende Rome et son Empire. Il est le protecteur de la plèbe et le grand pontife qui célèbre le souvenir d'Auguste.

Que fais-tu, Christos ?

Tu laisses mourir les âmes libres.

Tu es le ressuscité qui annonces la résurrection, mais je ne vois aucun des nobles morts se lever !

C'est Tigellin qui triomphe.

Debout près de Néron, il lui parle à l'oreille. Néron lève un peu la tête, comme si ses mots lui caressaient le cou, la nuque. Il fait un pas, et la foule l'incite à rejoindre la scène.

Il va chanter, déclamer, jamais lassé, toujours avide d'applaudissements, de couronnes.

On murmure qu'il va descendre nu dans l'arène, tel Hercule, et qu'il terrassera un lion – que des poisons auront sans doute assoupi – soit en l'assommant à coups de massue, soit en l'étouffant entre ses bras.

Je n'ai pas vu cela, mais la rumeur de cet exploit se répand dans Rome : Néron est Apollon ; Néron est Hercule ; Néron est le dieu de Rome et du monde.

On dit qu'il a sacrifié au culte de Mithra, qu'il est descendu au fond d'une fosse au-dessus de laquelle on a égorgé un taureau noir ; le sang de la bête lui a inondé le corps, lui conférant force, virilité, avidité.

Tigellin, ou bien encore Sabinus – fils de gladiateur et d'une esclave, il a offert son corps et sa beauté à tous ceux qui voulaient le payer, qu'ils fussent esclaves ou chevaliers et peut-être même empereur –, lui murmure les noms des riches dont on pourrait rafler le patrimoine en les forçant à rédiger un testament en faveur de l'empereur ou de l'un de ses proches.

Il suffit d'un mot d'approbation de Néron, voire d'une hésitation ou d'un silence passant pour tels, et les prétoriens se rendent auprès de leur proie.

On accuse. Tel a connu Agrippine. Tel a fait partie du cercle des amis de Pison ou de Sénèque. Il lui faut se soumettre, livrer ses biens, mourir en s'ouvrant les veines.

Peut-être ai-je survécu parce que, à l'exception de ma demeure de Capoue, je ne possédais rien ?

Et cette villa, pour Néron, ses délateurs, ses affranchis, n'était qu'une vieille bâtisse modeste construite sous la République, au temps de César, par mon ancêtre Gaius Fuscus Salinator.

Néron, lui, n'en finissait pas d'étendre sa Maison dorée, empiétant sans cesse sur les terrains de Rome. Et l'on pouvait lire sur les murs de la ville cette épigramme : *Rome tout entière va devenir sa maison ! Citoyens, partez pour la ville de Véies, si du moins cette maudite Maison n'englobe pas bientôt Véies !*

Comme tous les passants, j'ai à peine osé lever les yeux pour déchiffrer cette inscription. Les délateurs devaient se tenir aux aguets afin de capter les regards, d'entendre les commentaires, de désigner aux prétoriens ceux qui avaient paru sourire, s'étaient attardés, avaient semblé approuver cette critique visant l'empereur.

Aux bêtes fauves ! Aux supplices, les imprudents !

Et, pour les espions, les récompenses.

Néron est généreux pour ceux qui le servent.

Les affranchis qui l'entourent, Epaphrodite, Sabinus, s'enrichissent, obtiennent magistratures et gloire.

Sabinus devient préfet du prétoire à la place de Faenius Rufus, tué comme complice de Pison.

Les compagnons de débauche, et cette femme, l'intendante des plaisirs, Calvina Crispinilla, sont couverts de dons.

J'ai vu Néron, corps alangui, lever lentement la main, désigner le citharède Ménécrate et lui allouer par ce simple geste un patrimoine et une demeure de triomphateur. Et faire de même, depuis sa loge dans l'amphithéâtre, pour le mirmillon Spiculus qui, avec sa courte épée, protégé seulement par un bouclier et un casque, venait de repousser les assauts successifs de trois rétiaires qu'il avait égorgés malgré leurs tridents et leurs filets.

Tous ceux-là, acteurs, gladiateurs, musiciens, affranchis, délateurs, et la plèbe elle-même acclamaient Néron.

Rien ne pouvait les révolter !

Pas même qu'à Paneros Cercopithecus, un usurier qu'il avait enrichi en lui offrant domaines et villes, il fît réserver des funérailles dignes d'un roi !

Pas même qu'il honorât chaque jour, devant ses proches et parfois aux yeux de tous les spectateurs de l'amphithéâtre, une petite statuette de bois représentant une jeune fille qu'un inconnu, citoyen de la plèbe, lui avait remise en lui assurant qu'elle le protégerait des complots. Puisque la conspiration de Pison avait été dans le même temps découverte et ses membres suppliciés, Néron honorait la statuette comme une divinité toute-puissante à laquelle il offrait chaque jour trois sacrifices !

Je n'ai jamais entendu une voix s'élever ou simplement murmurer pour s'étonner que l'empereur du genre humain, tel le plus superstitieux des plébéiens, fît plus de dévotions à une statuette maladroitement sculptée qu'à Jupiter vainqueur, ou même à Apollon dont il assurait être le fils !

J'ai pensé que la plèbe de Rome accepterait tout de lui.

Et ceux qui le méprisaient ou le haïssaient le craignaient trop pour le combattre.

Et ceux qui l'entouraient profitaient trop de sa puissance pour l'abandonner ou le trahir.

Il pouvait donc tout se permettre.

L'on disait même – je l'ai déjà rapporté – qu'il songeait à changer le nom de Rome. Il voulait que la ville de Romulus et de Remus s'appelât désormais Néropolis.

Elle fut cela durant plusieurs semaines quand le roi d'Arménie, Tiridate, après un voyage de neuf mois, débarqua en Italie.

Il avait promis au général Corbulon de venir se faire sacrer, lui, déjà roi et prêtre dans sa religion, à Rome par Néron.

Et la ville entière s'enthousiasma, fêta en Néron l'empereur triomphant, le pacificateur, celui qui enfin forçait l'empire des Parthes à reconnaître la grandeur de Rome et son pouvoir.

J'écoutai les louanges. J'assistai aux fêtes, aux célébrations. J'étais fasciné, mon corps pris dans la foule si dense qu'elle en paraissait coagulée.

Ma Rome était puissante, glorieuse, invincible.

Elle faisait s'agenouiller ce roi parthe qui croisait les bras en signe de soumission et suppliait Néron de le faire roi.

En habit de triomphe, entouré de tous les sénateurs, devant le forum rempli des cohortes prétoriennes avec leurs enseignes, Néron retira à

Tiridate sa tiare et posa sur son front une couronne.

Pour la première fois, Rome imposait sa loi jusqu'aux confins de l'Asie, et c'était Néron, le tyran, cet empereur histrion, qui triomphait.

J'écoutai la foule l'acclamer. Elle était ivre d'enthousiasme, d'orgueil et de joie.

C'était une journée d'or.

Jamais on n'avait vu défiler dans Rome un cortège aussi somptueux, le roi, la reine avec sa visière d'or, leurs enfants, les parents des rois d'Asie, et trois mille cavaliers à la tête desquels se trouvait Vinicianus, le gendre du général Corbulon.

J'ai parcouru les rues de la ville.

Rome était cette nuit-là tout illuminée.

Des courses de chars se déroulaient à la lueur des flambeaux et des torches. Quand le jour se levait, les spectacles continuaient de plus belle.

Les tout premiers s'étaient déroulés à Naples où Néron s'était rendu pour accueillir Tiridate. Puis la caravane royale avait pris la route de Rome, s'arrêtant dans la plupart des villes traversées.

À Puteoles, un riche affranchi avait offert au roi et à l'empereur des duels de gladiateurs éthiopiens. Plus loin, un combat avait opposé des hommes nus à des bêtes fauves.

J'ai fait partie de ceux que Néron avait invités à se joindre à lui pour accueillir Tiridate, puis à l'accompagner de Naples à Rome.

C'est ainsi que je suis rentré dans ma ville.

Je l'ai découverte avec les yeux d'un étranger,

vaste, puissante, riche, joyeuse, peuplée d'une foule qui acclamait Néron. Sénateurs, chevaliers, prétoriens étaient à l'unisson.

« L'empereur défait et fait les rois de toutes les nations », « L'Empereur établit la paix sur tout le genre humain », répétait-on.

Et le roi Tiridate, entouré de ses femmes et de ses prêtres, de ses cavaliers et de ses parents, répétait qu'il était soumis à Néron.

Un préteur traduisait ses propos à l'intention de la plèbe. On les applaudissait. Puis le roi Tiridate dit qu'il allait reconstruire sa capitale, Artaxata, et lui donner, si l'empereur, l'y autorisait, le nom de Neroneia.

Néron s'est avancé et a invité Tiridate à se relever.

Il lui a donné l'accolade.

Je me suis senti seul, pressé au milieu de cette foule, face à ces cohortes de prétoriens portant fièrement leurs enseignes.

Christos, dis-moi qui, dans cette grande fête glorieuse, dans ce triomphe de Néron, tyran d'à peine vingt-neuf ans, se souciait des suppliciés ?

45

Je n'ai pas oublié les suppliciés, mais je n'ai rien tenté pour empêcher de nouveaux crimes.

Je savais pourtant que les délateurs et les tueurs étaient toujours à l'œuvre.

Chaque jour, Tigellin et son gendre Cossutianus Capito, leur complice Sabinus et tant d'autres, ceux qu'on appelait les « pires amis du prince », livraient à ce dernier les noms de leurs proies.

Néron faisait la moue, semblait hésiter.

Il se préparait à se rendre au forum pour y donner l'accolade au roi Tiridate devant toute la plèbe assemblée.

Son escorte de prétoriens l'y attendait.

Il paraissait ennuyé d'avoir ainsi, en ces jours de triomphe, à se soucier de ceux qui, parfois, avaient été ses plus proches amis, avec qui même il avait partagé ses nuits de débauche.

Il écoutait pourtant, la tête un tantinet penchée.

Les délateurs égrenaient leur liste.

Il y avait Mela, si riche, père de Lucain, le conspirateur déjà condamné. Mais que Néron veille à ne pas oublier que Mela était aussi l'époux d'Epicharis, cette femme qui s'était étranglée plutôt que de révéler le nom des conjurés...

Et Néron ajoutait alors que Mela était le frère de Sénèque.

Il y avait Pétrone.

Néron secoua la tête. Tigellin s'interrompit, ne reprenant que lorsque, d'un regard, l'empereur l'eût invité à poursuivre.

Pétrone, continua Tigellin, était l'ami de Scaevinus, celui qui avait voulu tuer Néron de sa main.

— Pétrone..., murmurait Néron d'une voix étonnée.

Il aimait Pétrone. Il suivait ses avis. C'est Pétrone que tout le monde à la cour imitait. Il incarnait l'élégance. Il savait aussi imaginer pour chaque nuit de nouveaux plaisirs.

Néron souriait.

Il se souvenait des heures de débauche, de l'amitié qu'il avait ressentie pour Pétrone plus que pour n'importe lequel de ses courtisans.

Il disait :

— Pétrone dort le jour et vit la nuit.

Tigellin insistait :

— Toi, tu es jaloux de Pétrone, observait Néron d'une voix enjouée.

Il rappelait que Pétrone était un bon poète, mais aussi qu'il avait administré avec talent, comme proconsul et consul, la Bythinie.

— Il aime trop le plaisir pour conspirer. Mais tu as peur que je ne t'oublie pour Pétrone, ajoutait-il comme on excite son chien.

Et Tigellin avançait avec fougue de nouvelles raisons de se défier de Pétrone.

Il y avait le fils de Poppée, Rufrius Crispinus, qui, dans ses jeux, avait pour habitude de s'attribuer le rôle d'empereur. Qui sait si, un jour, son père n'utiliserait pas cet enfant pour rassembler autour de lui des conspirateurs ?

Néron grimaçait, marmonnait :

— Empereur ? Il se croit empereur...

Il y avait Thrasea le vertueux, le sénateur respecté, dont on disait qu'il était le nouveau Caton.

Néron savait-il que Thrasea avait refusé de prêter le serment solennel à l'empereur ?

Néron se souvenait-il que Thrasea avait refusé d'accorder les honneurs divins à Poppée ?

Et que, plus avant encore, il avait quitté le Sénat pour ne pas avoir à condamner Agrippine ?

Des esclaves de sa maison avaient rapporté que sa fille Servilia, d'à peine vingt ans, avait vendu toutes les parures qu'elle avait reçues en dot pour rassembler l'argent destiné à la célébration des rites magiques qui devaient attirer le malheur sur l'empereur et protéger son père.

Il fallait donc que le Sénat juge et Thrasea et Servilia. Cossutianus Capito serait l'accusateur. Et les sénateurs voteraient la mort.

Il le fallait : Thrasea voulait être le nouveau Caton, mais un Caton vainqueur de César.

Et il y avait aussi le général Corbulon qui avait sous ses ordres en Asie la plus grande armée romaine depuis celle qu'avait jadis commandée Auguste. Sa sœur avait épousé l'empereur Caligula. Il était donc entré dans cette famille dont les membres pouvaient aspirer à l'Empire.

Son gendre Vinicianus avait lui aussi la confiance de l'armée. Il était ici, à Rome, aux côtés du roi Tiridate, et commandait les trois mille cavaliers qui avaient accompagné le roi.

— Méfie-toi, chuchotait Tigellin, de Vinicianus et de Corbulon. Pison ne disposait d'aucune légion, pas même d'une cohorte. Ceux-là ont une armée, et qui sait si les légions de Germanie et celles de Gaule ne se rallieraient pas à l'armée d'Asie ?

La sueur couvrait maintenant le visage de Néron.

Il se mordillait les ongles.

Il regardait les prétoriens de son escorte avec de l'effroi dans les yeux.

Puis il murmurait que Rome ne songeait qu'à le fêter. Il était l'empereur du genre humain qui avait établi la paix sur le monde.

Sa voix tremblait d'angoisse et de colère.

— Et on se dresse contre moi ! On me trahit, moi qui fais la grandeur de Rome, moi qui sacre les rois ?

Il s'approchait de Tigellin.

— Va, Tigellin, va !

Puis, redressant la tête, il se plaçait au milieu de l'escorte et s'en allait rejoindre le roi Tiridate.

Ils sont tous morts, ceux que Tigellin et ses délateurs ont désignés à Néron.

Tant d'avidité et de perversion serviles, le gaspillage de tant de sang humain, le plus clair, le plus pur, rebute l'esprit et serre l'âme de tristesse.

C'est l'enfant, le fils de Poppée, Rufrius Crispinus, qui est mort le premier.

Des esclaves l'ont noyé alors qu'il pêchait en mer.

Son père a été tué par un centurion quelques jours plus tard.

Puis est venu le tour de Mela.

Il était riche. Il avait renoncé à toute magistrature, soucieux seulement d'agrandir ses domaines et de remplir ses coffres.

Ses deux frères, Sénèque et Gallio, avaient été contraints de se suicider, tout comme son fils, Lucain. Et son épouse Epicharis n'avait échappé au bourreau qui la torturait que par la mort.

Il avait rédigé son testament. Mais qu'en serait-il de ses biens ? Néron dépouillait les cadavres.

Mela a rencontré Tigellin et Cossutianus Capito. Il avait préparé son poignard et ses tablettes testamentaires. Il leur proposa une somme énorme à condition qu'on le laisse disposer du reste de sa fortune.

Tigellin accepta.

Mela écrivit quelques phrases, puis, se lamentant de l'injustice de sa mort, il s'ouvrit les veines, et le sang coula le long de ses bras.

Pétrone, lui, était une âme libre et fière.

Il avait rassemblé ses amis dans sa demeure de Cumes, en Campanie. Il avait reçu l'ordre de l'empereur de n'en plus sortir. Il connaissait la jalousie de Tigellin et la perversité de Néron.

L'un et l'autre voulaient que la peur le déchirât, que sa crainte fût avivée par l'espérance.

Pétrone refusa de se soumettre. Il sortit, libre, de ce jeu cruel.

Il commença à réciter avec insouciance des poèmes légers tout en s'ouvrant les veines, puis il demanda à être bandé, car il voulait prendre encore un peu de temps.

Il se mit à table. Il dormit.

Il donna des récompenses et la liberté à certains de ses esclaves. Et il en fit fouetter d'autres.

Puis il se mit à écrire, racontant, sans jamais citer le nom de Néron, des nuits de débauche, décrivant des accouplements inédits, inattendus, les prêtant à des inconnus. Mais chacun comprendrait que l'empereur en était l'acteur.

Puis il scella le livre et l'envoya à Néron.

Enfin il demanda qu'on lui ôtât ses bandes, but quelques verres de vin de Falerne et d'Alba, et d'une main ferme s'ouvrit les veines des jambes.

Son corps se vida vite et Pétrone mourut comme on s'endort.

C'est le Sénat qui devait décider du sort de Thrasea et de sa fille Servilia.

Un jour d'août, à l'aube, j'ai vu deux cohortes prétoriennes armées prendre position autour du temple de Génitrix.

À l'entrée du Sénat, j'ai aperçu des groupes d'hommes en toge portant ostensiblement des épées.

J'ai entendu les commandements des centurions qui disposaient des escouades de soldats dans le forum romain et dans ceux d'Auguste et de César, cependant que d'autres cernaient les basiliques d'Aemelia et Julia.

C'est sous leurs regards et leurs menaces que les sénateurs ont pénétré dans la Curie.

On m'a rapporté les propos des accusateurs.

Cossutianus Capito a affirmé que Thrasea était un individu qu'attristait le bonheur de tous, qui considérait les forums, les théâtres, les temples comme autant de déserts.

Thrasea rassemblait autour de lui tous les ennemis de Néron, fils d'Apollon, qui venait d'assurer la gloire de Rome et la paix du monde.

Il pensait à s'exiler.

Le Sénat devait se montrer impitoyable.

Il fallait que Thrasea rompît, en perdant la vie, avec cette cité qu'il avait cessé depuis longtemps d'aimer et qu'il voulait maintenant cesser de voir.

Puis parut Servilia.

Elle s'allongea sur le sol devant l'autel d'Auguste. Elle en embrassa les degrés. Elle pleura, jura qu'elle n'avait invoqué aucun dieu impie, prononcé aucune formule d'exécration.

— Je n'ai demandé dans mes malheureuses prières rien, sinon que mon père, le meilleur des pères, soit sauvé et par toi, César, et par vous autres, pères de la Patrie.

On écouta Thrasea.

Mais quel sénateur pouvait entendre le père et la fille alors que l'assemblée était encerclée par des hommes en armes ?

On décida donc de condamner Thrasea et Servilia, mais on leur laissa le choix de leur mort.

Quant à Cossutianus Capito il reçut pour son accusation cinq millions de sesterces.

Un jeune questeur rapporta à Thrasea le texte du senatus-consulte. Thrasea se retira dans sa chambre et tendit aussitôt ses deux bras à son chirurgien afin qu'il lui ouvrît les veines.

Le sang s'écoula, se répandant sur le sol.

Thrasea dit alors au questeur :

— Nous offrons cette libation à Jupiter libérateur. Regarde, jeune homme, et que les dieux détournent ce présage, mais tu es né pour vivre à une époque où il est utile d'affermir son âme par des exemples de fermeté.

Servilia avait comme son père une âme libre. Elle mourut dignement.

Tout comme moururent Vinicianus et Corbulon.

Le premier, à Rome même, dénoncé avant d'avoir pu rassembler les quelques hommes décidés à tuer le tyran.

Corbulon, lui, convoqué par Néron, crut aux éloges que lui décernait dans son message l'empereur. Il se rendit auprès de lui, abandonnant ainsi son armée qui était à la fois son bouclier et son glaive. Quand il se présenta à Néron, les soldats l'entourèrent et il reçut l'ordre de se suicider.

Il s'écria, en pointant son glaive contre sa poitrine :

— J'en suis digne !

46

« Digne ».

À chaque fois que j'entendais Néron prononcer ce mot rougi par le sang du général Corbulon, j'éprouvais un haut-le-cœur.

Je me tenais à quelques pas de l'empereur.

Il allait et venait. Sa toge en se soulevant laissait parfois voir ses jambes grêles. Il était maquillé comme un acteur, une femme trop fardée. Les plis de ses cheveux ondulaient sur sa nuque.

Il pérorait comme peut le faire un homme ivre, jouant avec ses mains baguées, les approchant du visage de sa nouvelle épouse, cette Statilia Messalina dont il avait fait tuer le mari, le consul Vestinus, lequel avait eu l'audace de la prendre pour femme. La veuve, qui avait déjà usé plusieurs maris et dont les nombreux enfants prouvaient la fécondité, avait aussitôt accepté de devenir l'épouse du meurtrier de son mari.

Puis Néron s'approchait de Sporus et de Pythagoras qu'il avait aussi épousés, l'un devenu sa femme, l'autre son mari, et il leur caressait le menton, le cou, du bout de ses ongles.

Il disait, en baissant la tête :

— Je serai plus grand que les vainqueurs les plus illustres des jeux de Grèce.

Puis il se redressait.

— Je serai digne de la grandeur de Rome !

Les yeux mi-clos, il ajoutait :

— L'empereur du genre humain fera oublier la gloire d'Alexandre.

Et quelqu'un – Tigellin ou Sabinus, ou l'un des affranchis, peut-être Epaphrodite, à moins que ce ne fût Calvina Crispinilla, qui avait la charge des plaisirs et de la garde-robe de Néron – lançait :

— Tu es digne d'être un dieu, Néron !

Je serrais les mâchoires pour m'empêcher de vomir ma honte et ma colère.

J'essayais de cacher mon visage en me penchant, en me détournant. Je craignais qu'il ne fût ou d'une pâleur extrême ou d'une rougeur excessive, car l'émotion et la révolte m'étouffaient.

Je me reprochais d'avoir une fois encore choisi la voie de la prudence et de la lâcheté en acceptant l'invitation de Néron à le suivre dans ce voyage en Achaïe, à Olympie, à Delphes, dans ces villes où il voulait concourir comme acteur, chanteur, citharède ou conducteur de chars.

Toutes les villes de la côte grecque de l'Adriatique lui avaient promis de lui décerner les couronnes des vainqueurs, d'organiser en une seule année tous les jeux et concours qui s'espaçaient habituellement dans le temps.

Refuser ce voyage, ne pas obéir à Néron serait revenu pour moi à choisir de mourir.

Je savais, chacun savait qu'on ne résiste à un tyran qu'en le tuant. Et que sa volonté est aussi impérieuse que celle d'un dieu. On se soumettait donc aux désirs de Néron même quand il demandait qu'on s'ouvrît les veines.

Ni Thrasea, ni Corbulon, ni, avant eux, Pison, Pétrone ou Sénèque ne s'étaient dérobés, car chacun d'eux avait pensé qu'en se soumettant, en se tuant, il préservait peut-être la vie des membres de sa famille, une part de sa fortune, et qu'il échappait aux bourreaux qui prolongeaient souffrances et agonies.

Avant de quitter Rome pour rejoindre le cortège impérial qui se trouvait alors à Bénévent, prêt à s'embarquer pour Corcyre, la grande île grecque, j'avais appris qu'Antonia, la fille de l'empereur Claude, qui avait refusé d'épouser Néron, le meurtrier de son frère et de sa sœur, avait été contrainte de se suicider.

Telle était la réponse de Néron à son refus.

Je suis donc parti en Grèce avec les sénateurs, les chevaliers, les affranchis, les épouses de Néron, les comédiens, les néroniens et les *Augustiani*, les prétoriens, et ces milliers d'esclaves qui portaient les statues des dieux, les tissus, les vêtements, les victuailles et les vins sans lesquels jamais le tyran ne se déplaçait.

C'était un étrange cortège, non pas celui d'un empereur guerrier, plutôt celui d'un despote oriental qui préférait obtenir la gloire par ses talents de musicien et de chanteur et qui désirait les faire couronner à Olympie, à Delphes, là où était née la Grèce.

Dès que nous sommes arrivés à Corcyre, j'ai vu Néron se précipiter sur la scène du théâtre et commencer, devant une foule grecque qui l'acclamait, à réciter ses poèmes.

Je me souviens d'un vers qu'il roucoulait.

En bougeant brille le clou de la colombe de Cythère.

Puis il a chanté, et, comme à Rome, des prétoriens ont condamné les issues du théâtre afin que personne ne pût quitter les gradins. Les néroniens et les *Augustiani* donnaient le signal des acclamations. La foule s'exécutait, soumise, craintive et en même temps flattée, étonnée par ce monarque qui la saluait comme l'aurait fait un quelconque histrion, et dont elle sentait qu'il voulait être aimé non pas d'abord parce qu'il était empereur, mais parce qu'il était le meilleur des acteurs, le plus grand des artistes.

J'ai vu Néron flatter les juges comme un concurrent parmi d'autres.

J'ai vu son visage crispé par l'angoisse attendre la proclamation des résultats.

J'avais honte de cette comédie qu'il donnait et peut-être se donnait à lui-même. Parfois, il me semblait en effet qu'il craignait que les juges ne lui refusent la couronne du vainqueur.

Il pensait donc être jugé uniquement sur son talent ?

Comme si un juge qui ne lui aurait pas accordé le premier prix eût pu survivre !

Tous savaient comme moi que la soumission à Néron était la seule manière d'éviter une mort immédiate, car il n'aurait pas supporté de ne pas être le premier.

Je l'ai entendu exiger qu'on abattît les statues des anciens vainqueurs et qu'on les traînât dans les latrines. Puis qu'on dressât les siennes.

J'ai vu des juges le couronner vainqueur alors que, dans une course d'attelage, son char s'était renversé.

Il feignait la surprise, puis acceptait, avec un air de profonde modestie, comme il sied à un candidat devant ses juges, la couronne de lauriers du vainqueur.

Et il prenait la même attitude lors des concours de cithare ou de tragédie, quand il jouait Œdipe, Oreste ou Héraclès, ou encore quand, avec un masque de Poppée, il interprétait un rôle de femme ou bien se mettait à chanter.

Les couronnes des triomphes s'accumulaient, mais Néron était insatiable.

Je l'observais. Je l'écoutais. Il ne voulait plus quitter cette Grèce dont il ignorait pourtant Athènes et Sparte, villes qui avaient été hostiles à Alexandre.

Il s'attardait en Achaïe, refusait d'être initié aux mystères d'Éleusis, craignant qu'on ne lui refusât l'entrée du sanctuaire, interdite aux meurtriers.

Je l'entendais s'emporter contre Tigellin qui venait de lui remettre un message de l'affranchi

Helius qui, à Rome, remplaçait l'empereur et l'incitait à rentrer, s'inquiétant de l'attitude des légions de Gaule et de Germanie, et même de celle de la plèbe romaine et des sénateurs.

On critiquait cet empereur qui semblait désirer que l'Empire basculât vers l'Orient.

On soupçonnait Néron de vouloir faire de Corcyre une nouvelle Rome.

On méprisait ce monarque qui préférait les couronnes de lauriers du tragédien, du citharède et de l'aurige à celles du général victorieux.

On ne voulait pas qu'imitant Alexandre il marchât vers le Caucase, la mer Caspienne, l'Inde.

Or Néron avait commencé de constituer ce qu'il appelait la « Phalange d'Alexandre », une légion de géants, puisque chaque soldat devait mesurer au moins six pieds.

On craignait cette aventure lointaine qui aurait encore tiré davantage l'Empire vers l'Orient.

César et Auguste, eux, n'avaient pas recherché les acclamations de la plèbe dans les théâtres !

Inquiet de ces critiques, Helius insistait donc pour que l'empereur rentrât.

J'ai entendu les réponses faites par Néron.

Il avait croisé les bras, le menton levé, puis déclaré d'une voix forte, pour que tous l'entendissent :

— Ceux qui désirent que je m'empresse de revenir à Rome, là, maintenant, devraient plutôt me conseiller d'y rentrer digne d'être Néron !

Il s'était avancé, se figeant devant ceux qui étaient les plus proches de lui et les toisant avec mépris.

— Seuls les Grecs savent écouter, leur avait-il dit.

Il avait scruté les visages, cherchant à déceler une contestation, voire une simple réserve.

C'en aurait été assez pour mourir.

Mais moi, comme tous les autres, je feignis de l'approuver, sans même oser baisser la tête de crainte qu'il ne me soupçonnât de vouloir dissimuler mes sentiments.

Et j'applaudis, j'acclamai le tyran, les larmes m'emplissant les yeux.

Je pleurais sur ma dignité perdue.

Néron sourit, tout son visage et tout son corps, son ventre proéminent sur lequel il croisait les mains, exprimant sa vanité.

— Les Grecs sont les seuls auditeurs dignes de Néron et de son art. Soyez *dignes* de votre empereur ! ajouta-t-il, employant une nouvelle fois ce mot qu'il avait volé à ses victimes.

47

J'ai su que je n'allais plus longtemps donner le change.

Je côtoyais Néron chaque jour et je le découvrais plus monstrueux, plus fou et plus grotesque encore que je ne l'avais imaginé.

Je l'entendis dire à Tigellin qu'il fallait envoyer ses médecins pour soigner ce centurion de l'armée de Corbulon qui venait d'arriver de Corcyre et qui s'inquiétait, au nom des légions, du sort réservé à leur général.

Je compris que la tâche des médecins était d'ouvrir les veines de ceux qui tardaient à mourir.

C'était cela, « soigner », selon Néron.

Je l'écoutais lorsque, avant un concours de chant ou une course de chars, il s'adressait humblement aux juges.

— J'ai fait tout mon possible, disait-il, mais le succès est entre les mains de la Fortune. N'oubliez pas, dans votre sagesse et votre compétence, ce qui tient au hasard.

Les juges s'inclinaient et le rassuraient.

Néron s'élançait, prenant les rênes d'un attelage de dix chevaux, alors qu'il avait condamné dans un poème le roi Mithridate qui avait succombé à la même démesure.

J'étais dans les gradins, entouré par les *Augustiani*, guetté par les délateurs de Tigellin ou de Sabinus, par tous ceux qui savaient que l'on récompensait les dénonciateurs.

Je feignais donc d'applaudir, mais, malgré le mouvement de mes bras, mes mains ne claquaient pas, et, si ma bouche s'ouvrait, aucun son n'en sortait.

Ma lâcheté m'accablait. Elle pesait sur ma nuque et mes épaules, et je me contraignais cependant à mimer l'enthousiasme jusqu'à la nausée.

Puis il me fallait me joindre aux débauchés qui, lorsque Néron avait quitté la scène ou la piste du cirque, participaient à ses banquets qui duraient au-delà de l'aube.

L'intendante des plaisirs, Calvina Crispinilla, passait entre les corps nus des jeunes Grecs conviés à surprendre, à distraire, à faire jouir le divin Néron, fils d'Apollon.

Il était entouré de ses épouses Statilia Messalina et Sporus l'émasculé qui, fardé comme l'avait été Poppée, ressemblait à la défunte impératrice.

Des courtisanes, des éphèbes, Pythagoras, le « mari » de Néron, lui caressaient la poitrine et les cuisses.

Puis venait le temps des accouplements, ceux dont Pétrone avait écrit, avant de mourir, qu'ils étaient « inédits ».

Je tentais de me glisser hors de ces salles où l'odeur âcre des corps se mêlait à celle des parfums déversés.

Je marchais en titubant de fatigue vers le rivage.

Le soleil se levait, m'éblouissait.

La mer respirait calmement, alanguie, s'étirant à chacun de ses soupirs sur les galets.

Parfois je la pénétrais et le désir me prenait de m'enfoncer en elle pour que son étreinte me purifie.

J'invoquais ce dieu Christos pour qu'il me prenne.

Puis je quittais les vagues, persuadé que je ne pouvais plus continuer de vivre ainsi.

Était-ce vivre que d'obéir à un tyran ? que de participer à ses débauches, d'applaudir à ses mensonges ? et de trahir ainsi ceux qu'il avait tués ?

Je sais que je n'aurais pas survécu si j'avais dû, durant des mois encore, continuer de m'enfouir chaque jour davantage dans cette agonie à quoi se réduisait désormais ma vie.

Un jour, alors que nous revenions de Corinthe, où Néron, sous les acclamations, avait annoncé sa décision de faire creuser, dans l'isthme un canal, qui rapprocherait Rome de l'Orient, j'ai entendu Tigellin parler de la Judée, du peuple juif qui se rebellait. Les troupes romaines du procurateur de Judée, Gessius Florus, et celles, venus à leur secours, du gouverneur de Syrie, Cestius Gallus, avaient été battues.

Tigellin paraissait inquiet.

Les Juifs s'étaient emparés des forteresses. Les plus fanatiques d'entre eux étaient les maîtres de Jérusalem où se trouvait le Temple de leur religion.

Ils avaient massacré les soldats romains qui s'étaient rendus après qu'on leur eut promis la vie sauve. Un seul Romain, le centurion Metilius, qui commandait une cohorte, avait été épargné, ayant accepté d'être circoncis.

Jérusalem, a rappelé Tigellin, avait été conquise il y avait près de cent ans par Pompée. Il fallait que Néron, fils d'Apollon, relevât le défi afin que Rome ne restât pas humiliée, d'autant plus que l'Orient tout entier s'embrasait.

Les populations qui haïssaient les Juifs et que la paix romaine avait contenues profitaient de la révolte de Judée pour massacrer ceux-ci. Les Syriens en avaient égorgé plus de vingt mille à Césarée, les Égyptiens cinquante mille à Alexandrie.

Le préfet d'Égypte, Tibère Alexandre, Juif apostat, avait dû faire intervenir les légions, mais le Delta, le quartier juif d'Alexandrie, avait été dévasté et était jonché de cadavres.

Il fallait agir vite.

J'avais écouté.

La Judée, Jérusalem, le peuple Juif : le dieu Christos que j'avais invoqué me donnait des signes.

Je connaissais le général Flavius Vespasien auquel Tigellin conseillait de confier le commandement de l'armée d'Orient.

Je savais que sa vie avait tenu à une distraction de Néron.

Les délateurs avaient rapporté que Vespasien n'assistait pas à tous les concours et spectacles auxquels participait Néron. On l'avait même surpris ensommeillé alors que la « voix céleste et divine » s'élevait.

J'avais cru, entendant cela, que Néron allait envoyer ses médecins « soigner » Vespasien.

Mais, au même instant, les juges étaient arrivés pour décerner une nouvelle couronne de triomphe à Néron.

Et Vespasien n'avait été qu'exilé dans une petite ville d'Achaïe.

Il fut donc désigné pour commander les légions de Judée et la rumeur aussitôt se répandit que l'Orient était le ventre d'où sortaient les maîtres du monde.

On rappela que de nombreux présages avaient accompagné la vie de Vespasien.

Un jour, pendant qu'il déjeunait, un chien étranger lui avait apporté d'un carrefour une main d'homme et l'avait déposée sous la table.

Une autre fois, durant son dîner, un bœuf de labour qui avait secoué son joug avait fait irruption dans la salle à manger, mis en fuite les serviteurs, puis était tombé juste aux pieds de Vespasien, devant son lit, et lui avait présenté son cou.

Dans une terre de sa famille, un cyprès qui, sans être couché par le moindre orage, s'était abattu, déraciné, se releva, le jour suivant, plus vert et plus solide.

On murmurait aussi que, peu après son arrivée en Achaïe, aux côtés de Néron, Vespasien avait rêvé qu'un temps de prospérité commencerait pour lui et pour les siens dès que l'on aurait arraché une dent à Néron. Le jour suivant, le médecin lui montra, en s'avançant dans l'atrium, une dent qu'il venait d'extraire à l'empereur.

J'écoutais la rumeur, mais mon maître Sénèque m'avait appris à me défier des présages.

Je savais seulement que Vespasien partait pour la Judée à la tête de trois légions, et que cette terre et le peuple qui y vivait avaient vu naître Christos, ce Dieu unique que Néron n'avait jamais honoré, mais, au contraire, combattu, suppliciant ceux qui croyaient en lui.

Néron était, avait dit les chrétiens, l'Antéchrist, la Bête, le Mal.

Je partageais ce jugement.

J'entendais en moi une voix me répéter : « Va, va ! »

Je me suis rendu auprès de Vespasien.

C'était un rude soldat qui avait combattu en Germanie et en Bretagne, obtenu le triomphe et avait été nommé gouverneur d'Afrique.

Intègre, il en était revenu si pauvre qu'il avait dû, pour tenir son rang, s'adonner au métier de maquignon, si bien qu'on l'avait surnommé le « Muletier ».

Je m'assis en face de lui et lui demandai de faire partie de son état-major.

J'osai lui dire que je préférais la guerre aux jeux, la Judée à la Grèce.

Il me dévisagea. Il avait déjà choisi pour légat son fils aîné, Titus, mais je pouvais me joindre à eux.

Je me souvenais de Titus.

Il avait été, adolescent, le compagnon de jeux de Britannicus.

Il avait goûté le breuvage empoisonné qui tua Britannicus, et il en avait été malade plusieurs jours durant.

Il était d'une grande beauté et d'une vivacité joyeuse. On l'avait dit débauché ; mais il avait été aussi tribun militaire en Germanie et en Bretagne.

Un instant, j'ai hésité, craignant que Titus ne fût que l'un de ces jeunes gens que les mœurs nouvelles, leur perversion, l'exemple de Néron avaient à tout jamais corrompus.

Mais qui pouvait être aussi monstrueux, aussi tyrannique, aussi maléfique que Néron ?

J'ai donc choisi.

J'ai quitté la Grèce et Néron pour la Judée, le pays de Christos.

J'ai chevauché auprès de Vespasien et de Titus, confiant ce qu'il me restait de vie à Dieu.

Table

8581

Composition PCA
Achevé d'imprimer en France (La Flèche)
par CPI Brodard et Taupin
le 20 février 2009. 50969
Dépôt légal février 2009 EAN 9782290355800
1er dépôt légal dans la collection : janvier 2008

Éditions J'ai lu
87, quai Panhard-et-Levassor, 75013 Paris

Diffusion France et étranger : Flammarion